JN021506

◎もうだいじょうぶ!!シリーズ
不動産鑑定士

2025年度版

TAC不動産鑑定士講座講師
大阪学院大学経済学部准教授
相川眞一

不動産に関する行政法規
最短合格テキスト

はじめに

　本書は、2025年度不動産鑑定士試験（短答式）に、「最短合格」するためのものである。初心者にくわえ、宅建士・マンション管理士試験受験者の方が「行政法規」に関する知識を短時間に確実に身につけられるよう、工夫を凝らしている。

　このため本書は、出題可能性の低い項目または限界得点力（学習時間を少し増加させたときの得点の増加分）の低い項目は思いきってカットしている。「合格」するには出題範囲をすべて完璧に網羅する必要はないからだ。

　本書執筆の際には、常に次の点に留意した。
(1) 過去の**出題傾向を徹底的に分析**すること。
(2) 膨大な出題範囲のうち、**合格のために必要な知識のみ抽出**すること。
(3) **体系的に要領よく覚える**ことができるように配慮すること。
(4) 抽象的で難しい部分を**実例を用いて**、具体的にわかりやすく説明すること。

　行政法規は、範囲が広く暗記的要素が強い。そのうえ、毎年改正があるため、まるで「まっ暗なトンネルのなかを歩いているようだ」と学習者から言われる。**しかし！　本書があれば**、もうだいじょうぶ!!

　本書には、筆者の30年以上の指導経験から得たノウハウが詰め込まれている。受験者の悩みやつまずきを間近にみてきた筆者は、どうしたら受験者に着実に、「合格力」を身につけてもらえるか、ポイントを心得ている。本書ではこれらをすべて惜しみなく披露している。

　地方自治の時代である。不動産鑑定士は、単なる鑑定や金融の資格ではない。専門知識を用い、地方公共団体に係る公共政策（「地方創生」・「国土強靭化計画」・「コンパクトシティ」・「空家対策」・「少子高齢化対策」等）に関するコンサルタントとしての役割も増している。

　活躍の場が広がる不動産鑑定士へ向けて「最短ルート」で進んでほしい。

2024年9月
TAC 不動産鑑定士講座講師
大阪学院大学経済学部 准教授
相川　眞一

　本書は、2024年9月1日までに施行される法令で、原稿作成段階で判明しているものを盛り込んでいますが、その後に改正点が判明する可能性があります。
　法改正情報についてはサイバーブックストア（巻末広告参照）をご覧ください。

CONTENTS

本論点編

行政法規攻略法

1　行政法規が不得意だと合格は難しい

　　鑑定士試験の試験科目は専門科目と教養科目に大別され、**まず行政法規及び鑑定理論（短答式）で選抜**され、次に4科目で合否が決められます。

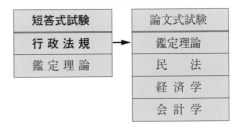

〈鑑定士試験の体系〉　　　　　　＜2段階選抜方式＞

専門科目	行 政 法 規
	鑑 定 理 論
教養科目	民　　　　法
	経 済 学
	会 計 学

短答式試験	論文式試験
行 政 法 規	鑑 定 理 論
鑑 定 理 論	民　　　　法
	経 済 学
	会 計 学

　　なお、これらの科目は互いに有機的に関連しています。特に、行政法規と鑑定理論との関係は深いため、　　　鑑定理論への道という欄を設けて過去問題を示し、科目間のつながりを示しています。

2　行政法規で他の受験生に差をつける裏ワザとは…

　　受験勉強は他の受験生との戦いです。たとえ自分の出来が悪くても他の受験生がもっと悪ければ合格しますし、自分の出来がよくても他の受験生がもっとよければ不合格となります。では、合格するためにはどうすればよいのでしょうか。

〈合格するための2つの裏ワザ〉

> ① 他の受験生ができる項目　→　自分も正解する。
> ② 他の受験生ができない項目　→　**少しだけ**正解できるようにする。

　　そこで、**限界得点力の大きい法律を重視すること**が重要となるのです。本書は、**合格に必要な内容に限定し、コンパクトな形にすることに成功しました。**

　　次ページの表では、近年の出題傾向を法律ごとに重要度を示しています。**1～16の法規だけで、合格者は22問前後正解しています。28～30問正解すれば合格可能性が高い**ので、残りの法律は50％そこそこの正答率でよいのです。重要度の高い順に勉強するのが戦略的学習法です。

　　なお、本書及び『行政法規 過去問題集（上・下）』で学習すれば、**条文を引く必要はありません。**

〈過去10年間の出題傾向〉

〈宅地建物関係法規〉

		'15	'16	'17	'18	'19	'20	'21	'22	'23	'24	平均得点	重要度
1	都市計画法	5	5	5	5	5	5	5	5	5	5	4.3	AA
2	建築基準法	5	5	5	5	5	5	5	5	5	5	3.7	AA
3	国土利用計画法	1	1	1	1	1	1	1	1	1	1	1.0	A
4	土地区画整理法	2	2	2	2	2	2	1	2	2	2	1.3	A
5	農地法	1	1	1	1	1	1	1	1	1	1	1.0	A
6	地価公示法	1	1	1	1	1	1	1	1	1	1	1.0	A
7	不動産登記法	1	1	1	2	1	1	1	1	1	1	0.9	B
8	宅地造成及び特定盛土等規制法	1	1	1	1	1	1	1	1	1	1	0.9	A
9	宅地建物取引業法	1	1	1	1	1	1	1	1	1	1	1.0	A
10	所得税法（含：租税特別措置法）	2	1	2	2	1	1	1	1	2	2	1.4	A
11	地方税法	1	1	1	1	1	1	1	1	1	1	0.7	B
12	相続税法	1	1	1	1	1	1	1	1	1	1	0.9	A

〈公共政策関係法規〉

		'15	'16	'17	'18	'19	'20	'21	'22	'23	'24	平均得点	重要度
13	土地基本法	1	1	1	1	1	1	1	1	1	1	1.0	A
14	都市再開発法	2	2	2	2	2	1	2	2	2	2	1.4	A
15	土地収用法	1	1	1	1	1	1	1	1	1	1	0.7	B
16	不動産の鑑定評価に関する法律	2	2	2	2	2	2	2	2	2	2	1.9	AA
17	文化財保護法	1	1	1	1	1	1	1	1	1	1	0.6	C
18	河川法・海岸法・公有水面埋立法		1		1			1			1	0.4	C
19	道路法	1			1		1		1	1		0.4	B
20	国有財産法	1	1	1	1	1	1	1	1	1	1	0.9	A
21	法人税法（含：租税特別措置法）	1	2	1	1	2	2	2	2	2	2	1.4	A
22	景観法		1	1	1	1		1	1			0.6	B
23	高齢者、障害者等の移動等の円滑化の促進に関する法律	1	1	1		1	1	1	1	1	1	0.6	C

〈自然・地球環境関係法規〉

		'15	'16	'17	'18	'19	'20	'21	'22	'23	'24	平均得点	重要度
24	自然環境保全法		1		1	1	1				1	0.2	C
25	自然公園法	1		1				1	1	1		0.2	C
26	森林法		1			1				1		0.2	C
27	都市緑地法	1			1		1	1	1	1		0.2	C
28	土壌汚染対策法	1	1	1	1	1	1	1	1	1	1	0.9	A

〈住宅関係法規〉

		'15	'16	'17	'18	'19	'20	'21	'22	'23	'24	平均得点	重要度
29	マンションの建替え等の円滑化に関する法律	1	1	1	1	1	1	1	1	1	1	0.5	C
30	住宅の品質確保の促進等に関する法律	1	1	1	1	1	1	1	1	1	1	0.9	A

〈金融関連法規〉

		'15	'16	'17	'18	'19	'20	'21	'22	'23	'24	平均得点	重要度
31	不動産特定共同事業法	1		1			1	1	1	1	1	0.4	C
32	資産の流動化に関する法律			0.2	1				0.2	0.4	0.2	0.2	C
33	投資信託及び投資法人に関する法律	1	1	0.8		1	1	1	1	0.6	0.6	0.3	C
34	金融商品取引法									0.2		0.1	C

(注1) 平均得点：筆者が独自に調査した**短答合格者の法律別総得点÷人数×出題確率**(過去10年間の平均で小数点第2位未満を四捨五入したもの)

(注2) 重 要 度：**AA**～かなり力を入れるべき ／ **A** ～力を入れるべき ／
B ～ある程度、力を入れるべき ／ **C** ～深入りは禁物！

本書の構成

25　自然公園法

〈全体構造〉⊞ H27年

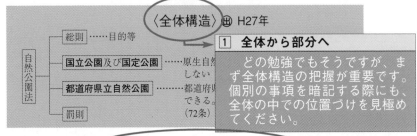

自然公園法
- 総則 …… 目的等
- **国立公園及び国定公園** …… 原生自然……しない……
- **都道府県立自然公園** …… 都道府県……できる。(72条)
- 罰則

1　全体から部分へ

どの勉強でもそうですが、まず全体構造の把握が重要です。個別の事項を暗記する際にも、全体の中での位置づけを見極めてください。

AA **1**　規制内容　⊞ H27・29・R3・4・5年

(1)　国立公園・国定公園

3　出題年度

過去10年間の出題年度を表示しています（Hは平成、Rは令和を表しています）ので、ポイントを絞った学習が可能です。

種　類	内　　容
特別地域(20条)	①工作物(含住宅)の新築・改築・増築、木竹の伐採 ②鉱物の掘採又は土石の採取

2　重要度によるランク分け

過去の出題頻度および今後の動向を総合的に分析し、AA、A、B、Cの4段階に分類しました。効率的な学習に役立ててください。

AA　→　大変重要
A　→　重要
B　→　普通
C　→　大穴

	知事の許可
	届　出 (国立公園→大臣) (国定公園→知事)

(注1)　上述の行為制限により損失を受けた場合にはその**損失が補償される**（64条）。

(注2)　特別地域内で、**非常災害のために必要な応急措置**として一定の行為をした者はその行為日から起算して**14日以内**に国立公園にあっては環境大臣に、国定公園にあっては**知事に届出**なければならない（20条）。

(注3)　**土地の売買**については、許可・届出は不要。

(注4)　環境大臣は国立公園について、知事は国定公園について必要があるときは、**普通地域内で**一定の届出を要する行為をした者等に対し、その**行為の禁止、制限等**ができる（33条）。

(2)　都道府県立自然公園（72・73条）→国立公園又は国定公園は含まれない。

都道府県は、条例で**特別地域**を指定し、かつ、**特別地域内及び特別地域外の区域**における行為につき、それぞれ、国立公園の特別地域又は普通地域内に

おける行為の**規制**の範囲内において、必要な規制を定めることができる。

COLUMN

自然公園には3

この法律の最大の目的は、すぐれた**自**
すぐれた風景地は、**国立公園、国定公園**
定され、これらを総称して**自然公園**とい
地というイメージですけど、民有地を指定

4 ポイント説明

　通常の教室講義と同様、口語体で説明していますので、スムーズに内容理解ができます。

比　較　㊄ R3・

5 暗記の決め手

　抽象的な本文の内容を比較やチャートによって整理しました。これらはすべて、筆者がTACでの講師経験を通して得た「生きたノート」なのです。

● 国立公園 → 我国
が指定（2条）。区

6 イラストで視覚に訴える

　かわいいイラストが勉強に疲れたあなたの目をいたわります。あくまでも行政法規理解のためのものですから、他のイラストレーターに依頼せず、筆者がみずから描きました。
　もし、よろしければ、色エンピツで「ぬり絵」をしていただけませんか。

絶対注意　　**7 絶対注意は絶対に押さえる**

　本文中で特に重要な事項です。必ず押さえておいてください。

本論点編

宅地建物取引士関係法規

　いよいよ本論に入っていきます。行政法規の問題は、難化すると合格ラインが下がり、易化すると合格ラインが上がります。そして、本書をマスターすれば、合格ラインにかかわらず、どんな出題がなされようと、短期合格のための実力が身につきます。がんばってください。

目標設定	短答式突破に必要な予想正答率	読者の皆さんの目標正答率
	70%	**75%以上**

1 都市計画法

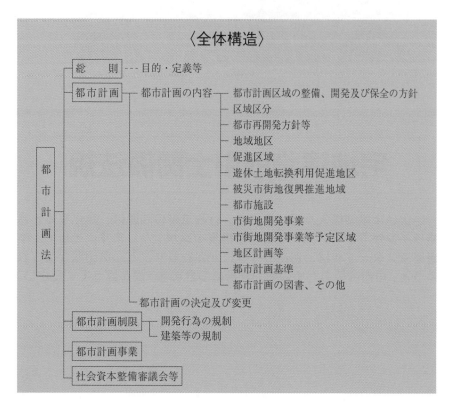

〈全体構造〉

```
都市計画法 ─┬─ 総  則 --- 目的・定義等
            ├─ 都市計画 ─┬─ 都市計画の内容 ─┬─ 都市計画区域の整備、開発及び保全の方針
            │            │                 ├─ 区域区分
            │            │                 ├─ 都市再開発方針等
            │            │                 ├─ 地域地区
            │            │                 ├─ 促進区域
            │            │                 ├─ 遊休土地転換利用促進地区
            │            │                 ├─ 被災市街地復興推進地域
            │            │                 ├─ 都市施設
            │            │                 ├─ 市街地開発事業
            │            │                 ├─ 市街地開発事業等予定区域
            │            │                 ├─ 地区計画等
            │            │                 ├─ 都市計画基準
            │            │                 └─ 都市計画の図書、その他
            │            └─ 都市計画の決定及び変更
            ├─ 都市計画制限 ─┬─ 開発行為の規制
            │                └─ 建築等の規制
            ├─ 都市計画事業
            └─ 社会資本整備審議会等
```

c**1** 目的等 ⊕ H15年（最終）

　目的は、都市計画の内容及びその決定手続、都市計画制限、都市計画事業その他都市計画に関し必要な事項を定めることにより、都市の健全な発展と秩序ある整備を図り、もって国土の均衡ある発展と公共の福祉の増進に寄与すること（1条）であり、**都市計画とは、都市の健全な発展と秩序ある整備を図るための土地利用、都市施設の整備及び市街地開発事業に関する計画**である（4条）。

c**2** 都市計画の基本理念（2条）

　農林漁業との健全な調和を図りつつ、健康で文化的な都市生活及び機能的な都市活動を確保すべきこと並びにこのためには適正な制限のもとに土地の合理的利用が図られるべきこと。

	市 街 化 区 域	市街化調整区域	非線引都市計画区域
(1) 定　義	①すでに**市街地**となっている区域 ②おおむね**10年以内**に優先的計画的に市街化を図るべき区域	市街化を抑制（禁止ではナイ！）すべき区域	市街化区域と市街化調整区域の区域区分が定められていない区域
(2) 用途地域	（少なくとも）定める	原則として定めない	必要に応じて定める

（注）**都市計画区域**（準都市計画区域はダメ！）について無秩序な市街化を防止し、計画的な市街化を図るため**必要があるとき**は、都市計画に、**市街化区域と市街化調整区域との区分**を定めることができる（7条）（強制ではナイ！）。

（絶対注意）「区域区分」をすると、**必ずどちらかの区域に区分**される。

▱ 鑑定理論への道
① 道路に面していない土地は、宅地とはいえない（2015年）。→✕宅地といえることがある。
② 市街化調整区域には、宅地地域は存在しない（2015年）。→✕存在する。
③ 日本の産業構造の変化と、地域の種別の転換や移行とは無関係である（2015年）。→✕たとえば、工場の海外移転により、工業地域から住宅地域に転換することがある。

AA **4**　用途地域（9条）⏾H27・29・30・R1・2・3・4・5年

　用途地域は、住居、商業、工業等の用途を適正に配分して住居の環境を保護し、商工業の利便を増進するものであり、「**13種類**」の地域の総称である（8条）。

COLUMN

用途地域

　昭和30年代からの**高度経済成長**により、**住宅街に工場や大型店舗が建設**されるという事態が発生しました。これを解決するために、**フランクフルト**や**ニューヨーク**で行われていた**用途地域制**（zoning）が導入されました。そして、用途地域ごとに建築できる建物・建築できない建物を決めたのです（P.49参照）。次ページのイラストで、各用途地域のイメージをつかんで下さい。そして、番号順に名称を覚えて下さい。読者の皆さんが住んでいる街は、下記のどの地域でしょうか？　役所に問い合わせればわかりますよ。筆者が住んでいる所は、(10)（P.15）のポートタワーが見える商業地域です。

★ 住居系

(1) 第一種低層住居専用地域
低層住宅に係る良好な住居の環境を保護するための地域。

(2) 第二種低層住居専用地域
主として低層住宅に係る良好な住居の環境を保護するための地域。

(3) 田園住居地域
農業の利便の増進を図りつつ、これと調和した低層住宅に係る良好な住居の環境を保護するために定める地域です。

(4) 第一種中高層住居専用地域
中高層住宅に係る良好な住居の環境を保護するための地域。500㎡までの一定の店舗や病院、大学等が建てられる。

(5) 第二種中高層住居専用地域
主として中高層住宅に係る良好な住居の環境を保護するための地域。1,500㎡までの一定の店舗等が建てられる。

(6) 第一種住居地域
住居の環境を保護するための地域。3,000㎡までの店舗やホテル等も建てられる。

(7) 第二種住居地域
主として住居の環境を保護するための地域。ぱちんこ屋やカラオケボックス等も建てられる。

(8) 準住居地域
道路の沿道としての地域の特性にふさわしい業務(ex.車庫) の利便の増進を図りつつ、これと調和した住居の環境を保護するための地域。

★不動産図鑑①・用途地域

★ 商業系

(9) 近隣商業地域

近隣の住宅地の住民に対する日用品の供給を行うことを主たる内容とする商業等の利便を増進するための地域。

(10)商業地域

主として商業その他の業務の利便を増進するための地域。

★ 工業系

(11)準工業地域

主として、環境の悪化をもたらすおそれのない工業の利便を増進するための地域。

(12)工業地域

主として工業の利便を増進するために定める地域。住宅や店舗は建てられるが、学校やホテル等は建てられない。

(13)工業専用地域

工業の利便を増進させるための地域。住宅は建てられない（環境が悪すぎるので）。

絶対注意　用途地域に関しては、地域の特色をイメージして頭に入れること。不動産鑑定士として地域分析等をする際に役立つ。

		内　　　容
用途地域内	特別用途地区	その地区の特性にふさわしい土地利用の増進、環境の保護等の特別の目的の実現を図るため、**用途地域の指定を補完**して定める地区
	高層住居誘導地区	**住居と住居以外の用途**とを適正に配分し、利便性の高い高層住宅の建設を誘導するため、**第一種住居地域、第二種住居地域、準住居地域、近隣商業地域又は準工業地域**でこれらの地域に関する都市計画において容積率が$\frac{40}{10}$又は$\frac{50}{10}$と定められたものの内において、容積率の最高限度、建蔽率の最高限度及び建築物の敷地面積の最低限度を定める地区とする。 （注）一定要件に該当すれば、**日影規制は対象外**
	高度地区	市街地の環境維持又は土地利用増進のため、**建築物の高さの最高限度又は最低限度**を定める地区（準都市計画区域内では、建築物の高さの最高限度を定める）
	高度利用地区	市街地における土地の合理的かつ健全な高度利用と都市機能の更新を図るため、**容積率**の最高限度及び最低限度、**建蔽率**の最高限度等を定める地区
都市計画区域内等	特定街区	超高層ビル地区。市街地の整備改善を図るため街区の整備又は造成が行われる地区について、その街区内における建築物の容積率並びに建築物の高さの最高限度及び壁面の位置の制限を定める街区。指定には利害関係者**の同意**が必要（17条）
	風致地区	都市の**風致を維持**　地方公共団体の**条例**で建築物の建築、宅地造成、木竹の伐採、水面の埋立、土石の採取等を規制できる（58条）。この場合の条例に設定できる罰則は、**罰金のみ**
	被災市街地復興推進地域	大規模な火災、震災その他の災害により相当数の建築物が滅失した市街地の計画的な整備改善を推進して、その緊急かつ健全な復興を図る必要があると認められる土地の区域について定める（13条）

（注1）**特定用途制限地域**とは、**用途地域が定められていない**土地の区域（**市街化調整区域を除く**）内で、その良好な環境の形成又は保持のため当該地域の特性に応じて合理的な土地利用が行われるよう、制限すべき特定の建築物等の**用途の概要**を定める地域。

（注2）**特例容積率適用地区**とは、**第一種中高層住居専用地域、第二種中高層住居専用地域、第一種住居地域、第二種住居地域、準住居地域、近隣商業地域、商業地域、準工業地域又は工業地域内**の適正な配置及び規模の公共施設を備えた土地の区域において、建築物の容積率の限度からみて未利用となっている建築物の容積の活用を促進して土地の高度利用を図る地区。

（注3）**準都市計画区域**では都市計画に、**用途地域、特別用途地区、特定用途制限地域、高度地区、景観地区、風致地区、伝統的建造物群保存地区、緑地保全地域**で必要なものを定める。

　都市計画法に関する次のイからニまでの記述のうち、正しいものの組み合わせはどれか。

イ　高度地区は、第一種低層住居専用地域及び第二種低層住居専用地域内においては、定めることができない。

ロ　特定用途制限地域は、用途地域において定めることができる。

ハ　第二種低層住居専用地域は、主として低層住宅に係る良好な住居の環境を保護するため定める地域であり、当該地域については、義務教育施設をも定めるものとされている。

ニ　準住居地域は、道路の沿道としての地域の特性にふさわしい業務の利便の増進を図りつつ、これと調和した住居の環境を保護するため定める地域である。

(1)　イとロ
(2)　イとハ
(3)　イとニ
(4)　ロとハ
(5)　ハとニ

AA 6　地域地区につき都市計画に定める事項(8条)　⊕ H27・30・R2・3・4年

＜1＞　地域地区の種類、位置及び区域

＜2＞　次に掲げる地域地区については、それぞれ次に定める事項

(1)　**すべての用途地域 →** 容積率・敷地面積の最低限度 **(必要な場合)**

(2)　**商業地域以外の用途地域 →** 建蔽率

(3)　**低層住居専用地域（第一種・第二種）、田園住居地域**
　　①外壁の後退距離の限度 **(必要な場合)**　②建築物の高さの限度

(4)　**特例容積率適用地区 →** 建築物の高さの最高限度 （必要な場合）

(5)　**高層住居誘導地区**
　　①容積率、建蔽率の最高限度(必要な場合)　②建築物の敷地面積の最低限度 （必要な場合）

(6)　**高度地区 →** 建築物の高さの最高限度又は最低限度 （準都市計画区域では、最高限度）

(7)　**高度利用地区** （→建築物の高さの最高限度は入ってイナイ！）
　　①容積率の最高限度及び最低限度　②建蔽率の最高限度　③建築物の建築面積の最低限度　④壁面の位置の制限 **(必要な場合)**

(8)　**特定街区 →** ①容積率　②建築物の高さの最高限度　③壁面の位置の制限

		都市計画区域の指定	都市計画の決定
原　　　　則		都 道 府 県	都道府県と市町村が分担
2都府県にまたがる場合		国土交通大臣	国土交通大臣と**市町村**が分担

(注) 区域の指定は市町村の行政区域にとらわれない。

(1)　都道府県は、市又は人口、就業者数その他の事項が一定要件に該当する町村の中心の市街地を含み、かつ、**自然的及び社会的条件並びに人口、土地利用、交通量その他国土交通省令で定める事項に関する現況及び推移を勘案して、一体の都市として総合的に整備し、開発し及び保全する必要がある区域を都市計画区域**として指定する。また、**新たに住居都市、工業都市等の都市として開発し及び保全する必要がある区域を都市計画区域**として指定する。

(2)　都道府県は、**都市計画区域を指定**しようとするときは、あらかじめ、関係市町村及び都道府県都市計画審議会の意見を聴くとともに、**国土交通大臣に協議し、その同意を得なければならない**（**案の公衆の縦覧は不要**）。

(3)　**都道府県**は、**都市計画区域**（行政区域ではナイ！）について**都市計画に関する基礎調査**を、おおむね**5年**ごとに行うものとする（6条）。

(4)　**都市計画区域**については、都市計画に、**都市計画区域の整備、開発及び保全の方針**を定め、都市計画区域について定められる都市計画は、**都市計画区域の整備、開発及び保全の方針**に即したものでなければならない（6条の2）。

(5)　都市計画区域については、都市計画に、都市再生特別措置法上の**居住調整地域**又は**特定用途誘導地区**を定めることができる（8条）。

過去問チェック② 　　　　　　　　　　（2000年・一部改題）

都市計画法に関する次の記述うち、正しいものはどれか。

(1)　市町村は、都市計画区域を指定しようとするときは、市町村都市計画審議会の意見を聴き、都道府県知事の承認を受けなければならない。

(2)　都市計画区域は、都道府県の区域のうち、一体の都市として総合的に整備し、開発し、及び保全する必要がある区域が指定されるものであり、2以上の都府県にまたがって指定されることはない。

(3)　市街化区域及び市街化調整区域においては、当該区域の整備、開発又は保全の方針を定める。

(4)　市街化区域はすでに市街地を形成している区域であり、市街化調整区域はおおむね10年以内に市街化を図るべき区域及び市街化を抑制すべき区域である。

(5)　市街化区域と市街化調整区域との区分に関する都市計画が定められた都市計画区域は、必ず市街化区域と市街化調整区域に区分され、両区域のいずれにも含まれない土地の区域はない。

B 8　準都市計画区域（5条の2）㊒ H27・R5年

(1)　都道府県は、**都市計画区域外の区域**のうち、**相当数の建築物その他の工作物**の建築若しくは建設又はこれらの敷地の造成が現に行われ、又は行われると見込まれる区域を含み、かつ、自然的及び社会的条件並びに農業振興地域の整備に関する法律等による土地利用の規制の状況等を勘案して、**そのまま土地利用を整序し、又は環境を保全するための措置を講ずることなく放置**すれば、将来における一体の都市としての整備、開発及び保全に**支障が生じるおそれがあると認められる一定の区域**を、**準都市計画区域**として**指定できる**。その際、あらかじめ、関係市町村及び都道府県都市計画審議会の意見を聴かなければならない。準都市計画区域の指定は、公告により行う（5条の2）。

(2)　**準都市計画区域の全部又は一部について都市計画区域が指定**されたときは、**当該準都市計画区域は廃止**され、又は当該都市計画区域と重複する区域以外の区域に変更されたものとみなされる（5条の2）。この場合、当該都市計画区域と重複する区域内において定められている都市計画は、当該**都市計画区域**について定められているものとみなされる（23条の2）。

過去問チェック③　　　　　　　　　　　　　　　　　（2015年）

> 　次のイからニまでの都市計画法における地域地区のうち、準都市計画区域において定められないものの組み合わせはどれか。
> イ　防火地域　ロ　高度地区　ハ　臨港地区　ニ　風致地区
>
> (1)　イとロ　(2)イとハ　(3)イとニ　(4)ロとハ　(5)ハとニ

B 9　都市計画の内容決定の分担（15条）㊒ R2・4年

都道府県が定める都市計画（主なもの）	市町村が定める都市計画（主なもの）
(1) 都市計画区域の整備、開発及び保全の方針（マスタープラン）・**区域区分**	(1) 都市計画区域内の用途地域等
(2) 都市再開発方針等	(2) 促進区域
(3) **市街化区域と市街化調整区域の区域区分**	(3) 面積50ha以下の一定の土地区画整理事業等
(4) 風致地区（10ha以上）等	(4) 一定規模の一団地の住宅施設予定区域
(5) **市街地開発事業**（右記(3)を除く）	(5) **地区計画等**
(6) 市街地開発事業等予定区域（右記(4)を除く）	(6) **被災市街地復興推進地域**
	(7) 遊休土地転換利用促進地区(注)

（注）**市街化区域内**にのみ指定できる（10条の3）。

A **10** 都市計画の決定手続（16〜22条） 🎓 H28・29・R4年

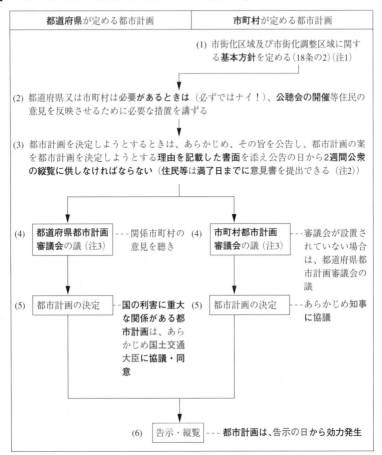

都道府県が定める都市計画	市町村が定める都市計画

(1) 市街化区域及び市街化調整区域に関する基本方針を定める（18条の2）（注1）

(2) 都道府県又は市町村は**必要があるときは**（必ずではナイ！）、**公聴会の開催**等住民の意見を反映させるために必要な措置を講ずる

(3) 都市計画を決定しようとするときは、あらかじめ、その旨を公告し、都市計画の案を都市計画を決定しようとする**理由を記載した書面**を添え公告の日から**2週間公衆の縦覧に供しなければならない**（**住民等は満了日までに意見書を提出できる**（注2））

(4) **都道府県都市計画審議会**の議（注3）---関係市町村の意見を聴き (4) **市町村都市計画審議会**の議（注3）--- 審議会が設置されていない場合は、都道府県都市計画審議会の議

(5) 都市計画の決定---**国の利害に重大な関係がある都市計画**は、あらかじめ国土交通大臣に協議・同意 (5) 都市計画の決定--- あらかじめ知事に協議

(6) 告示・縦覧---**都市計画は、告示の日から効力発生**

（注1）市町村は基本方針を定めようとするときは、あらかじめ公聴会の開催**等**を講じるものとする。

（注2）**意見書の提出先**は、都道府県作成のものは都道府県に、市町村作成のものは市町村に、である（17条）。

（注3）付議するにあたっては、住民等からの意見書の**要旨**を提出しなければならない（18・19条）。市町村都市計画審議会の設置は任意。

(1) 市町村と都道府県の都市計画が**抵触**し合うときは、そのかぎりにおいて**都道府県の都市計画が優先**（15条）。

(2) 都道府県又は市町村は、都市計画を決定したときは、その旨を告示し、かつ、都道府県にあっては関係市町村長に、市町村にあっては知事に、図書の写しを**送付**しなければならない。知事及び市町村長は、図書又はその写しを都道府県又は市町村の事務所で公衆の縦覧に供しなければならない（20条）。

(3) 都市計画区域又は準都市計画区域について定められる都市計画（区域外都市施設に関するものを含む）は、**国土形成計画**等の国土計画、地方計画や道路、河川等に関する国の計画等に適合したものでなければならない（13条）。

(4) 市町村が定める都市計画は、基本構想に即したものでなければならない。

(5) 国土交通大臣、知事又は市町村長は、都市計画の決定又は変更のために他人の占有する土地に立ち入って測量又は調査を行う必要があるときは、その必要の限度において、他人の占有する土地に、自ら立ち入り、又はその命じた者若しくは委任した者に立ち入らせることができる（25条）。

AA **11** 都市施設（11・13条）⊕ H28・29・30・R1・2・3・6年

──────── 市街化区域・非線引都市計画区域 ────────

┌─ 8つの住居系の用途地域 ─┐
少なくとも道路・公園・下水道・義務教育施設を定める。

少なくとも道路・公園・下水道を定める。

（注1）**都市計画施設**とは、**都市施設のうち都市計画決定されたもの**をいい、**地区計画**で定められる**地区施設はこれに含まれない**（4・11条）。

（注2）都市施設である道路・河川等は、適正かつ合理的な土地利用を図るため必要があるときは、都市施設の区域の地下又は空間について、当該都市施設を整備する**立体的な範囲**を都市計画に定めることができる（11条）。

⟨COLUMN⟩

都市施設はどこで定められる？

都市計画は都市計画区域で定められます（**準都市計画区域は都市計画区域外なので、都市計画は定めることができないのが原則**）。しかし、都市施設は、特に必要があれば、**都市計画区域外**でも**定めることができる**のです。都市施設とは、たとえば道路・公園・下水道・学校等の**一定のもの**です。これらは都市計画区域外（たとえば田舎）でも必要なものです。**汚物処理場、ごみ焼却場**といった嫌悪施設でも同様です。

AA **12** 市街地開発事業（12・13条） H28・29・R1・2・4・5年

市街地開発事業は、**市街化区域又は非線引都市計画区域内**において、一体的に開発し、又は整備する必要がある土地の区域について定める（13条）。以下の**7種類**がある。

種類	根拠法	方式	
(1) 土地区画整理事業	土地区画整理法	換地方式	促進区域を定める
(2) 市街地再開発事業	都市再開発法	権利変換方式 管理処分方式	ことができる
(3) 住宅街区整備事業	大都市法	換地方式	
(4) 防災街区整備事業	密集市街地整備法	権利変換方式	
(5) 新住宅市街地開発事業	新住宅市街地開発法	収用方式	比較的 規模が大きい → 予定区域を定めることができる
(6) 工業団地造成事業	首都圏等関係法	全面買収方式	
(7) 新都市基盤整備事業	新都市基盤整備法	収用方式と 換地方式の併用	

COLUMN

促進区域・予定区域・遊休土地転換利用促進地区とは？

促進区域とは、その区域の人たちに対して、「さあ、皆さんで事業をやって下さい。もしできなかったら、我々行政側がやりますので」という自主性にまかせる区域なんです。促進区域は、**市街化区域又は非線引都市計画区域内**において、主として**関係権利者による市街地の計画的な整備又は開発を促進**する必要があると認められる土地の区域について定めます（13条）。

予定区域には、上記の表(5)〜(7)に加え、以下の3種があります。

(1) **1団地**（区域の面積が20ha以上）の住宅施設の予定区域
(2) 1団地の官公庁施設の予定区域
(3) 流通業務団地の予定区域

遊休土地転換利用促進地区とは、有効利用されていないため周辺の市街化の促進に弊害を与えている土地の所有者等に土地の有効利用を促進させるもので、**市街化区域内のおおむね5,000㎡以上**の一定の土地が指定されます（10条の3）。

新住宅市街地開発事業とは？

　新住宅市街地開発事業とは、都市計画法及びこの法律によって行われる宅地の造成、造成された宅地の処分及び宅地とあわせて整備されるべき公共施設の整備に関する事業並びにこれに付帯する事業（2条）で、必ず**都市計画事業**として施行されます（5条）。すなわち、大都市等の人口集中の著しい市街地の周辺の地域で、**大規模なベッドタウンをつくる事業**なのです。

①山等を　　②造成工事した後、売る　③買った人は住宅を建てる

★不動産図鑑②・新住宅市街地開発事業

B **13** 都市計画の決定等の提案（21条の2）　⊕ H28年

(1) **都市計画区域又は準都市計画区域**で、**0.5ha以上のまとまった土地の区域**について、土地**所有者又は借地権者**は、**一人**で、又は数人共同して、都道府県又は市町村に対し、**都市計画の決定又は変更の提案**をすることができる。
　　この場合、素案の対象となる土地の区域は、
　　① 　公共施設の用に供されている土地を除く
　　② 　$\dfrac{\text{同意した者の土地（所有地＋借地）の地積}}{\text{総地積（所有地＋借地）}} \geqq \dfrac{2}{3}$　となる場合に限る。
　　同様に、**特定非営利活動法人**（いわゆる**まちづくりNPO**）等も提案できる。
　　ただし、都道府県又は市町村は、都市計画の決定又は変更の提案を踏まえた都市計画の決定又は変更をする**必要がないと判断したときは**、遅滞なく、その旨及びその理由を、当該提案をした者に**通知しなければならない**（通知の請求がなくても）。通知をしようとするときは、あらかじめ、都道府県都市計画審議会（当該市町村に市町村都市計画審議会が置かれているときは、市町村都市計画審議会）に当該提案に係る都市計画の素案を提出してその意見を聴かなければならない（21条の5）。

(2) **都市計画区域の整備、開発及び保全の方針、都市再開発方針等**に関する都市計画については、都市計画の根本的なものであり広域的見地から定められるべきものであるため、その**決定又は変更の提案を行うことはできない**。

（注1）市街化区域と市街化調整区域の**区域区分**に関する都市計画→計画提案対象となる。
（注2）**都市計画区域の指定**→計画提案対象とならない。

AA **14**　地区計画等（12条の4〜12条の6）㊙ H27・28・29・30・R1・2・3・5・6年

(1)　種　類
　　①地区計画　②防災街区整備地区計画　③歴史的風致維持向上地区計画
　　④沿道地区計画（道路交通騒音障害防止）　⑤集落地区計画

(2)　地区計画の対象区域
　　①　用途地域が定められている土地の区域
　　②　用途地域が定められていない土地の区域で次のいずれかに該当するもの
　　(ア)　住宅市街地の開発等の事業が行われる、又は行われた土地の区域
　　(イ)　建築物の建築又はその敷地の造成が無秩序に行われ、又は行われると
　　　　見込まれる一定の土地の区域で、公共施設の整備の状況、土地利用の動
　　　　向等からみて不良な街区の環境が形成されるおそれがあるもの
　　(ウ)　健全な住宅市街地における良好な居住環境その他優れた街区の環境が形
　　　　成されている土地の区域
(注1)　すなわち、市街化調整区域でも定めることができる。
(注2)　準都市計画区域では、地区計画を定めることはできない。
(注3)　集落地区計画は、営農条件と調和のとれた居住環境を整備するとともに、
　　　　適正な土地利用が図られるように定めることとされている。
(注4)　市街地が形成されていない土地の区域でも定めることができる。

(3)　建築等の規制（58条の2）
　　地区計画の区域（地区整備計画又は一定の再開発等促進区・開発整備促進区が
　定められている区域に限る）内で土地の区画形質の変更、建築物の建築等を行お
　うとする者は、建築等に着手する日の30日前までに、市町村長へ一定事項の届出
　（許可ではナイ！）が必要であるが、次の場合は不要である。
　　①　通常の管理行為、軽易な行為等　②　非常災害のため必要な応急措置
　　③　国又は地方公共団体が行う行為　④　都市計画事業の施行としての行為
　　⑤　開発行為の許可を要する行為等
　　届出に係る行為が地区計画に適合しないと認めるとき、市町村長は、届出
　者に対し設計変更その他必要な措置をとることを勧告できる。必要な場合は、
　権利処分のあっせん等の措置を講ずるように努めなければならない。

(4)　再開発等促進区を定めることができる区域（12条の5）
　　①　現に土地の利用状況が著しく変化しつつあり、又は著しく変化すること
　　　が確実であると見込まれる土地の区域であること。
　　②　土地の合理的かつ健全な土地の高度利用を図るため、適正な配置及び規
　　　模の公共施設を整備する必要がある土地の区域であること。
　　③　当該区域内の土地の高度利用を図ることが、当該都市の機能の増進に貢
　　　献することとなる土地の区域であること。
　　④　用途地域が定められている土地の区域であること。

(5) **開発整備促進区**を定めることができる区域（12条の5）
　① (4)①と同じ。
　② 床面積が**1ha超の店舗**等（以下、「特定大規模建築物」という）の整備に
　　よる商業その他の業務の利便を図るため、適正な配置及び規模の公共施設
　　を整備する必要がある土地の区域であること。
　③ 当該区域内において**特定大規模建築物の整備による商業その他の業務の
　　利便の増進を図る**ことが、当該都市の機能に貢献することとなる土地の区
　　域であること。
　④ **第二種住居地域、準住居地域**若しくは**工業地域**が定められている土地の
　　区域又は用途地域が定められていない土地の区域（**除：市街化調整区域**）
　　であること。

```
COLUMN
```

地区計画は２段階でする

　地区計画とは、建築物の建築形態、公共施設その他の施設の配置等から
みて、一体としてそれぞれの区域の特性にふさわしい態様を備えた良好な
環境の各街区を整備し、**開発し及び保全する**ための計画であり、「小さなま
ちづくり」と言われます。従来は市街化区域内のみで定められたのですが、
環境破壊問題により、平成５年の改正で、**市街化調整区域においても可能**
となりました（都市計画区域外
では定められません）。

(1) 地区計画（概略的計画）を定める

⇩

(2) 地区整備計画（具体的計画）を定める

　さて、地区計画では、地区計
画の目標、**区域の整備、開発及
び保全に関する方針**並びに地区
整備計画を定めますが、**地区計
画の区域の全部又は一部につい**
て、地区整備計画を定めることができない特別の事情があれば、地区整備
計画を定めなくてもよいのです。
　なお、**地区整備計画**には、建築物等の用途の制限、**容積率の最高限度又
は最低限度**、建蔽率の最高限度、建築物等の形態又は色彩その他の意匠の
制限等を**定める**ことができますが、**市街化調整区域では、容積率の最低限
度、建築物の建築面積率の最低限度及び建築物等の高さの最低限度を定め
ることはできません。**

　都市計画に定める地区計画等の案は、意見の提出方法等について条例で定め
るところにより、**土地所有者又は利害関係人の意見を求めて作成される**（16条）。

AA **15** 開発許可（29〜40条）⊕ H27・28・29・30・R2・3・4・5・6年

開発行為とは、主として**建築物の建築**又は**特定工作物の建設**の用に供する目的で行う**土地の区画形質の変更**で、**開発区域**とは、開発行為をする土地の区域をいう（4条）。

①山等を　　　　②造成工事をして　　　　③建築等をする

★不動産図鑑③・開発行為

開発行為を行う場合は、原則として**知事**（又は指定都市・中核市においては、市長。P.32まで同じ。以下、「知事等」という）の**許可を受けなければならない**。知事等は、開発許可に都市計画上必要な**条件を付す**ことができる（79条）。

第一種特定工作物〜コンクリートプラント、クラッシャープラント等

★不動産図鑑④
・コンクリートプラント
　コンクリートプラントとは、生コンクリートの工場であり、第一種特定工作物として、規制されている。ミキサー車がよく出入りしている所である（大阪市東淀川区）。

第二種特定工作物〜**ゴルフコース**（面積にかかわらず）、**1ha以上の運動・レジャー施設、1ha以上の墓園**

★主な**開発許可不要事由**（29条）〜下記のいずれかに該当すると許可不要

	市街化区域	市街化調整区域	非線引都市計画区域	準都市計画区域	左記以外
(1)	原則1,000㎡未満（注1・2）	どんなに面積が小さくても許可が必要	原則3,000㎡未満（注2）	原則3,000㎡未満（注2）	1ha未満
(2)	**右記のケースでも許可必要**	**農林漁業用建築物**（ex.温室、畜舎）用の開発行為 **農林漁業者の居住の用に供する建築物**用の開発行為			
(3)	**駅舎等の鉄道施設**、**公民館、変電所、図書館、博物館**、ごみ処理施設等、公益上必要な施設用の開発行為				
(4)	都市計画事業、土地区画整理事業、**市街地再開発事業**、防災街区整備事業等の**施行として行う開発行為**				
(5)	公有水面埋立法の免許を受けた埋立地で竣功認可の告示前において行う行為				
(6)	非常災害のための応急措置として行う行為、通常の管理行為、軽易な行為等				

(注1) 3大都市圏の一定の区域については**500㎡未満**。
(注2) 300㎡までの範囲で面積基準の**引き下げができる**。
(注3) **国、都道府県等**が行う開発行為は、知事との**協議の成立**をもって**許可とみなされる**（許可不要ではナイ）。

1haは、10,000m²である。

（注）知事等は、開発許可に付して**条件に違反**している者に対して、開発許可を取り消すことができる（81条）。

過去問チェック④ （2018年）

都市計画法に関する次の記述のうち、開発許可を受ける必要がある開発行為はどれか。ただし、許可を受ける必要がある開発行為の規模については、条例による定めはないものとする。

(1) 市街化区域において、畜舎の建築の用に供する目的で行う3,000平方メートルの開発行為
(2) 区域区分が定められていない都市計画区域において、都市計画事業の施行として行う1,000平方メートルの開発行為
(3) 準都市計画区域において、農業を営む者の居住の用に供する建築物の建築の用に供する目的で行う3,000平方メートルの開発行為
(4) 市街化調整区域において、変電所の建築の用に供する目的で行う1,000平方メートルの開発行為
(5) 市街化調整区域において、非常災害のため必要な応急措置として行う1,000平方メートルの開発行為

過去問チェック⑤ （2016年）

都市計画法に関する次のイからニまでの記述のうち、都市計画法第29条の規定に基づく許可を受ける必要がある開発行為の組み合わせはどれか。ただし、許可を受ける必要がある開発行為の規模については、条例による定めはないものとする。

イ 区域区分が定められていない都市計画区域において行う開発行為で、防災街区整備事業の施行として行うもの
ロ 開発区域が、準都市計画区域に2,900平方メートル、市街化区域に200平方メートルでまたがる工場の建築を目的とした土地の区画形質の変更
ハ 市街化調整区域において行う開発行為で、漁業を営む者の居住の用に供する建築物の建築の用に供する目的で行うもの
ニ 市街化区域内の土地において、中学校の用に供する建築物の建築を目的として行う1,200平方メートルの土地の区画形質の変更
(1) イとロ (2) イとハ (3) ロとハ (4) ロとニ (5) ハとニ

AA **16**　開発行為の手続　㊙ H28・29・R1・3・4・5・6年

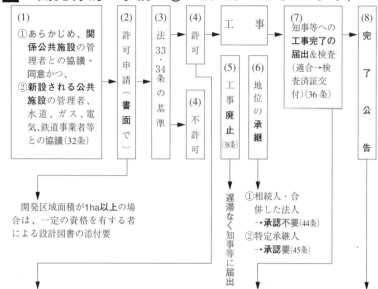

(1)
①あらかじめ、**関係公共施設**の管理者との**協議・同意**かつ、
②**新設される公共施設**の管理者、水道、ガス、電気、鉄道事業者等**との協議**(32条)

(2) 許可申請（**書面**で）

(3) 法33・34条の基準

(4) 許可

(4) 不許可

工　事

(5) 工事廃止(38条)

(6) 地位の承継

(7) 知事等への**工事完了の届出**&検査（適合→検査済証交付）(36条)

(8) 完了公告

開発区域面積が**1ha以上**の場合は、一定の資格を有する者による設計図書の添付要

遅滞なく知事等に届出

①相続人・合併した法人
→**承認不要**(44条)
②特定承継人
→**承認要**(45条)

知事等は、許可したときは、必ず**開発登録簿**に登録し、常に**公衆の閲覧に供することができる**よう保管義務を負う。また、請求があったときは、知事等は開発登録簿の写しの交付義務を負う（46・47条）

開発許可を受けた者は、開発区域（開発区域を工区に分けたときは、工区）の全部について一定の開発行為に関する工事を完了したときは、**知事等に届け出**なければならない

開発行為によって設置された公共施設は**(8)の翌日**に原則として当該施設の存する**市町村の管理**に属する（協議により管理者について別段の定めをしたとき等はその管理者に属する）。公共施設の用に供する土地も**(8)の翌日**に原則として公共施設管理者に帰属する(39・40条)

(1) 開発許可の申請は次の書面を提出して行う　　　＜記載事項＞(30条)
　①　申請書━━━━━▶

> (ア) 開発区域の**位置、区域及び規模**
> (イ) 予定建築物等の用途（**規模・構造は不要！**）
> (ウ) **設計**　(エ) **工事施行者**、その他

　②　添付書類
　　(ア) 公共施設の管理者の**同意を得たこと・協議の経過を証する書面**
　　(イ) 公共施設を管理することとなる者等との**協議の経過を証する書面**等
(注) 開発行為を行うについて協議をすべき者（施行令23条）

⑦ **義務教育施設設置義務者**・水道事業者	開発区域面積が**20ha以上**
④ 電気・ガス事業者・鉄道事業者等	開発区域面積が**40ha以上**

(2) 知事等は、開発許可の申請があったときは、**遅滞なく、許可又不許可の処**分をしなければならない（35条）。

開発許可を受けた者は、開発許可の申請書の**記載事項の変更**（ex. 開発区域の**規模の拡大・予定建築物の用途変更**）をしようとする場合においては、**知事等の許可を受けなければならない**（35条の2）が、一定の軽微な変更等はこの限りではない（**軽微な変更**［ex. 工事着手年月日・**工事の完了年月日の変更**］をしたときは、遅滞なく、知事等に**届け出なければならない**）。許可を受けようとする者は、一定の申請書を知事等に提出しなければならない。

(3) 知事等は開発行為に関する行為の完了の届出があったときは、遅滞なく、当該工事が**開発許可の内容に適合**しているかどうかを検査しなければならない（36条）が、都市計画法、建築基準法等への適合性は検査しない。

(4) 知事等は、工事完了公告をする場合に、当該工事が**津波災害特別警戒区域内**における**特定開発行為**に係るものであり、かつ、工事完了後において工事に係る開発区域に地盤面の高さが**基準水位以上**である土地の区域があるときは、その区域を併せて公告しなければならない（36条）。

(5) 開発行為等により設置された**公共施設の管理**は、原則として**市町村の管理**に属する。ただし、**他の法律に基づく管理者**が別にあるときや、**協議により管理者について別段の定め**をしたときは、それらの者の管理に属する（39条）。

(6) 開発許可を受けた開発行為又は開発行為に関する工事により設置された公共施設の用に供する土地については、「**開発許可を受けた者が自ら管理する場合等を除き**」当該公共施設を管理すべき者に帰属する（40条）。

過去問チェック⑥ (2006年)

都市計画法に関する次の記述のうち、正しいものはどれか。

(1) 開発許可を受けた者が工事の着手予定年月日の変更のような軽微な変更をしたときは、その旨を都道府県知事に届け出なくてもよい。

(2) 開発許可を受けた者が開発行為に関する工事を廃止しようとするときは、都道府県知事の承認を得なければならない。

(3) 開発許可を受けた者から開発行為に関する工事を施行する権原を取得した者は、都道府県知事に届け出ることによって、開発許可に基づく地位を承継することができる。

(4) 市街化調整区域のうち開発許可を受けた開発区域以外の区域においては、都道府県知事の許可を受けなければ仮設建築物を新築することができない。

(5) 都道府県知事は、開発許可に付した条件に違反している者に対して、開発許可を取り消すことができる。

市街化区域 **非線引都市計画区域** 準都市計画区域等	法**第33条**の基準に合致等すればOK
市街化調整区域	法**第33・34条**両方の基準に合致しないとダメ（原則）

＜主な33条の許可基準＞

(1) 次のいずれかに該当する場合には、**予定建築物等の用途が定められた用途に適合**していること。ただし、**都市再生特別地区**に定められた誘導すべき用途に適合するものは、この限りでない。

① 当該申請に係る開発区域内の土地について、**用途地域等が定められている**ときは、予定建築物等の用途がこれらに適合していること。

② 都市計画区域（市街化調整区域を除く）又は準都市計画区域の土地について**用途地域等が定められていない**場合には、建築基準法第48条の規定による用途の制限（用途地域無指定区域の制限）に適合していること。

(2) 主として、**自己居住用**に供する住宅の建築の用に供する目的で行う開発行為**以外の開発行為**では、道路、公園、広場その他の公共の用に供する空地（消防に必要な水利が十分でない場合に設置する消防の用に供する貯水施設を含む）が、環境の保全上、災害の防止上、通行の安全上又は事業活動の効率上支障がないような規模及び構造で適当に配置され、一定のもの。

(3) **地盤の沈下、崖崩れ、出水その他による災害を防止するため、開発区域内の土地**について、地盤の改良、擁壁又は排水施設の設置その他安全上必要な措置が講ぜられるように設計が定められていること。

この場合において、開発区域内の土地の全部又は一部が**宅地造成等工事規制区域又は特定盛土等規制区域内の土地**であるときは、当該土地における**開発行為に関する工事の計画**が、宅地造成及び特定盛土等規制法第13・31条の規定に適合していなければならず、津波災害特別警戒区域内における特定開発行為であるときは、特定開発行為に関する工事が津波防災地域づくりに関する法律第75条の措置を講じなければならない。

(4) 主として、**自己居住用**に供する住宅の建築の用に供する目的で行う開発行為**以外の開発行為**では、開発区域内に災害危険区域、**地すべり防止区域、土砂災害特別警戒区域、浸水被害防止区域**（災害危険区域等）等を含まないこと。ただし、開発区域及びその周辺の地域の状況等により支障がないと認められるときは、この限りではない。

(5) 開発区域の面積が**１ヘクタール以上**の開発行為にあっては、開発区域及びその周辺の地域における環境を保全するため、一定事項を勘案して、

①開発区域における**植物の生育の確保上必要な樹木の保存、表土の保全**その他の必要な措置が講ぜられるように設計が定められていること。

②騒音、振動等による環境の悪化の防止上必要な**緑地帯**その他の緩衝帯が配置されるように設計が定められていること。

(6)　主として、**自己居住用**に供する住宅の建築の用に供する目的で行う開発行為**以外の開発行為**では、申請者に当該開発行為を行うために**必要な資力及び信用**があること。

(注1)　開発行為に関する工事をしようとする区域内の土地又はその上の建築物等について、開発行為の施行等の妨げとなる権利を有する者がある場合、その相当数の同意を得なければならない。

(注2)　**地方公共団体**は、良好な住居等の環境の形成又は保持のため必要と認める場合に、条例で、区域、目的又は予定建築物の用途を限り、開発区域内の予定建築物の**敷地面積の最低限度**に関する制限を定めることができる（33条）。

＜主な34条（市街化調整区域独自）の許可基準＞（原則として、下記のいずれかの場合、許可される）～すなわち、**許可不要ではナイ！**

(1)　開発区域の周辺地域に居住している者の日常生活に必要な**物品の販売、加工、修理等の業務を営む店舗、事業場等の建築**のため。

(2)　**市街化調整区域内の鉱物、観光資源等の有効利用上必要な建築物等**のため。

(3)　農林漁業用建築物（許可不要とされているもの以外）又は市街化調整区域内で生産される農林水産物の処理、貯蔵、加工用の建築物等のため。

(4)　一定の中小企業の事業の共同化等に寄与する事業用建築物等のため。

(5)　市街化調整区域内の既存の工場と密接な関連を有する事業用建築物等のため。

(6)　火薬類等の危険物の貯蔵、処理用の建築物等で、市街化区域内に立地することが不適当なものの建築等のため。

(7)　市街化区域内の立地が困難又は不適当である**道路管理施設**、休憩所、給油所、火薬類の製造所等の建築等のため。

(8)　一定の**地区計画**の区域内等で、当該計画内容に適合する**建築物**等のため。

(9)　**市街化区域に隣接**し、又は近接し、かつ、自然的社会的諸条件から市街化区域と一体的な日常生活圏を構成していると認められる地域であっておおむね**50以上**の建築物（市街化区域内に存するものを含む）が連たんしている地域のうち、災害の防止等の事情を考慮して**都道府県の条例**で指定する土地の区域内で行う開発行為で、予定建築物等の用途が開発区域及びその周辺の地域における環境の保全上支障があると認められる用途として都道府県の条例で定めるものに該当しないこと。

(10)　周辺の**市街化を促進するおそれがない**と認められ、かつ、市街化区域内において行うことが困難又は著しく不適当と認められる開発行為で、**知事があらかじめ、開発審査会の議**を経たもの。

(注)　開発許可や開発許可を受けた区域内外における処分もしくはこれに係る不作為又はこれらの規定に違反した者に対する監督処分についての**審査請求**は、開発審査会に対してするものとする。この場合、不作為についての審査請求は、開発審査会に代えて、当該不作為に係る**知事**に対してもできる。
　　開発審査会は、開発許可等の処分についての審査請求を受理した場合は、審査請求を受理した日から**2カ月以内**に裁決をしなければならない（50条）。

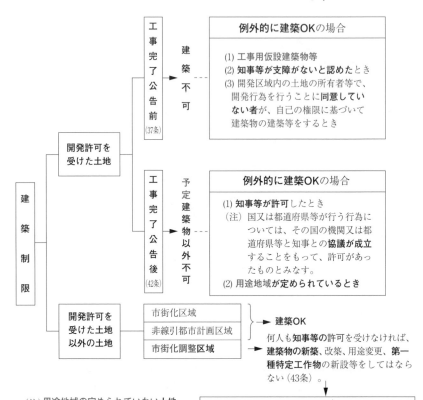

例外的に建築OKの場合

(1) 工事用仮設建築物等
(2) **知事等が支障がないと認めたとき**
(3) 開発区域内の土地の所有者等で、開発行為を行うことに**同意していない者**が、自己の権限に基づいて建築物の建築等をするとき

例外的に建築OKの場合

(1) **知事等が許可したとき**
　(注) 国又は都道府県等が行う行為については、その国の機関又は都道府県等と知事との**協議が成立**することをもって、許可があったものとみなす。
(2) **用途地域が定められているとき**

建築制限

開発許可を受けた土地

工事完了公告前（37条）　建築不可

工事完了公告後（42条）　予定建築物以外不可

開発許可を受けた土地以外の土地

市街化区域
非線引都市計画区域
市街化調整区域

❯ **建築OK**

➡ 何人も**知事等の許可**を受けなければ、**建築物の新築**、改築、用途変更、**第一種特定工作物**の新設等をしてはならない（43条）。

(注) 用途地域の定められていない**土地の区域**における開発行為について**知事等**が開発許可をする場合に必要があると認めるときは、**建蔽率、建築物の高さ**、壁面の位置その他建築物の敷地、構造及び設備に関する制限を定めることができる。ただし、**知事等の許可**があれば制限を超えてもよい（41条）。

例　　外（主なもの）

(1) **都市計画事業の施行**として行う場合
(2) **非常災害の応急措置**として行う場合
(3) 仮設建築物の新築
(4) **15**の開発許可不要事由の(2)・(3)の建築物の新築等をする場合、その他

(注) 国、都道府県等が行う場合は、知事等との協議の成立をもって許可とみなされる。

建築制限の体系

　左の図（P.32）を見ながら読んでください。まず開発許可を受けた土地では、工事完了公告前は建築できない。まだ（造成）工事が終わっていませんから。では、工事完了公告後は無条件で建築できるかというと、そう甘くない。予定以外のものはダメ（許可申請する時に、予定建築物を書面に記載している）。

　次に、開発許可を受けた土地以外の土地はどうか。これは開発行為不要の建築（土地の区画形質の変更を伴わない）つまり、**最初から造成された土地があって、あとは建物を建てるだけ**というケースですが、このようなケースでは、市街化区域や非線引都市計画区域は建築OKなんですね。でも市街化調整区域では、ただ建物を建てるだけでも知事の許可が必要です。

過去問チェック⑦　　　　　　　　　　　（2000年・一部改題）

　都市計画法における建築物又は特定工作物の建築又は建設（当該建築又は建設について開発行為を伴わない場合とする）に関する次の記述のうち、正しいものはどれか。

(1)　市街化調整区域のうち開発許可を受けた開発区域以外の区域内においては、都道府県知事（指定都市等においては、指定都市等の長。以下この問において同じ）の許可を受けなければ、公民館を建築することはできない。

(2)　市街化調整区域のうち開発許可を受けた開発区域以外の区域内においては、国土交通大臣の許可を受けなければ、都道府県は建築物を建築することができない。

(3)　市街化調整区域のうち開発許可を受けた開発区域以外の区域内においては、都道府県知事の許可を受けなくともコンクリートプラントを建設することができる。

(4)　市街化調整区域のうち開発許可を受けた開発区域以外の区域内においては、都道府県知事の許可を受けなくとも農業を営む者の居住の用に供する建築物を建築することができる。

(5)　市街化調整区域のうち開発許可を受けた開発区域以外の区域内においては、都道府県知事の許可を受けなければ、非常災害のため必要な応急措置として建築物を建築することができない。

c⑲　市街地開発事業等予定区域内の制限　㊙ H23年（最終）

　土地の形質の変更、建築物の建築その他工作物の建設をする場合には、原則として、**知事**（市の区域では市長。P.37まで同じ。「知事等」という）**の許可**を受けなければならない（52条の2）。

c⑳　都市計画施設・市街地開発事業の施行区域内の制限
　　　（施行予定者が未定）　㊙ H26年（最終）

　建築物の建築をしようとする者は、原則として、**知事等の許可**を受けなければならない（53条）。

c㉑　都市計画事業（59条）　㊙ H22年（最終）

(1)　都市計画事業とは、都市計画法の規定による認可又は承認を受けて行われる**都市計画施設**の整備に関する事業及び市街地開発事業をいう（4条）。

原　則	市町村	知事の**認可**を受けて施行する。
特 例	都 道 府 県	**市町村が施行することが困難又は不適当な場合等**において、**国土交通大臣の認可**を受けて施行することができる。
	国 の 機 関	国の利害に重大な関係を有するものを国土交通大臣の承認を受けて施行することができる。
	上記以外の者	特別な事情がある場合において**知事の認可**を受けて施行することができる（ex.組合施行の第1種市街地再開発事業等）。

(2)　建築等の制限（65条）

　都市計画事業の認可又は承認の告示後、事業地内で、次の行為を行おうとする者は、原則として、**知事等の許可**を受けなければならない。知事は許可を与えるときは**あらかじめ施行者の意見**を聴かなければならない。

　　①　**土地の形質の変更**　　　　　　　　│　**都市計画事業の施行の障害**

　　②　**建築物の建築**その他工作物の**建設**　│　**となるおそれがある場合**

　　③　**重量が5トンを超える物件の設置又は堆積**（注）

(3)　土地の収用等（69・70条）

　都市計画事業は、当然に土地収用法の対象事業とされ、事業に必要な土地等については、土地収用法の規定に従い収用又は使用することができる。

　都市計画事業の認可又は承認を、土地収用法上の事業認定（P.149）に代え、認可、承認の告示をもって事業認定の告示とみなされる。

(4)　国、都道府県又は市町村は、都市計画事業によって著しく利益を受ける者があるときは、その利益を受ける限度において、当該事業に要する費用の一部を当該**利益を受ける者に負担**（**受益者負担**）させることができる（75条）。

(5)　都市計画法の規定による許可、認可又は承認については、都市計画上必要な**条件を附する**ことができるが、その条件は、当該許可、認可又は承認を受

けた者に不当な義務を課するものであってはならない（79条）。

過去問チェック⑧ （2009年）

　都市計画法に関する次のイからホまでの記述のうち、誤っているものを
すべて掲げた組み合わせはどれか。ただし、以下の記述のうち、「都道府県
知事」は、市の長を含むものとする。

イ　市街地開発事業等予定区域に関する都市計画において定められた区域
　　内において、工作物の建設を行おうとする場合は、原則として、都道府
　　県知事の許可を受ける必要はない。

ロ　都市計画施設の区域内において、階数が二以下で、かつ、地階を有し
　　ない木造の建築物の改築をする場合は、都道府県知事の許可を受ける必
　　要はない。

ハ　都市計画施設の区域内であっても、非常災害のため必要な応急措置と
　　して行う建築物の建築であれば、都道府県知事の許可を受ける必要はな
　　い。

ニ　都市計画事業の認可の告示があった後においては、当該事業地内にお
　　いて、都市計画事業の施行の障害となるおそれがある土地の形質の変更
　　又は建築物の建築その他工作物の建設を行おうとする者は、都道府県知
　　事の許可を受けなければならない。

ホ　都市計画事業の認可の告示があった後においては、当該事業地内にお
　　いて５トンを超える物件の設置又は堆積を行おうとする者は、その物件
　　が容易に５トン以下に細分化され得るものであっても、都道府県知事の
　　許可を受けなければならない。

(1)　イとロ　　(2)　イとホ　　(3)　ロとハ　　(4)　ハとニ　　(5)　ハとホ

COLUMN

都市計画事業のメリット

　道路や公園等の都市計画施設の整備は必ずしも都市計画事業として行う
必要はないのですが、都市計画事業として行うと**有利**なことが多いのです。
というのは、都市計画税による収入を充当してくれるし、国庫補助金ももら
える可能性がありますから。

〈フローチャート〉

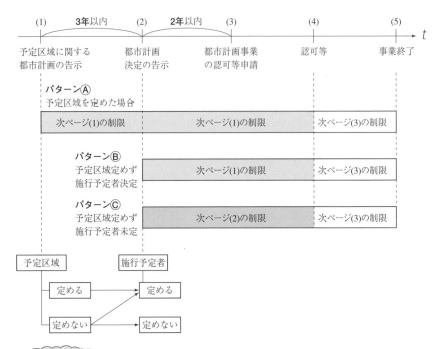

コンパクトシティ

　国土交通省は、2014年7月に「**国土のグランドデザイン2050**」を発表しました。人口減少社会対策として、①地方都市で**コンパクトシティ化**を進め、②過疎地で生活に必要な施設を徒歩圏内に集めた**小さな拠点**をつくると。

　コンパクトシティを進める市町村は、**立地適正化計画**を作成し、居住を促す**居住誘導区域**、病院や商業施設等を集める**都市機能誘導区域**、住宅建設を抑制する**居住調整地域**を定めることができます。さらに、コンパクトシティを進化させ、スマートタウン（シティ）が各地でオープンし、**SDGs**（持続可能な開発目標）を目指した運営がなされています。

★不動産図鑑⑤・コンパクトシティ

	(1)市街地開発事業 　等予定区域 　（52条の2） （(2)で施行予定者 　決定のケース）	(2)都市計画施設 　市街地開発事業 　（施行予定者未定） 　（53〜56条） の施行区域	(3)都市計画事業の 　施行地（65条）
知事等の許可	①土地の形質の変更 ②建築物の建築 ③工作物の建設	①建築物の建築 ★次のいずれかに該当すれば許可しなければならない (ア)都市計画に適合 (イ)容易に移転除却でき、2階以下で地階がなく、主要構造部が木造、鉄骨造、コンクリート・ブロック造等であるもの (ウ)その他 　　↓ 都市計画施設の区域内で知事の指定区域等（事業予定地）については、不許可にできる	①土地の形質の変更 ②建築物の建築 ③工作物の建設 (注)以上は事業の障害となるおそれのある場合 ④重量5トン超の物件の設置又は推積
主な許可不要事由	①通常の管理行為又は軽易な行為等	①階数2以下で地階を有しない木造建築物の改築・移転	④に関し、容易に分割され、分割された各部分の重量がそれぞれ5トン以下となる場合（施行令等40条）
	②非常災害のため必要な応急措置として行う行為 ③都市計画事業の施行として行う行為等		

（注）都市計画法違反者・違反の事実を知って違反建築物を購入した者は、知事から建築物の除却等の命令を受ける対象となる（81条）。

2 建築基準法

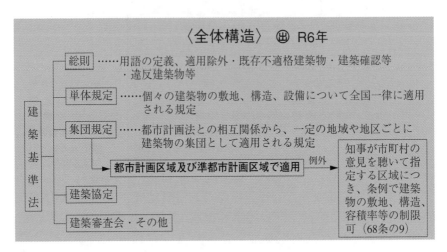

〈全体構造〉 ㊥ R6年

建築基準法
- 総則 ……用語の定義、適用除外・既存不適格建築物・建築確認等・違反建築物等
- 単体規定 ……個々の建築物の敷地、構造、設備について全国一律に適用される規定
- 集団規定 ……都市計画法との相互関係から、一定の地域や地区ごとに建築物の集団として適用される規定
  - →都市計画区域及び準都市計画区域で適用 例外→ 知事が市町村の意見を聴いて指定する区域につき、条例で建築物の敷地、構造、容積率等の制限可（68条の9）
- 建築協定
- 建築審査会・その他

c**1** 目 的（1条）

　建築物の敷地、構造、設備及び用途に関する**最低の基準**を定めて、国民の生命、健康及び財産の保護を図り、もって公共の福祉の増進に資すること。

A**2** 適用除外（3条） ㊥ H28・R1・6年

(1) **文化財保護法**の規定によって、**国宝・重要文化財等に指定**され、又は**仮指定**された建築物。

(2) 旧重要美術品等の保存に関する法律の規定によって重要美術品等と認定された建築物。

(3) 文化財保護法第98条2項の条例その他の条例の定めるところにより現状変更の規制及び保存のための措置が講じられている建築物（保存建築物という）であって、特定行政庁が建築審査会の同意を得て指定したもの。

(4) (1)・(2)の建築物又は保存建築物であったものの原形を再現する建築物で、特定行政庁が建築審査会の同意を得てその原形の再現がやむを得ないと認めたもの。

(5) 既存不適格建築物

① 法及びこれに基づく命令、条例の**施行・適用の際に現に存する**建築物・敷地等又は工事中の建築物。

② 特定行政庁は、既存不適格建築物の構造が、**著しく保安上危険**であり、又は**著しく衛生上有害**であると認める場合には、所有者等に対し、相当の猶予期限を付けて当該建築物の除却等の措置を命ずることができる(10条)。

(1)建　　　築	建築物を新築、増築、改築又は移転すること
(2)大 規 模 の 修　　繕	建築物の**主要構造部**（**壁・柱・床・はり・屋根・階段**）の一種以上について行う**過半の修繕**
(3)建　築　物 （プラットホーム の上家等を除く）	土地に定着する工作物で、次の1つに該当するもの（**含：建築設備**） ① **屋根**と**柱又は壁**を有するもの（含：これに類する構造のもの） ② ①に附属する**門、塀** ③ 観覧のための工作物 ④ **地下**、高架の工作物内に設ける事務所、店舗等
(4)**特殊建築物**	学校・体育館・病院・劇場・展示場・百貨店・市場・ダンスホール・公衆浴場・旅館・共同住宅・寄宿舎・工場・倉庫・自動車車庫・危険物貯蔵場・と畜場・火葬場・汚物処理場等
(5)**耐 火 構 造**	一定の**鉄筋コンクリート造**、れんが造等で国土交通大臣が定めた構造方法を用いるもの又は認定を受けたもの
(6)準耐火構造	一定の基準に適合するもので国土交通大臣が定めた構造方法を用いるもの又は認定を受けたもの
(7)**防 火 構 造**	一定の**鉄網モルタル塗**、しっくい塗等で国土交通大臣が定めた構造方法を用いるもの又は認定を受けたもの
(8)不 燃 材 料	建築材料のうち、不燃性能に関し一定の基準に適合するもので国土交通大臣が定めたもの又は認定を受けたもの
(9)耐火建築物	**特定主要構造部を耐火構造**等とした建築物で外壁の開口部で延焼のおそれのある部分に遮炎性能を有する防火設備を有するもの
(10)準　耐　火 建　築　物	(9)以外の建築物で①又は②に該当する一定のもの ① 主要構造部を(6)としたもの ② ①以外の建築物で①と同等の準耐火性能を有する一定のもの
(11)**建 築 主 事** 建築副主事と 合わせて建築 主事等という	建築確認を行う市町村または都道府県の職員で、都道府県、政令で指定する**人口25万人以上の市**では**必ず設置**され（4条）、その他の市町村では任意に設置できる（知事の協議必要）。大規模建築物以外は建築副主事も確認できる。
(12)建築監視員	特定行政庁が市町村または都道府県の職員のうちから任命。緊急の場合、仮に使用禁止、使用制限等を命ずる。
(13)**特定行政庁**	建築主事又は建築副主事のいる市町村の長、都道府県の知事
(14)建　築　主	① 建築物に関する工事の請負契約の**注文者**、又は ② 請負契約によらないで自らその工事をする者
(15)工事施工者	① **工事請負人**、又は ② 請負契約によらないで自らこれらの工事をする者

(1) 建築確認が必要な場合

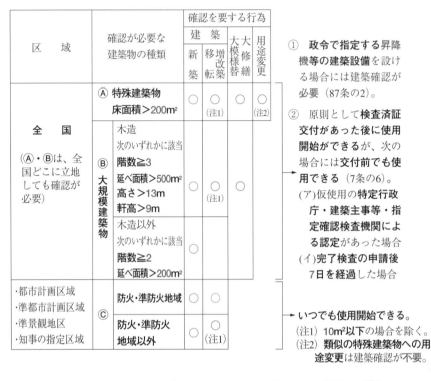

区　域	確認が必要な 建築物の種類		確認を要する行為			
			建　築		大規模修繕 大模様替	用途変更
			新築	増改築 移転築		
全　国 (Ⓐ・Ⓑは、全国どこに立地しても確認が必要)	Ⓐ	特殊建築物 床面積＞200㎡	○	○ (注1)	○	○ (注2)
	Ⓑ 大規模建築物	木造 次のいずれかに該当 階数≧3 延べ面積＞500㎡ 高さ＞13m 軒高＞9m	○	○ (注1)	○	
		木造以外 次のいずれかに該当 階数≧2 延べ面積＞200㎡	○			
・都市計画区域 ・準都市計画区域 ・準景観地区 ・知事の指定区域	Ⓒ	防火・準防火地域	○	○		
		防火・準防火 地域以外	○	○ (注1)		

① 政令で指定する昇降機等の建築設備を設ける場合には建築確認が必要（87条の2）。

② 原則として検査済証交付があった後に使用開始ができるが、次の場合には交付前でも使用できる（7条の6）。
(ア)仮使用の特定行政庁・建築主事等・指定確認検査機関による認定があった場合
(イ)完了検査の申請後7日を経過した場合

→ いつでも使用開始できる。
(注1) 10㎡以下の場合を除く。
(注2) 類似の特殊建築物への用途変更は建築確認が不要。

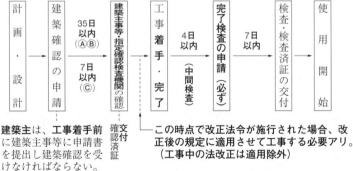

計画・設計 → 建築確認の申請 →（35日以内（ⒶⒷ）／7日以内（Ⓒ））→ 建築主事等・指定確認検査機関の確認 → 工事着手・完了 →（4日以内（中間検査））→ 完了検査の申請（必ず）→（7日以内）→ 検査・検査済証の交付 → 使用開始

確認済証交付

建築主は、工事着手前に建築主事等に申請書を提出し建築確認を受けなければならない。

この時点で改正法令が施行された場合、改正後の規定に適用させて工事する必要アリ。
（工事中の法改正は適用除外）

(2) 建築主事等　┬→ 法令に適合すると確認したとき → **文書**で通知。
　　　　　　　　└→ 法令に適合しないと認めたとき → 理由付**書面**で通知(6条)。

　建築主は、確認済証の交付を受けた後でなければ、当該建築に関する工事を行うことはできない（6条）。

(3) 建築物の**所有者、管理者又は占有者**は、その建築物の敷地、構造及び建築設備を**常時適法な状態に維持**するように努めなければならない。又、一定規模以上の大規模な建築物の**所有者又は管理者**は、その建築物の敷地、構造及び建築設備を常時適法な状態に維持するため、原則として、**必要に応じ、その建築物の維持保全に関する準則又は計画の作成等**の措置を講じなければならない（8条）。

(4) 特定行政庁は、建築基準法令の規定等に違反した建築物については、当該建築物の所有者に対して、違反を是正するための措置を命令できる（9条）。

(5) 左表Ⓐの建築物で安全上、防災上又は衛生上特に重要であるものとして政令で定めるもの（**国、都道府県及び建築主事を置く市町村が所有し又は管理する建築物**（以下、「国等の建築物」という）**を除く**）及び当該政令で定めるもの以外の一定の特定建築物で特定行政庁が指定するもの（国等の建築物を除く）の所有者（所有者と管理者が異なる場合は管理者）は、当該建築物の敷地、構造及び建築設備について、定期に、**一級建築士もしくは二級建築士又は建築物調査員資格者証の交付を受けている者**にその状況の**調査**をさせて、その結果を**特定行政庁に報告**しなければならない（12条）。

(6) 建築主が建築物を建築しようとする場合又は建築物の**除却**の工事を施工する者が建築物を除却しようとする場合、当該建築物又は当該工事に係る床面積の合計が**10㎡以内である場合を除いて**、その旨を**知事に届け出**（原則として**建築主事を経由**）なければならない（15条）。

(7) **国、都道府県、建築主事をおく市町村**が建築等をするときは、工事着手前に、建築主事に**通知**しなければならない。ただし、防火地域及び準防火地域外において建築物を増築、改築、又は移転しようとする場合（当該部分の床面積の合計が10㎡以内である場合に限る）においては、この限りではない。工事が**完了**した場合、その旨を、完了日から**4日以内**に到達するように**通知**しなければならない（確認は不要。ただし、確認済証の交付後でなければ工事着手はできない）（18条）。

(8) 左表Ⓑの建築物や高さ**13m超**又は**軒高9m超**の建築物で壁・柱・はりを石造等としたものについては、設計図書作成にあたって**構造計算**によって安全を確かめる義務がある（20条）。

(9) 工事施工者は、工事現場の見やすい場所に、建築主、設計者、工事施工者、現場管理者の氏名等、建築確認を受けた旨を表示しなければならない（89条）。

(10) **特定行政庁、建築主事等、又は指定確認検査機関**は、確認等をする場合、工事施工地又は所在地を管轄する**消防長等又は消防署長の同意**を得なければならない（**防火・準防火地域以外の区域内の一定の住宅等は除く**）。また、保健所長は、必要があると認める場合においては、この法律の規定による許可又は確認について、特定行政庁、建築主事等又は指定確認検査機関に対して意見を述べることができる（93条）。

B **5** 中間検査（7条の3・7条の4） ㊙ H28・R4年

(1) **特定行政庁**は、建築物に関する工事の工程のうち、工事の施工中に建築基準関係規定の適合性検査が必要なものを「**特定工程**」として指定できる。

(2) 建築主は、工事が特定工程を含む場合、この**特定工程に係る工事を終えたとき**は、原則として、その日から **4 日以内**に建築主事等に到達するように、建築主事等の検査を申請しなければならない。

(3) 建築主事等が(2)の申請を受理した場合、建築主事等は、その申請を受理した日から **4 日以内**に、申請に係る工事中の建築物等が建築基準関係規定に適合するかどうかを検査しなければならない。

(4) 建築主事等は、(3)の検査をした場合、工事中の建築物等が建築基準関係規定に適合すると認めたときは、建築主に対して**中間検査合格証**を交付しなければならない。そして、中間検査合格証の交付を受けた後でなければ、指定された特定工程後の工程に係る工事を施工してはならない。

(注) 階数 3 以上の共同住宅の床及びはりに鉄筋を配置する工事で一定の工程を**終えたときは、中間検査の申請義務アリ**。

AA **6** 単体規定 ㊙ H27・28・29・30・R1・2・3・4・5・6年

(1) **建築物の敷地**は、原則として、**接する道の境より高く**しなければならず、埋立地等は盛土、地盤改良、擁壁の設置等の措置が必要。また、建築物の敷地には、**雨水及び汚水**を排出し、又は処理するための適当な**下水管、下水溝又はためます**等を設けなければならない。また、建築物が**がけ崩れ**等による被害を受けるおそれのある場合においては、**擁壁の設置**その他安全上適当な措置を講じなければならない（19条）。

(2) 高さが**60ｍを超える**建築物の構造方法は、国土交通大臣の定める基準に従った構造計算によって安全性が確かめられたものとして**国土交通大臣の認定**を受けたものでなければならない（20条、施行令81条）。

(3) **特定行政庁**が、防火地域及び準防火地域以外の市街地について指定する区域内にある建築物の**屋根**は、原則として通常の火災の想定した**火の粉**による建築物の火災の発生防止に必要な性能に関する一定の**技術的基準**を満たすもので、国土交通大臣が定めた構造方法を用いるもの又は国土交通大臣の認定を受けたものでなければならない（22条）。

(4) 階段には手すりを設けなければならないが、高さ１ｍ以下の階段の部分には設けなくてもよい（25条）。

(5) 延べ面積1,000㎡超の建築物の防火措置（25・26条）
  ① 木造等→外壁・軒裏の一定部分を防火構造、屋根を屋根不燃区域と同じ構造
  ② 耐火・準耐火建築物等以外→**防火壁**又は**防火床**で1,000㎡以下に区画義務

(6) 住宅、学校、病院、診療所、寄宿舎、下宿などの一定の建築物の**居室**には、**採光**のため又は**換気**のため、それぞれ原則として、その**居室の床面積に対して、一定割合以上の開口部**を設けなければならない（28条）。

① **採光のため**

住宅の居室→**7 分の1以上**（床面において50ルクス以上の照度を確保できる照明設備の設置がある場合は**10分の1以上**まで規制緩和できる）

② **換気のため→20分の1以上**

(7) 居室の**天井の高さ**は、室の床面から測り、**1室の平均が2.1m以上**でなければならない。1室で天井の高さの異なる部分があれば、その**平均の高さ**による（施行令21条）。

(8) 階段に代わる**傾斜路**の表面は、**粗面**とし、又は**すべりにくい材料**で仕上げ、勾配は**8分の1**を超えてはならない（施行令26条）。

(9) 屋上広場または**2階以上の階**にあるバルコニー等の周囲には、安全上必要な高さが**1.1m以上の手すり壁**、さく又は金網を設けなければならない（施行令126条）。

(10) 下水道が整備された区域である下水道法第2条8号に規定する**処理区域内**に建築物を建築するときは、**水洗便所以外の便所**を設けてはならない（31条）。

(11) **便所**には、**採光**及び**換気**のため直接外気に接する窓を設けなければならない。ただし、**水洗便所**で、これに代わる設備をした場合においては、**この限りでない**（施行令28条）。

(12) 建築物は、**石綿**その他の物質の建築材料からの飛散又は発散による衛生上の支障がないよう、次の基準に適合しなければならない（28条の2）。

	規制対象	規制内容
① **ホルムアルデヒド、クロルピリホス**の発散防止	**居室を有する建築物**（工作物に準用）	**建築材料・換気設備**について一定の技術的基準に適合義務
② **石綿**の飛散・発散防止	**建築物**（工作物に準用）	**建築材料に石綿等を添加しないこと**。原則として、石綿等をあらかじめ添加した建築材料を使用しないこと

(13) 住宅の居室、学校の教室、病院の病室等で**地階に設けるもの**は**壁・床の防湿等**について衛生上必要な一定の基準に適合するものとしなければならない（29条）。

(14) **長屋、共同住宅の界壁**は、原則として①隣接住戸からの日常生活の音を低減するための一定基準に適合するもの、及び②**小屋裏又は天井裏に達するもの**としなければならない（一定の場合は達しなくてもよい）（30条、施行令114条）。

(15) **高さ20m超**の建築物には、**原則として、避雷設備**が必要（33条）。

(16) **高さ31m超**の建築物には、**原則として、非常用の昇降機**が必要（34条）。

(17) 建築物の高さ**31m以下**の部分にある3階以上の階には、原則として、**非常用の進入口**を設けなければならない（施行令126条の6）。

(18) **地方公共団体**は、**条例**で、**津波**、高潮、**出水**等による危険の著しい区域を

災害危険区域として指定でき、住居の用に供する建築物の建築の禁止等災害防止上必要な建築制限を、**条例で定める**ことができる（39条）。

(19) **地方公共団体** → 一定の場合、全国一律基準に**制限を附加**できる（40条）。

(20) **市町村** → 国土交通大臣の**承認**を得て、一定の**制限を緩和**できる（41条）。

(21) **劇場**、映画館、演芸場、観覧場、公会堂又は集会場の客用に供する屋外への出口の戸は、**内開き**としてはならない（施行令125条）。

(22) 共同住宅の住戸や病院の病室には、**非常用照明装置**を設ける必要はない（施行令126条の4）。

⬛▷ **鑑定理論への道**

④　アスベストを使用しているかどうかに関することは、建物に関する個別的要因に該当する（2018年）。→ ○

過去問チェック⑨ 　　　　　　　　　　　　　　　　　　　（2011年）

　建築基準法に関する次のイからニまでの記述のうち、正しいものをすべて掲げた組み合わせはどれか。

イ　原則として、建築物の高さ31メートル以下の部分にある３階以上の階には非常用の進入口を設けなければならない。

ロ　劇場、映画館、演芸場、観覧場、公会堂又は集会場の客用に供する屋外への出口の戸は、内開きとしてはならない。

ハ　２階以上の階にあるバルコニーの周囲には、安全上必要な高さが1.1メートル以上の手すり壁、さく又は金網を設けなければならない。

ニ　住宅の居室の天井の高さは、室の床面から測り、１室の平均が2.1メートル以上でなければならない。

(1)　イとハ　(2)　ロとニ　(3)　イとロとハ
(4)　ロとハとニ　(5)　すべて正しい

COLUMN

「31」は掛布さん（ミスタータイガース）だけではない

　1919年に策定された**市街地建築物法**等によって建築物の高さの制限がなされてきました。当時は、尺貫法における**百尺**（約31ｍ）が、一つの有力な高さの上限とされてきました。

　1970年に現在の容積率制度が構築されてから、高層ビルが増加してきましたが、今でも、さまざまな法律で「31ｍ」という数値が残り、当時を偲ぶことができます。

用途地域等	原則	①防火地域内の耐火建築物等、①'準防火地域内の耐火建築物等・準耐火建築物等	②特定行政庁指定の角地等	①かつ② ①'かつ②
5つの○○専用地域 田園住居地域	$\frac{3}{10}$ $\frac{4}{10}$ $\frac{5}{10}$ $\frac{6}{10}$ （注1）	原則$+\frac{1}{10}$	原則$+\frac{1}{10}$	原則$+\frac{2}{10}$
3つの住居地域 準工業地域	$\frac{5}{10}$ $\frac{6}{10}$ $\frac{8}{10}$ （注1）	原則$+\frac{1}{10}$	同上	同上
工業地域	$\frac{5}{10}$ $\frac{6}{10}$（注1）	原則$+\frac{1}{10}$	同上	同上
近隣商業地域	$\frac{6}{10}$ $\frac{8}{10}$（注1）	原則$+\frac{1}{10}$	同上	同上
商業地域	$\frac{8}{10}$	$\frac{10}{10}$（注3）	$\frac{9}{10}$	$\frac{10}{10}$
用途地域の指定のない区域	$\frac{3}{10}$ $\frac{4}{10}$ $\frac{5}{10}$ $\frac{6}{10}$ $\frac{7}{10}$ のうち特定行政庁が定める	原則$+\frac{1}{10}$	原則$+\frac{1}{10}$	原則$+\frac{2}{10}$

（注1）都市計画でいずれかを定める（$\frac{8}{10}$と定められ、かつ、①なら$\frac{10}{10}$）。

（注2）建築物の敷地が**防火地域の内外にわたる場合**において、その敷地内の建築物の全部が**耐火建築物**等であるときは、その敷地は、**すべて防火地域内にあるものとみなされる**（53条）。

（注3）①'の場合は$\frac{9}{10}$

(1) **巡査派出所**、公衆便所、公共用歩廊その他これに類するもの。 ⎫
(2) **公園、広場、道路、川**その他これらに類するもの内の建築物で特定行政庁が安全上、防火上、及び衛生上支障がないと認めて許可したもの。 ⎭ $\frac{10}{10}$

AA **8**　容積率（52条）⊕ H27・29・30・R1・2・3・4・5・6年

(1)　容積率一覧（都市計画で定める）

第一種低層住居専用地域 第二種低層住居専用地域 田園住居地域	⇒ $\frac{5}{10}$ $\frac{6}{10}$ $\frac{8}{10}$ $\frac{10}{10}$ $\frac{15}{10}$ $\frac{20}{10}$ のいずれか（注1）
工　業　地　域 工　業　専　用　地　域	⇒ $\frac{10}{10}$ $\frac{15}{10}$ $\frac{20}{10}$ $\frac{30}{10}$ $\frac{40}{10}$ のいずれか（注1）
商　業　地　域	⇒ $\frac{20}{10}$ $\frac{30}{10}$ $\frac{40}{10}$ $\frac{50}{10}$ $\frac{60}{10}$ $\frac{70}{10}$ $\frac{80}{10}$ $\frac{90}{10}$ $\frac{100}{10}$ $\frac{110}{10}$ $\frac{120}{10}$ $\frac{130}{10}$ のいずれか（注1）
その他の用途地域	⇒ $\frac{10}{10}$ $\frac{15}{10}$ $\frac{20}{10}$ $\frac{30}{10}$ $\frac{40}{10}$ $\frac{50}{10}$ のいずれか（注1）

(注1)　用途地域**未指定区域**は、$\frac{5}{10}$ $\frac{8}{10}$ $\frac{10}{10}$ $\frac{20}{10}$ $\frac{30}{10}$ $\frac{40}{10}$ のいずれかを特定行政庁が**都道府県都市計画審議会の議**を経て定める。

(注2)　**エレベーターの昇降路**の部分又は共同住宅や老人ホームの共用の廊下若しくは**階段の用に供する部分**の床面積については、**容積率に算入しない。**

(注3)　**住宅地下室、自動車車庫**、一定の**老人ホーム（地階）**の床面積は、一定割合（$\frac{1}{3}$〈住宅地下室、老人ホーム等〉・$\frac{1}{5}$〈車庫〉）を限度として**容積率に算入しない。**また、**専ら防災目的の①備蓄倉庫部分・②蓄電池設置部分・③自家発電設備設置部分・④貯水槽設置部分**や**⑤宅配ボックス設置部分**も一定割合（①・②は$\frac{1}{50}$、③・④・⑤は$\frac{1}{100}$）を限度として算入しない。

(注4)　住宅地下室の容積率の緩和基準となる地盤面とは、原則として、建築物が周囲の地面と接する位置の**平均の高さ**における水平面をいう（52条）。

(注5)　高層住居誘導地区においては、容積率の緩和、斜線制限の緩和、日影規制の適用除外等が都市計画で定められる（57条の2）が、この特例が適用されるのは、**住宅部分の床面積が全体の**$\frac{2}{3}$**以上の建築物だけである**（52条）。

(注6)　地階とは、床が地盤面下にある階で、床面から地盤面までの高さがその階の天井の高さの$\frac{1}{3}$**以上**のものをいう（施行令1条）。

(2)　容積率の特例

　建築物の前面道路の幅員（**2つ以上の道路**に面しているときは**大きい方の幅員**）が**12m未満**の場合、その道路の幅員につぎの数字（**法定乗数という**）をかけたものと、都市計画で定められたものとのいずれか**小さい方**となる（すなわち、前面直路の幅員に応じた制限が**付加**されることがある）。

（絶対注意）　建蔽率には、このような制限はナイ！

①第一種低層住専、第二種低層住専、田園住居、第一種中高層住専、第二種中高層住専、第一種住居、第二種住居、準住居地域等	}	$\frac{4}{10}$（一定の場合は$\frac{6}{10}$）
②その他の地域 ……………………		$\frac{6}{10}$（一定の場合は、$\frac{4}{10}$、$\frac{8}{10}$）

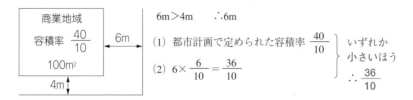

設例① 容積率はいくらか（法定乗数は $\frac{6}{10}$ とする）。

商業地域
容積率 $\frac{40}{10}$ 6m
100m²
4m

6m＞4m　∴6m

(1) 都市計画で定められた容積率 $\frac{40}{10}$

(2) $6×\frac{6}{10}=\frac{36}{10}$

いずれか
小さいほう
∴ $\frac{36}{10}$

　前面道路の幅員が**6m以上12m未満**で、かつ、前面道路に沿って幅員**15m以上**の道路（**特定道路**という）からの延長が**70m以内**にある敷地の場合は、次の(1)、(2)のうち小さい方が限度となる。

(1)　都市計画で定められた容積率
(2)　（道路の幅員＋A）×法定乗数

〈図　示〉

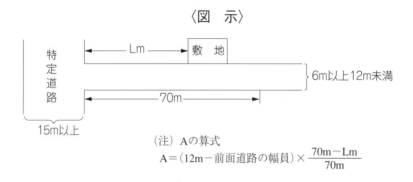

特
定
道
路

Lm 敷　地

6m以上12m未満

70m

15m以上

（注）Aの算式
$A＝（12m－前面道路の幅員）×\dfrac{70m－Lm}{70m}$

過去問チェック⑩ （2002年）

　建築基準法において、以下の条件を満たす敷地に適用される建築物の容積率の最高限度のうち、正しいものはどれか。
［条件］
①　用途地域…商業地域
②　上記①に掲げる商業地域に関する都市計画において定められた容積率の最高限度…800％
③　建築物の前面道路の幅員…12メートル
(1)　320％　(2)　480％　(3)　640％
(4)　720％　(5)　800％

設例② 次の敷地では、建築物の延べ面積は最大限何m²とれるか（法定乗数は$\frac{6}{10}$）。

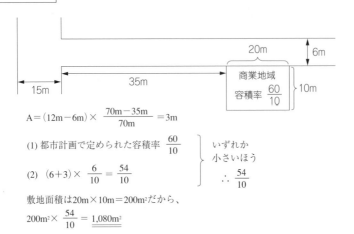

$$A = (12m - 6m) \times \frac{70m - 35m}{70m} = 3m$$

(1) 都市計画で定められた容積率 $\frac{60}{10}$ ⎱ いずれか

(2) $(6+3) \times \frac{6}{10} = \frac{54}{10}$ ⎰ 小さいほう

$\therefore \frac{54}{10}$

敷地面積は20m×10m＝200m²だから、

$$200m² \times \frac{54}{10} = \underline{\underline{1,080m²}}$$

設例③ 次の敷地の容積率はいくらか。

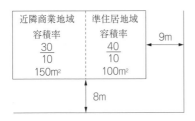

近隣商業地域 容積率 $\frac{30}{10}$ 150m²	準住居地域 容積率 $\frac{40}{10}$ 100m²

9m

8m

(注) 法定乗数は次のとおり

近隣商業地域：$\frac{6}{10}$

準住居地域：$\frac{4}{10}$

(1) 近隣商業地域

① $\frac{30}{10}$ ⎱ いずれか

② $9 \times \frac{6}{10} = \frac{54}{10}$ ⎰ 小さいほう

$\therefore \frac{30}{10}$

(注)前面道路は広いほうをとる。

(2) 準住居地域

① $\frac{40}{10}$ ⎱ いずれか

② $9 \times \frac{4}{10} = \frac{36}{10}$ ⎰ 小さいほう

$\therefore \frac{36}{10}$

したがって

$$\frac{30}{10} \times \frac{150}{250} + \frac{36}{10} \times \frac{100}{250} = \frac{810}{250} = \frac{81}{25}$$

絶対注意 ㊲ H29・R1・4年

> 1つの敷地が2つの用途地域にまたがる場合、建蔽率・容積率ともに、設例③のように、**面積の比率で加重平均**することに注意。

AA **9** 用途制限 ㊤ H27・28・29・30・R1・4・5・6年

○印：建築できる　×印：建築できない（48条・別表第二）

用途 ＼ 用途地域	① 一低住専	① 二低住専	① 田園住居	② 一中高住専	② 二中高住専	③ 一住居	③ 二住居	④ 準住居	⑤ 近隣商業	⑥ 商業	⑦ 準工業	⑧ 工業	⑧ 工業専用	備　考
住宅、共同住宅、寄宿舎、下宿、**図書館**等	○	○	○	○	○	○	○	○	○	○	○	○	×	
兼用住宅で非住宅部分の床面積が、50m²かつ建築物の延べ面積の $\frac{1}{2}$ 未満のもの	○	○	○	○	○	○	○	○	○	○	○	○	×	非住宅部分の用途制限あり
店舗等　床面積が150m²以下のもの	×	①	①	②	③	○	○	○	○	○	○	○	④	①日用品販売店舗、喫茶店、理髪店及び建具屋等のサービス業用店舗のみ。2階以下ならOK。②①に加えて、物品販売店舗、飲食店、損保代理店・銀行の支店・宅建業等のサービス業用店舗のみ。2階以下ならOK。③2階以下ならOK。④飲食店等を除く。○10,000㎡以下ならOK（工専は④の制限アリ）⑤一定の農業関連のものはOK
店舗等　床面積が150m²を超え、500m²以下のもの	×	×	⑤	②	③	○	○	○	○	○	○	○	④	
店舗等　床面積が500m²を超え、1,500m²以下のもの	×	×	×	×	③	○	○	○	○	○	○	○	④	
店舗等　床面積が1,500m²を超え、3,000m²以下のもの	×	×	×	×	×	○	○	○	○	○	○	○	④	
店舗等　床面積が3,000m²を超えるもの	×	×	×	×	×	×	△	△	○	○	○	△	△	
ホテル、旅館	×	×	×	×	×	△	△	△	○	○	○	×	×	△3,000m²以下ならOK
遊戯施設・風俗施設　ボーリング場、スケート場、水泳場、ゴルフ練習場、バッティング練習場等	×	×	×	×	×	△	△	△	○	○	○	×	×	△3,000m²以下ならOK
カラオケボックス、ダンスホール等	×	×	×	×	×	×	△	△	○	○	○	△	△	△10,000m²以下ならOK
麻雀屋、ぱちんこ屋、射的場、馬券・車券発行所等	×	×	×	×	×	×	△	△	○	○	○	△	×	△10,000m²以下ならOK
劇場、映画館、演芸場、観覧場、ナイトクラブ	×	×	×	×	×	×	×	△	○	○	○	×	×	△客席200m²未満ならOK
料理店、キャバレー、**個室付浴場**等	×	×	×	×	×	×	×	△	△	○	△	×	×	△個室付浴場等は不可
公共施設　幼稚園、**小学校**、中学校、高等学校	○	○	○	○	○	○	○	○	○	○	○	×	×	幼保連携型認定こども園は⑦⑧でもOK
公共施設　**大学**、高等専門学校、専修学校等、**病院**	×	×	×	○	○	○	○	○	○	○	○	×	×	
公共施設　巡査派出所、一定規模以下の郵便局等、**神社・寺院・教会**等	○	○	○	○	○	○	○	○	○	○	○	○	○	
公共施設　公衆浴場、**診療所**、保育所等	○	○	○	○	○	○	○	○	○	○	○	○	○	
公共施設　老人ホーム、福祉ホーム等	○	○	○	○	○	○	○	○	○	○	○	○	×	
公共施設　自動車教習所	×	×	×	×	×	△	○	○	○	○	○	○	○	△3,000m²以下ならOK
工場・倉庫　単独車庫（原則：建築物附属車庫を除く）	×	×	×	△	△	○	○	○	○	○	○	○	○	△300m²以下、2階以下ならOK
工場・倉庫　倉庫業倉庫	×	×	×	×	×	×	×	○	○	○	○	○	○	
工場・倉庫　自動車修理工場	×	×	×	×	×	①	①	①	②	②	③	○	○	作業場の床面積が、①50m²以下、②150m²以下、③300m²以下なら原則OK

（注1）**特定行政庁の許可**があれば×でも建築可

（注2）用途地域がまたがる場合→**過半を占める**地域の規制

（注3）都市計画区域内では、卸売市場、火葬場、汚物処理場、ごみ焼却場、**と畜場**等の建築物は、都市計画においてその**敷地の位置が決定していな**ければ、**新築又は増築してはならない**。ただし、**特定行政庁**が、都道府県都市計画審議会の議を経て**許可**したものは、この限りではない（51条）。従って位置が決定していれば、**特定行政庁の許可は不要**である。

（注4）**都市再生特別地区**内の建築物のうち都市再生特別地区に関する都市計画において定められた**誘導すべき用途に供する建築物**については、**用途制限等の規定は**適用しない（60条の2）。

（注5）**特別用途地区**内では、地方公共団体は、必要と認める場合に、国土交通大臣の**承認**を得て、**条例**で、用途制限を**緩和できる**（49条）。

（注6）**特定用途制限地域**内の用途制限は、当該地域に関する都市計画に即し、政令で定める基準に従い、**地方公共団体の条例**で定める（49条の2）。

楽しく学べるゴロ合わせ

表の一番上の番号を覚えて下さい。あとはゴロ合わせを覚えるだけ！

(1) 住宅・図書館にヤーさんは来ないでね。→ ⑧は×
(2) ナワ（⑦・⑧）を首につけても高校までは行かせるぞ。→ ⑦・⑧は×
(3) イヤナ（①・⑦・⑧）大学病院 → ①・⑦・⑧は×
(4) ウシ・ツー・パンチ（①・②・⑧）でボーリング → ①・②・⑧は×
(5) ホテル、旅館のチェック・インは3時ごろ→③・④・⑤・⑥は○
(6) 運転免許（教習所）は1種と2種→①・②は×
(7) 10,000m²超の店舗等・200m²超の映画館 → 仕事もロクにせずに映画ばかり
　　観ています（最近の筆者のこと）。→ ④・⑤・⑥は○

次に、第一種住居地域を、**3-1**とします。

(1) 西城さんの実家はパチンコ屋さんです。→ 1～3-1と8が×
　　3-1　　　　　　**8**
(2) カラオケボックスで西城さんの歌をうたう。→1～3-1が×
　　　　　　　　　　　　3-1

比　較

（1）患者の収容施設（病床数）┬ 19人分以下 → 診療所	
└ 20人分以上 → 病院	

（2）飲食店→食堂、喫茶店etc.、料理店→料亭etc.

過去問チェック⑪　　　　　　　　　　　　　　　　（2000年）

建築基準法における建築物の用途制限に関する次の記述のうち、正しい
ものはどれか。ただし、特定行政庁の特例許可については考慮しない。
(1) 住宅は、すべての用途地域で建築することができる。
(2) 第二種住居地域で、カラオケボックスを建築することができない。
(3) 準住居地域で、その規模にかかわらず映画館を建築することができない。
(4) 第一種中高層住居専用地域内で、大学を建築することができる。
(5) 病院は、工業地域及び工業専用地域以外のすべての用途地域で建築す
ることができる。

AA **10** 　低層住居専用地域・田園住居地域内の制限　⊞ H29・30・R1・
4・5・6年

(1)　建築物の外壁又はこれに代わる柱の面から敷地境界線までの距離を都市計画で**1.5m又は1m**と定めることができ、その場合、原則として、敷地境界線からこの限度以上離さなければならない（54条）。

(2)　**建築物の高さ**は、原則として、**10m又は12m**のうち**都市計画**において定められた建築物の高さの限度を超えてはならない（55条）。

(注)　**学校**等でその用途によってやむを得ないと認めて特定行政庁が許可した建築物は適用されない。

B **11**　建築物の敷地面積　⊞ H29・30年

都市計画において建築物の**敷地面積の最低限度（200㎡以内）**が定められたときは、**原則として、当該最低限度以上**でなければならない。特定行政庁が用途上又は構造上やむを得ないと認めて許可した建築物（**ex.公衆便所・巡査派出所**）の敷地等については、この制限は適用されない（53条の2）。

A **12**　斜線制限　⊞ H27・R1・4・6年

(1)　まとめ（56条）

〇印：制限アリ

	道路斜線制限	隣地斜線制限	北側斜線制限
① 一低住専・二低住専・田園住居	〇	ナシ	〇
② 一中高住専・二中高住専	〇	〇	〇
③ その他の用途地域、無指定区域	〇	〇	ナシ

(注)　**北側斜線制限**は、**日影規制**が地方公共団体の条例で指定されている**第一種・第二種中高層住居専用地域**内においては**適用が除外**される（56条）。

(2)　適用除外（57条）

①　**高架の工作物内**の建築物で特定行政庁が周囲の状況により交通上、安全上、防火上及び衛生上支障がないと認めるもの（**建蔽率等は適用される**）

②　道路斜線制限のみ→道路内にある建物（高架の道路の路面下に設けるものを除く）

(注)　都市再生特別地区内の建築物は斜線制限の規定は適用しない（60条の2）。

B **13** 日影規制 （56条の2） ㊜ R1・4年

(1) 対象区域→以下の地域のうち、**地方公共団体**が**条例**で指定する区域

地 域 又 は 区 域	制限を受ける建築物
①一低住専・二低住専・田園住居	軒高が7m超のもの、又は**地上3階以上のもの**
②一中高住専・二中高住専 　住居（一種・二種・準） 　**近隣商業・準工業**	高さが**10m超**のもの

(注) 用途地域の指定のない区域は、上記のいずれかを**地方公共団体の条例**で指定。

(2) **同一敷地内に2つ以上の建築物**がある場合には、これらの建築物は**1つの建築物**とみなして日影規制を適用する。

(3) **対象区域外**にある建築物であっても、高さが**10mを超える**建築物で、冬至日において対象区域内の土地に日影を生じさせるものは、**当該対象区域内にあるものとみなして、日影規制を適用**する。

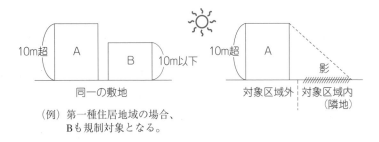

10m超　A　　B　10m以下
同一の敷地

10m超　A　　影
対象区域外｜対象区域内
（隣地）

（例）第一種住居地域の場合、
　　　Bも規制対象となる。

★不動産図鑑⑦・日影規則

絶対注意　**商業・工業・工業専用地域**や特定街区内は規制対象外（60条）。また、特定行政庁が建築審査会の同意を得て許可した建築物を、周囲の居住環境を害するおそれがないものとして一定範囲内で増築等する場合も規制対象外（56条の2）。

建築基準法（以下この問において「法」という）に関する次の記述のうち、正しいものはどれか。

(1)　法第56条の2に規定される日影による中高層の建築物の高さの制限（以下この問いにおいて「日影規制」という）の対象区域外にある建築物についても、日影規制の適用を受けることがある。

(2)　工業専用地域内における建築物については、法第56条第1項第2号の規定による隣地斜線制限が適用されることはない。

(3)　第一種低層住居専用地域内においては、10メートル以上の高さの建築物は建築することができない。

(4)　日影規制の対象区域は地方公共団体が条例で指定することとされているが、商業地域、準工業地域又は工業地域においては、日影規制の対象区域として指定することができない。

(5)　第二種中高層住居専用地域内における建築物については、法第56条第1項第3号の規定による北側斜線制限は適用されることはない。

防火規制　🈲 H27・29・R1・2・3・6年

(1)　防火地域及び準防火地域の建築物（61条）

　　防火地域又は準防火地域内にある建築物は、その外壁の開口部で延焼のおそれのある部分に防火戸その他の政令で定める防火設備を設け、かつ、壁、柱、床その他の建築物の部分及び当該防火設備を通常の火災による周囲への延焼を防止するためにこれらに必要とされる性能に関して防火地域及び準防火地域の別並びに建築物の規模に応じて政令で定める技術的基準に適合するもので、国土交通大臣が定めた構造方法を用いるもの又は国土交通大臣の認定を受けたものとしなければならない。

　　ただし、門又は塀で、**高さ2m以下のもの又は準防火地域内にある建築物（木造建築物等を除く）に附属するもの**については、この限りでない。

	防　火　地　域	準 防 火 地 域
(ア)屋根の構造（62条）	市街地における火災を想定した**火の粉**による建築物の火災の発生を防止するために屋根に必要とされる性能に関して一定の技術的基準に適合するもので、国土交通大臣が定めた構造方法を用いるもの等としなければならない。	
(イ)**主要部分を不燃材料で**造り又は覆わなければならないもの（64条）	**看板、広告塔**、装飾塔等の工作物（建築物の**屋上に設ける**もの又は**高さ3m超のもの**）	

(2)　外壁と隣地境界線（63条）

　　防火・準防火地域内で外壁が耐火構造のものは、**外壁を隣地境界線に接して設ける**ことができる。

(3)　複数の地域にまたがる場合（65条）

　　建築物が防火地域、準防火地域、その他の地域のうち、それぞれ**2つの地域にまたがっているとき**は、原則として**防火規制の厳しい地域の規定**が適用される。ただし、制限のゆるやかな地域内に設けられた防火壁でその建築物が**有効に区画**されているときは、その**ゆるやかな地域内の区画された部分は、ゆるやかな地域の規制**による。

〈図　示〉

(4) **特定防災街区整備地区内**にある建築物は、原則として、**耐火建築物等**又は**準耐火建築物等**としなければならない。ただし、高さ2m以下の門又は塀等は、この必要はない。また、建築物が、特定防災街区整備地区と特定防災街区整備地区として指定されていない区域にわたり、かつ、その建築物が特定防災街区整備地区外において**防火壁で区画**されているとき、その**防火壁外の部分**については**耐火建築物等又は準耐火建築物等でなくともよい**（67条）。

(注) 防火地域又は準防火地域は、市街地における火災の危険を防除するために定める地域である（都市計画法第9条）。

★不動産図鑑⑧・防火地域
　写真は、阪神タイガースが優勝した時にファンが飛び込んだ大阪はなんばの道頓堀川である。このあたりは防火地域のため、グリコの看板等の広告塔は不燃材料でつくる等の規制がある（大阪市中央区）。

過去問チェック⑬　　　　　　　　　　（2006年・一部改題）

> 建築基準法の防火地域又は準防火地域に関する次の記述のうち、正しいものはどれか。
> (1) 準防火地域内においては、木造建築物は延焼のおそれがあるため、建築してはならない。
> (2) 防火地域内にある建築物で、外壁が耐火構造のものについては、その外壁を隣地境界線に接して設けることができる。
> (3) 防火地域内においては、階数が4以上であり、又は延べ面積が1,500平方メートルを超える場合には耐火建築物としなければならない。
> (4) 建築物が防火地域及び準防火地域にわたる場合は、その過半が属する地域内の建築物に関する規定を適用する。
> (5) 準防火地域内においては、延べ面積が500平方メートルを超え、1,500平方メートル以下の建築物は耐火建築物又は準耐火建築物としなければならない。

AA **15** 建築基準法上の道路 ⊕ H27・28・29・30・R1・2・3・4・5・6年

(1) 道 路 (42条)

幅員 4m以上 (注1) (地下道 を除く)	①	道路法による道路（国道、都道府県道、市区町村道）
	②	**都市計画法**、土地区画整理法、**都市再開発法**等による道路
	③	**都市計画区域又は準都市計画区域に指定等**された際、**現に存在する道**
	④	**都市計画法**、道路法、土地区画整理法、**都市再開発法**等で**2年以内**に道路を造る事業が予定され、かつ**特定行政庁が指定**したもの
	⑤	①〜④**以外の私道**でかつ一定の基準に適合するもので**特定行政庁**から、その道路の**位置指定**を受けたもの
幅員 4m未満 (2項道路)		③の場合で**現に建築物が立ち並んでいるもので特定行政庁が指定**したもの（道路中心線から**2m**(注2)が**道路とみなされる**）。 幅員**1.8m未満**の道を指定する場合、あらかじめ**建築審査会の同意要**

(注1) 特定行政庁が**地方の気候、風土の特殊性**又は土地の状況により必要と認めて**都道府県都市計画審議会の議**を経て指定する区域内では、**6m以上**。

(注2) (注1)により指定された区域内においては、**3m**（特定行政庁が周囲の状況により避難及び通行の安全上支障がないと認める場合は、**2m**）。

(2) 敷地の接道義務 (43条)

① 建築物の敷地は、**道路（自動車専用道路等を除く）に2m以上接し**なければならない（**周囲に広い空地があり、一定要件を満たすもので特定行政庁が交通上、安全上、防災上及び衛生上支障がないと認めて建築審査会の同意を得て許可したもの**や幅員**4m以上の一定の道に2m以上接する建築物で利用者が少数の特定行政庁が認める一定のものはこのかぎりではない**）。

② **地方公共団体**は、㋐ **特殊建築物** ㋑ **階数が3以上の建築物** ㋒政令で定める窓等を有しない居室を有する建築物 ㋓延べ面積が**1,000㎡超**の建築物 ㋔敷地が**袋路状道路**にのみ接する**延べ面積150㎡超**の建築物（**除：一戸建住宅**）について**条例で制限を付加**（緩和ではナイ！）できる。

(3) 道路内の建築制限 (44条)

建築物や敷地造成のための擁壁は、**道路**（自動車専用道路を含む）**に突き出して建築し又は築造してはならない**。ただし、次の場合は建築できる。

① **地盤面下に建築するもの**（地下街など）

② **公衆便所、巡査派出所**等の公益上必要な建築物で、特定行政庁が通行上支障がないと認めて**建築審査会の同意を得て許可**したもの

③ **公共用歩廊**（アーケードなど）等の一定の建築物で特定行政庁があらかじめ建築審査会の同意を得て安全上、防火上又は衛生上他の建築物の利便を妨げ、その他周囲の環境を害するおそれがないと認めて許可したもの。

56

(4)　特定行政庁関連（45・46・47条）

　　特定行政庁は、私道の変更又は廃止によって、その道路に接する敷地が接道義務に抵触する場合は、**私道の変更又は廃止を禁止、又は制限できる。**また、街区内の建築物の位置を整え環境の向上を図るために必要があると認める場合は、**建築審査会の同意**を得て、**壁面線**を指定できる。指定の際、**利害関係者**の出頭を求めて**公開による意見の聴取**を行わなければならない。指定後は、建築物の壁・壁に代る柱・**高さ2m超の門や塀**は、原則として**壁面線を超えて建築できない。**ただし、**地盤面下の部分**等一定のものは建築できる。

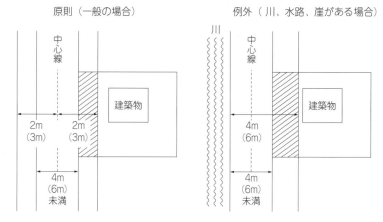

（注）斜線の部分は建物の建築、塀の築造は認められず、かつ建蔽率、容積率上の敷地面積に算入しない。

★不動産図鑑⑨・道路中心線

AA **16**　建築協定（69〜77条）㊙ H27・30・R1・2・3・4・5年

(1)　どこで締結できるか

　　市町村が**条例**（都市計画ではナイ！）で、建築協定を締結することができる旨を**定めた区域内**（都市計画区域内とは限らない！）。

(2)　誰が締結できるか

　　土地の**所有者**及び建築物の所有を目的とする**地上権**又は**賃借権**（臨時設備その他一時所有のためのものは除かれる）を有する者（「**土地の所有者等**」という）。

(注)　仮換地として指定された土地については、当該土地に対応する従前の土地所有者及び借地権者が土地所有者等となる。

(3)　手　続

　　建築協定を締結しようとする者は、一定事項を記載した建築協定書を作成して**特定行政庁**に**提出**し、その**認可**を受けなければならない。認可申請書の提出があると、**市町村の長**は、建築協定書の提出があった旨の公示、関係人（一般市民ではナイ！）の縦覧、**公開による意見の聴取**を行い、特定行政庁が認可すると、その旨の公告が行われる。

(4)　土地の所有者等の合意

　　①　**締結 → 全員の合意**（借地権の目的となっている土地は借地権者のみの合意でOK）

　　②　**変更 → 全員の合意**

　　③　**廃止 → 過半数の合意**

(5)　効　力

　　認可の公告のあった建築協定は、その公告の日**以後**において**当該建築協定区域内の土地の所有者等となった者**（ex. 購入者・相続した者）**に対しても、その効力が及ぶ**。また、建築物の借家人であっても、協定の対象となる建築物の基準がその**借家人の権限に係る**場合には、その限りにおいて、**借家人**も**土地の所有者等とみなし、協定の効力が及ぶ**（77条）。

> **絶対注意**　借家人が大家さんの承諾を得て、家の壁の塗りかえをする場合に、「ピンクの壁はダメ」という協定が結ばれていたとすると、借家人もこれを守らなければならなくなる。

(6)　**1人協定**（76条の3）

　　1人の所有者以外に土地の所有者等が存しないものの所有者は、**1人で建築協定を締結できる**。認可の日から**3年以内**に**2以上**の土地の所有者等が存することとなった時から**効力を有する**。

(7)　協定の内容

　　建築物の敷地、位置、構造、**用途**、形態、**意匠**又は建築設備についての基準。

建築協定は地域住民どうしのルール

建築基準法は**最低限の基準**ですから、より良い住環境を望む人々にとっては不十分なものです。そこで、一定の地域の住民が合意に基づいて建築に関する協定を結ぶことができるんです。たとえば、建築基準法上、工場建築が可能でも、「自分達が住む街では工場を建築するのはやめよう」と決めるようなことです。

比　　較		

	建築協定	緑地協定
締結範囲	市町村が条例で定めた区域内 （都市計画区域外も可）	都市計画区域又は準都市計画区域内
締結権者	土地の所有者及び建築物の所有を目的とする地上権又は賃借権を有する者	土地の所有者及び建築物その他の工作物の所有を目的とする地上権又は賃借権を有する者
土地の所有者等の合意	締結→全員の合意 変更→全員の合意　｝特定行政庁 廃止→過半数の合意　の認可	締結→全員の合意 変更→全員の合意　｝市町村長 廃止→過半数の合意　の認可
認　　可	特定行政庁	市町村長
効　　力	認可公告後の土地の所有者等にも効力を有する。1人協定あり	同　　左

c**17**　不服申立て　⊞ H23年（最終）

　この法律等の規定による特定行政庁、建築主事等又は建築監視員の**処分**等について**不服**がある者は、当該**市町村又は都道府県の建築審査会**等に対し**審査請求**ができる。建築審査会は、審査請求を受理した場合は、その日から1カ月以内に、裁決をしなければならない（裁決を行う場合は、あらかじめ、**公開による口頭審査**を行わなければならない）（94条）。**建築審査会の裁決に不服**がある者は、**国土交通大臣**に対して**再審査請求**ができる（95条）。

A **18** 被災地における建築制限等 ㊥ H30・R3・6年

(1) **特定行政庁**は、市街地に災害のあった場合において**都市計画**又は**土地区画整理法**による**土地区画整理事業**のため必要があると認めるときは、区域を指定し、災害が発生した日から**1カ月以内の期間**を限り、その区域内における**建築物の建築を制限し、又は禁止**できる。また、特定行政庁は、更に1カ月を超えない範囲内において期間を**延長**できる（つまり最大2カ月）（84条）。

(2) 非常災害があった場合、その発生した区域又は隣接する区域で特定行政庁が指定するものの内においては、災害により破損した**建築物の応急の修繕**又は次の①又は②の**応急仮設建築物の建築**で災害が発生した日から**1カ月以内**にその工事に着手するものは、**建築基準法は適用除外**となる。ただし、**防火地域内に建築する場合**については、この限りではない。

　　① **国、地方公共団体又は日本赤十字社が災害救助のために建築するもの。**
　　② 被災者が自ら使用するために建築するもので延べ面積が30㎡以内のもの。

　　災害があった場合に建築する**停車場、郵便局、官公署等公益上必要な用途に供する応急仮設建築物等**は、**法の一定の規定は適用**されない。また、応急仮設建築物を建築した者は、その建築工事を完了した後**3カ月**を超えて建築物を存続しようとする場合、**特定行政庁の許可**を受けなければならない（85条）。

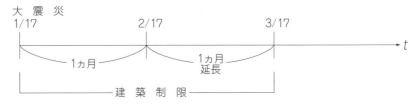

B **19** その他の規定 ㊥ R4年

(1) **壁を有しない自動車車庫、屋根を帆布としたスポーツの練習場**、その他の政令で定める簡易な構造の建築物又は建築物の部分で政令で定める基準に適合するものは、**屋根等の規定**が適用されない（84条の2）。

(2) 特定行政庁は、**1年を超えて使用する特別の必要がある仮設興行場等**（ex. オリンピック会場・万博パビリオン）について、安全上、防火上及び衛生上支障がなく、かつ、公益上やむを得ないと認める場合には、**建築審査会の同意**を得て、使用上必要と認める期間を定めてその建築を許可できる（85条）。

(3) **伝統的建造物群保存地区内**においては、市町村は条例において定められた現状変更の規制及び保存のための措置を確保するため必要と認める場合においては、国土交通大臣の承認を得て、条例で、容積率の制限などを適用せず、又は緩和することができる（85条の3）。

(4) 製造施設、貯蔵施設、遊戯施設等の工作物で政令で指定するものについては、**建築基準法の一定の規定が適用**される（88条）。

(5) 知事が関係市町村の意見を聴いて指定する区域内においては、地方公共団

体は、当該区域内における土地利用の状況等を考慮し、適正かつ合理的な土地利用を図るため必要と認めるときは、条例で、建築物又はその敷地と道路との関係、**容積率**、建築物の高さ等の制限を定めることができる（68条の9）。

(6) その敷地内に政令で定める**空地**を有し、かつ、その**敷地面積が政令で定める規模以上**である建築物で、特定行政庁が交通上、安全上、防火上及び衛生上支障がなく、かつ、建蔽率、容積率、各部分の高さについて総合的な配慮がなされていることにより市街地の環境の整備改善に資すると認めて許可したものについては、①容積率（建蔽率ではナイ！）の規定、②**低層住専の絶対高さ**、③**斜線制限**、等が緩和される（59条の2）。

(7) 高さ2.2m以下の補強コンクリートブロック造の塀は、国土交通大臣が定める基準に従った構造計算によって安全性が確かめられた場合を除き、その壁の厚さを**15cm**（高さ2m以下の塀は10cm）以上としなければならない（62条の8）。

(8) **景観地区内**においては、建築物の高さは、景観地区に関する都市計画において定められた**建築物の高さの最高限度以下又は当該最低限度以上**でなければならない。ただし、公衆便所、巡査派出所等、公益上必要な建築物については、この限りでない（68条）。

過去問チェック⑭ （2021年）

建築基準法に関する次の記述のうち、誤っているものはどれか。ただし、本問においては、特段の言及がない限り、条例による制限の附加及び緩和については考慮しないものとする。

(1) 防火地域内にある住宅で、外壁が耐火構造のものについては、その外壁を隣地境界線に接して設けることができる。

(2) 建築基準法における特殊建築物には、病院、劇場、百貨店、工場、自動車車庫及び汚物処理場が含まれる。

(3) 共同住宅の用途に供する建築物の2階にあるバルコニーの周囲には、安全上必要な高さが1.1メートル以上の手すり壁、さく又は金網を設けなければならない。

(4) 特定行政庁は、市街地に災害が発生し、都市計画のために必要があると認めるときは、区域を指定し、災害が発生した日から最大2ヶ月を超えない範囲内において、その区域内における建築物の建築を制限することができる。

(5) 換気設備を設けていない居室には、換気のための窓その他の開口部を設け、その換気に有効な部分の面積は、その居室の床面積に対して15分の1以上としなければならない。

3 　国土利用計画法

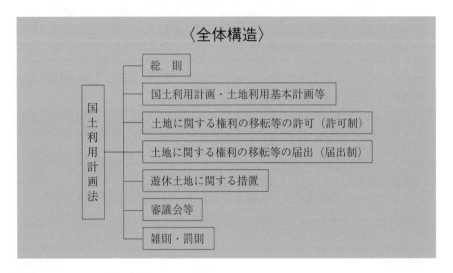

〈全体構造〉

国土利用計画法
- 総　則
- 国土利用計画・土地利用基本計画等
- 土地に関する権利の移転等の許可（許可制）
- 土地に関する権利の移転等の届出（届出制）
- 遊休土地に関する措置
- 審議会等
- 雑則・罰則

B1 　目　的（1条）⊕ H28年

国土利用計画の策定に関し必要な事項を定めるとともに、**土地利用基本計画**の作成、土地取引の規制に関する措置その他土地利用を調整するための措置を講ずることにより、国土形成計画法による措置と相まって、総合的かつ計画的な国土の利用を図ることを目的とする。

B2 　計画の作成（4〜9条）⊕ R6年

(1) 国土利用計画 → 国、都道府県、市町村がそれぞれ決める概括的な計画で、全国計画、都道府県計画（**全国計画**が基本）、市町村計画がある。

(2) **土地利用基本計画** → 都道府県が決める具体的な計画で、**全国計画（又は全国計画及び都道府県計画）を基本として作成**する。この場合、あらかじめ審議会等並びに**国土交通大臣**及び市町村長の意見を聴かなければならない。

そして、**都市地域、農業地域、森林地域、自然公園地域、自然保全地域**という**5つの地域区分**と土地利用の調整等に関する事項とを定める。

B3 　規制区域（12条）⊕ R3年

土地の投機的取引が相当範囲にわたり集中して行われ、又は行われるおそれがあり、及び**地価が急激に上昇**し、又は上昇するおそれがあると認められるもの。**都市計画区域外**にあっては、上記の事態が生ずると認められる場合において、その**事態を緊急に除去**しなければ適正かつ合理的な土地利用の確

保が著しく困難となると認められる区域。知事（又は指定都市の長、以下**知事等**という）が指定する。

AA **4** 　土地売買等の契約（14条）　⊕ H27・28・29・30・R2・3・4・6年

下記の要件を**すべて満たす**土地取引（**土地売買等の契約**）をするには、**許可又は届出が必要**である（**親子間の売買でも必要**）。

① **土地に関する権利**（所有権、地上権、賃借権）の移転・設定であること。
② **対価を得て**行われること。
③ **契約**（予約を含む）であること。

該　当 す　る	**売買契約、売買予約、予約完結権の譲渡、代物弁済**（含：予約）、**譲渡担保、交換、権利金の授受を伴う地上権・土地賃借権の設定・移転**
該　当 しない	**抵当権**、地役権、質権、贈与、相続、信託、換地処分、権利変換、**予約完結権の行使**、持分払戻権の行使、買戻権の行使、**時効取得**

（注）**停止条件・解除条件付の土地売買等の契約でも、届出必要。**

COLUMN

許可制と届出制

　土地売買等の契約をする場合、規制区域では許可、規制区域外では届出が必要です。審査基準が

> **許可制＝キビシイ**
> **届出制＝比較的甘い**

また、**不許可を無視して契約しても無効**です。他方、届出制は、基準にひっかかると勧告を受けますが、**勧告を無視して契約しても契約自体は有効**です。

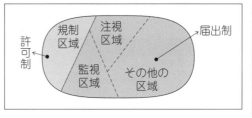

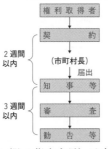

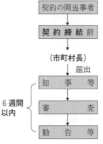

（注）市町村長（除：指定市長）は事後届出書を受理したときは、知事に遅滞なく送付しなければならない（15・23条）。

		許　可　制	届　　出　　制		
(1)	対　象　区　域	規制区域	監視区域	注視区域	その他の区域
(2)	指　定　要　件	① 投機的取引 ② 急激な上昇	急激な上昇	相当な程度を超えて上昇	———
(3)	許可・届出が必要な土地売買等の契約の面積	どんな小さな土地でも必要	知事が都道府県の規則で定める面積（引き下げ可能）以上	① 市街化区域　→ 2,000㎡以上 ② ①以外の都市計画区域 → 5,000㎡以上 ③ 都市計画区域外 →10,000㎡以上	
(4)	手　　　　　続	① 契約前に、両当事者が申請 ② 予定対価の増額、利用目的の変更→許可申請のやり直し	① 契約前に、両当事者が届出 ② 予定対価の増額、利用目的・譲受人の変更→届出のやり直し		① 契約締結後2週間以内に権利取得者が届出 ② 規定なし
(5)	審　　　　　査	6週間以内処分なし→許可があったものとみなす	6週間以内の契約（予約）締結の禁止（例外アリ）		
(6)	勧　　　　　告	———	① 価格、利用目的、投機的取引について ② 6週間以内	① 価格、利用目的について ② 6週間以内	① 利用目的について ② 3週間以内
(7)	公　　　　　表	———	アリ（勧告に従わないとき）		
(8)	当事者の一方、又は双方が国、地方公共団体又は一定の公社等	知事との協議の成立で許可があったとみなす	適　用　除　外（届出不要）		
(9)	違　　　　　反	無許可で契約→無効	無届出で契約→有効		契約して届出ナシ→有効
(10)	罰　　　　　則	アリ	アリ ただし、勧告→無視→契約→罰則ナシ（公表できる）		アリ ただし、勧告→無視→罰則ナシ（公表できる）

（注1) **事前届出をした後**、注視区域又は監視区域の**指定が解除**され、利用目的の変更をしないで当該届出に係る契約を締結した場合は、**事後届出を行うことを要しない**（23条、施行令17条）。

（注2) 知事等は、**事後届出**が行われた場合、届出に係る**土地の利用目的**について、当該土地を含む周辺地域の適正かつ合理的な土地利用を図るために**必要な助言**ができる（土地利用審査会等の意見を聴く必要ナシ！）（27条の2)。

▭＼鑑定理論への道

⑤　土地は、国土利用計画法に定める土地についての基本理念に即して利用及び取引が行われるべきであり、特に投機的取引の対象とされてはならないものである。不動産鑑定士は、このような土地についての認識に立って不動産の鑑定評価を行わなければならない（2011年）。→✕国土利用計画法ではなく、土地基本法である。

届出制の事例問題

「届出が必要かどうか」を考えます（監視区域外の市街化区域内の契約とします）。

(1) AがB、C、Dに売る場合

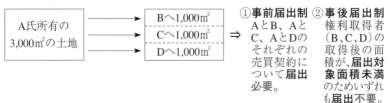

A氏所有の 3,000㎡の土地	→	Bへ1,000㎡ Cへ1,000㎡ Dへ1,000㎡

⇒ **①事前届出制** AとB、AとC、AとDのそれぞれの売買契約について**届出必要**。

②事後届出制 権利取得者（B、C、D）の取得後の面積が、**届出対象面積未満**のためいずれも**届出不要**。

(2) AがB、C、Dから買う場合

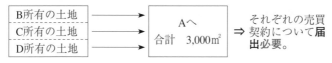

B所有の土地 C所有の土地 D所有の土地	→	Aへ 合計 3,000㎡

⇒ それぞれの売買契約について**届出必要**。

(3)

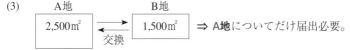

A地		B地
2,500㎡	←交換→	1,500㎡

⇒ **A地**についてだけ届出必要。

(4) 3,000㎡の一団の土地を確保するための取引

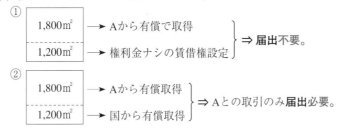

①
| 1,800㎡ | → Aから有償で取得 |
| 1,200㎡ | → 権利金ナシの賃借権設定 |

⇒ **届出不要**。

②
| 1,800㎡ | → Aから有償取得 |
| 1,200㎡ | → 国から有償取得 |

⇒ Aとの取引のみ**届出必要**。

どうですか？ 上の事例(4)については、以下のように考えて下さい。

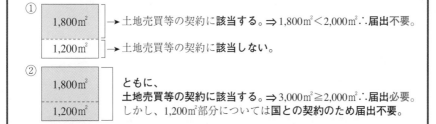

①
| 1,800㎡ | →土地売買等の契約に**該当する。**⇒1,800㎡＜2,000㎡∴**届出不要**。 |
| 1,200㎡ | →土地売買等の契約に**該当しない**。 |

②
| 1,800㎡ | ともに、 |
| 1,200㎡ | **土地売買等の契約に該当する。**⇒3,000㎡≧2,000㎡∴**届出必要**。
しかし、1,200㎡部分については**国との契約のため届出不要**。 |

B **6** 審査基準において基準となる価額 ㊖ H28年

(1) 許可制（16条）

　　予定対価の額が、近傍類地の取引価格等を考慮して政令で定めるところにより算定した公告時における土地の権利の相当な価額(注)に政令で定める方法により算定した申請時までの**物価変動修正率**を乗じて得た額（知事が認定した宅地造成等の費用で一定のものも加える）に照らし**適正を欠くとダメ**。

(注) 当該土地が、地価公示法に規定する公示区域に所在し、かつ、公示価格を取引の指標とすべきであった場合で、その申請に係る土地の権利が**所有権**であるときは、公示価格を規準として算定した規制区域指定の公告時における所有権の価額。

(2) 届出制（27条の5）

　　予定対価の額が、近傍類地の取引価格等を考慮して政令で定めるところにより算定した土地の権利の相当の価額(注)に照らし、**著しく適正を欠くとダメ**。

(注) 届出の土地が地価公示法に規定する公示区域に所在し、かつ、公示価格を取引の指標とすべきものである場合で、その届出に係る土地の権利が**所有権**であるときは、公示価格を規準として算定した所有権の価額。

B **7** 主な適用除外（許可・届出とも）（14・23条・27条の4、施行令第6・17・17条の2・18条の2）㊖ R2年

(1) **民事調停法**又は家事審判法による**調停**
(2) 民事訴訟法による**和解**
(3) 会社更生法等の規定に基づく手続において**裁判所の許可**を得て行われる場合
(4) 滞納処分、強制執行、**担保権の実行としての競売**により換価する場合
(5) 農地法**第3条**第1項の許可を受けることを要する場合等

（**絶対注意**）　農地法第5条ではナイ！

B **8** 不許可の場合に取りうる手段等 ㊖ H30・R1年

(1) **知事等への買取り請求**（19条）
(2) **土地利用審査会**（国土交通大臣ではナイ！）への**不服申立て**（20条）

（**絶対注意**）　**8**は、許可制つまり**規制区域**内のケースであり、**監視区域**内等ではこのような規定はナイ！

　　知事は、**遊休土地**に係る計画の届出をした者に対し、その土地の有効かつ適切な利用の促進に関し、必要な**助言**ができる。

B **9** 注視区域 ㊉ R6年

　知事等は地価が一定の期間内に**社会的経済的事情の変動に照らして相当な程度を超えて上昇**し、又は上昇するおそれがあるものとして**国土交通大臣が定める基準に該当**（あらかじめ**土地利用審査会及び関係市町村長の意見**を聴かなければならないが、大臣の承認は不要！）し、これによって適正かつ合理的な土地利用の確保に支障が生ずるおそれがあると認められる区域（除：規制区域・監視区域）を、期間を定めて、注視区域として指定できる。

A **10** 監視区域（届出制の特例） ㊉ H27・R1・5年

(1)　知事等は、**地価が急激に上昇**し、又はそのおそれがあり、これによって適正かつ合理的な土地利用の確保が困難と認められる区域を、期間（指定公告の日から起算して**5年以内**）を定めて、**監視区域として指定**できる（除：規制区域に指定された区域）。指定しようとする場合には、あらかじめ、**土地利用審査会及び関係市町村長**の意見を聴かなければならない。**監視区域**内の土地の全部又は一部が、**規制区域**に指定された場合には、当該監視区域の指定が解除され、又は当該一部の区域について監視区域に係る区域の減少があったものとされる（27条の6・12条）。

(2)　知事等は、届出事項について投機的取引と認められるものとして勧告をした場合に、必要があると認めるときは、勧告を受けた者に対し、その勧告に基づいて講じた措置について**報告**を求めることができる（25条・27条の9）。

(注)監視区域内の土地で届出が不要であっても、当該契約の対価・利用目的について知事等から**報告**を求められることがある。

過去問チェック⑮　　　　　　　　　　　　　　　　　　　（2001年）

> 　国土利用計画法の届出に関する次の記述のうち、正しいものはどれか。
> (1)　事後届出の対象となる土地売買等の契約を締結した場合には、契約した日から起算して1週間以内に届出をしなければならない。
> (2)　注視区域内において、土地売買等の契約を締結した場合には、権利取得者は、契約した日から起算して2週間以内に届出をしなければならない。
> (3)　注視区域内において、私人と地方公共団体との間で土地売買等の契約がなされる場合には、届出は不要である。
> (4)　監視区域内において、担保権の実行としての競売により土地を取得しようとする場合には、届出は必要である。
> (5)　事後届出の対象となる土地売買等の契約を締結した場合には、契約当事者双方が届出をしなければならない。

★次の(1)、(2)のどちらかに該当すれば、投機的取引として勧告できる(27条の8)。

(1) 届出に係る事項が一般の届出の勧告基準の一つに該当し、当該土地を含む周辺の地域の適正かつ合理的な土地利用を図るために著しい支障があること。

(2) その届出が土地の権利移転契約締結につきされた場合、その届出事項が次の①から⑥までのいずれにも該当し、当該土地を含む周辺の地域の適正な地価の形成を図る上で著しい支障を及ぼすおそれがあること。

① 届出に係る土地（以下土地という）の権利移転をしようとする者が当該権利を土地売買等の契約により取得したものであること（その土地売買等の契約が民事調停法による調停に基づくものである場合等を除く）。

② 土地の権利移転をしようとする者により当該権利が取得された後1年以内に、その届出がされたものであること。

③ 土地の権利移転をしようとする者が、当該権利を取得した後、その土地を自ら居住又は事業用（一時的な利用等を除く）に供していないこと。

④ 土地の権利移転をしようとする者が次のいずれにも該当しないこと。

(ア) 事業として土地について区画形質の変更等を行った者。

(イ) 債権の担保等の通常の経済活動として、土地の権利を取得した者。

⑤ 土地の権利移転が次のいずれにも該当しないこと。

(ア) 債権の担保等の通常の経済活動として行われるもの。

(イ) 区画形質の変更等の事業の用又はこれらの事業の用に供する土地の代替の用に供するために土地の権利を買い取られた者に対してその権利の代替の用に供するために行われるもので政令で定めるもの。

(ウ) 権利移転をしようとする者に政令で定める特別事情がある場合。

⑥ 土地の権利移転を受けようとする者が次のいずれにも該当しないこと。

(ア) 土地を自ら利用するための用途に供しようとする者。

(イ) 事業として土地について区画形質の変更を行った後、その事業としてその届出に係る土地の権利移転をしようとする者。

(ウ) 届出に係る土地を自ら利用するための用途に供しようとする者に、その土地の権利移転をすることが確実であると認められる者。

(エ) 土地について区画形質の変更等を事業として行おうとする者に、その土地の権利移転をすることが確実であると認められる者。

B 11 遊休土地（28・29条）㊙ R5・6年

所有している事後届出に係る土地が遊休土地である通知を受けた者は、その通知があった日から起算して6週間以内に、その通知に係る遊休土地の利用又は処分に関する計画を、知事に届け出なければならない。

B **12** 規制区域と監視区域等の共通点・相違点 ㊢ R1・4年

		規 制 区 域	監視区域・注視区域
共通点	(1)指 定 期 間	公告があった日から起算して**5年以内**	
	(2)指 定 区 域	**都市計画区域外**でも指定できる。	
相違点	(3)再　　指　　定	**行うものとする。**	**行うことができる。**
	(4)指 定 要 件	「土地の投機的取引が相当範囲にわたり……」という文言が入っている。	左のような文言は入っていない。
	(5)指定に関する土地利用審査会との関係	公告の日から起算して2週間以内に、土地利用審査会の確認を求める。	あらかじめ土地利用審査会の意見聴取
	(6)指 定 権 者	知事（指定都市の長）	
	(7)国土交通大臣の指示、代行	**規定**あり	**規定**なし
	(8)知事への土地買 取 請 求	できる。	できない。

B **13** 立入り・土地調査員 ㊢ H27年
(1) **知事等**は、法の施行に必要な限度において、その職員に、事後届出に係る当事者の営業所、事務所その他の場所に**立ち入り**、土地、帳簿、書類その他の物件を**検査**させ、又は関係者に質問させることができる（41条）。
(2) 立入検査及び質問に関する職務を行わせるため、都道府県に、土地調査員を置くことができる（42条）。
(3) **土地調査員**は、都道府県の職員で土地利用又は不動産の評価に関して経験と知識を有するもののうちから**知事等**が任命する（42条、施行令23条）。

B **14** 罰　則 ㊢ H29年
(1)許可制（規制区域）
　① 無許可で契約→**無効**、**罰則**（3年以下の懲役又は200万円以下の罰金）
　② 許可申請→(ア) 6週間以内に許可→契約OK
　　　　　　　　(イ)処分ないまま6週間以内に契約→**無効**、**罰則**
(2)届出制（注視区域・監視区域）
　① 無届出で契約→**契約は有効**、**罰則**（6カ月以下の懲役又は100万円以下の罰金）
　② 届出→(ア) 6週間以内に契約→**契約は有効**、**罰則**（50万円以下の罰金）
　　　　（除：勧告又は勧告しない旨の通知があった場合）
　　　(イ)勧告に従わないで契約→契約は有効、罰則ナシ、公表できる
(3)届出制（その他の区域）
　事後届出をしなかった→**罰則**（6カ月以下の懲役又は100万円以下の罰金）

4 土地区画整理法

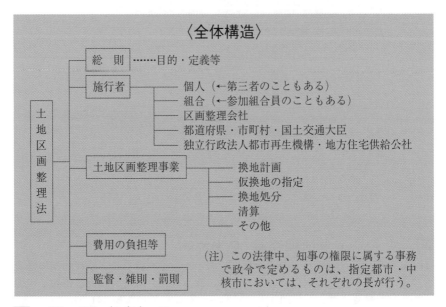

〈全体構造〉

```
            ─ 総 則 ……目的・定義等
            ─ 施行者 ─── 個人（←第三者のこともある）
                      ─ 組合（←参加組合員のこともある）
                      ─ 区画整理会社
  土                  ─ 都道府県・市町村・国土交通大臣
  地                  ─ 独立行政法人都市再生機構・地方住宅供給公社
  区
  画        ─ 土地区画整理事業 ─── 換地計画
  整                            ─ 仮換地の指定
  理                            ─ 換地処分
  法                            ─ 清算
                                ─ その他
            ─ 費用の負担等
                        （注）この法律中、知事の権限に属する事務
            ─ 監督・雑則・罰則     で政令で定めるものは、指定都市・中
                                核市においては、それぞれの長が行う。
```

A **1** 用 語（2条） ⊕ H28・R4・5年

(1) 土地区画整理事業

　　都市計画**区域内**の土地について、**①公共施設の整備改善及び②宅地の利用の増進**を図るため、この法律で定めるところに従って行われる土地の区画形質の変更及び公共施設の新設又は変更に関する事業

（注）埋立又は干拓に関する事業があわせて行われる場合には、これらも含まれる。

(2) 宅 地

　　公共施設（道路、公園、広場、河川その他政令で定める公共の用に供する施設）**の用に供されている国又は地方公共団体の所有する土地以外の土地**

（注）**鉄道・軌道**・飛行場・港湾は、公共施設には含まれない。

(3) **施行地区**

　　土地区画整理事業を施行する土地の区域

(4) **施行区域**

　　都市計画法第12条2項の規定により土地区画整理事業について**都市計画**に定められた施行区域

(5) 借地権

　　借地借家法にいう借地権〔建物（竹木ではナイ！）所有目的の地上権・賃借権〕をいう。

区画整理とは？

　わが国は欧米と異なり、都市の建設が無計画に行われてきました。そのため、現在でも、昔ながらの不整形な路地が多く、居住面でも交通面でも不便です。そこで、「**区画整理**」をすることによって整然とした街をつくっていくのです。

　「**区画整理**」とは、下図のように、不整形な土地を、整然とした土地に変えることです。区画整理後は、**広い道**ができ、**公園**もつくられています。**保留地**は施行者のものになり、通常、売却して事業の経費に充てられます。

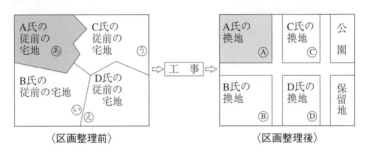

★不動産図鑑⑩・土地区画整理事業

　さて、**従前の宅地**とは**区画整理をする前の土地**をいい、**換地**とは**区画整理後の土地**をいいます。たとえば、A氏の従前の宅地⑥は、区画整理の結果、換地Ⓐとなります。

B **2**　　施行者（3条〜3条の4）🈷 H29・R6年

施　　行　　者			場　所	都市計画事業との関連
(1) 個　人	宅地の所有権、借地権を有する者	1人又は数人	①施行区域 ②①以外	①で行う場合は**都市計画事業**として行う。
(2) 組　合		7人以上		
(3) 区画整理会社				
(4) 都道府県、市町村			施行区域	必ず**都市計画事業**として行う。
(5) 国土交通大臣				
(6) 独立行政法人**都市再生機構** 地方住宅供給公社（以下、機構等という）				

B **3** 個人・組合の注意点（4・5・14・18・21・25条） ㊙ H30・R4・6年

	規準・規約・定款の認可等			組合の設立認可
(1) 個 人	1人 →規準・事業計画	知事の	⇨	
	2人以上→規約・事業計画	認 可		
(2) 組 合	設立しようとする者は、事業計画の決定に先立って設立する必要があると認める場合を除き、**7人以上**共同して、**定款及び事業計画**を定め、右記の認可を受けなければならない。→所有権者・借地権者のそれぞれ$\frac{2}{3}$以上の同意			**知 事 の 認 可**（**認可により組合は成立**）なお、認可申請は市町村長を経由する。

AA **4** 組合が施行する場合 ㊙ H27・28・29・30・R2・6年

(1) 事業計画の縦覧（20条）

　　知事は、組合設立認可の申請があったときは、施行地区となるべき区域を管轄する市町村長に、当該事業計画を**2週間公衆の縦覧**に供させなければならない。土地区画整理事業に関係のある土地又土地に定着する物件について権利を有する者（**土地所有者、借地権者、建物所有者、借家権者等**）は、縦覧期間満了日の**翌日から起算して2週間以内**に知事に対し意見書を提出できる。

(2) 組合員（14・21・25・40条）

　　知事は、申請が認可基準に適合していると認める場合はその**認可**をし、その旨を公告する。組合は、**認可によって成立**する。組合が施行する土地区画整理事業の施行地区内の宅地の**所有権者及び借地権者は、すべて法律上当然に組合員**となる（**同意は不要**）。ただし、**未登記の借地権**で申告をしないもの及び申告をしてもその後の移転の届出をしないものに関する**借地権者は組合員とならない**。未登記・未申告の借地権は、存しないものとみなされる。

　　組合は、**参加組合員以外の組合員**に対して、その事業の経費に充てるため、**賦課金**として金銭を賦課徴収できる。賦課金の額は、組合員が施行地区内に有する宅地又は借地の位置、地積等を考慮して公平に定めなければならない。

(3) 理事及び監事（27条）

　　① 定款で定めるところにより、**組合員**（法人では、役員）のうちから**総会で選挙する**が、特別の事情があれば、定款で定めるところにより、**組合員以外から選任できる**。

　　② 理事又は監事である組合の組合員が、組合員でなくなった場合、その理事又は監事は、その地位を失う。

(4) 参加組合員制度（25条の2・40条の2）

　　事業資金調達及び施行地区内の市街化促進のため、独立行政法人都市再生

機構、地方住宅供給公社その他法令で定める者で、組合が都市計画事業として施行する土地区画整理事業に参加することを希望し、**定款**で定められたものは、**参加組合員**として組合員となる。**参加組合員は、土地を取得できるが、その代金として、負担金及び事業の経費に充てるための分担金を組合に納付しなければならない。**

(5) 総会（30・31条）

組合の総会は総組合員で組織され、次の事項（主なもののみ列挙）は**総会の議決**を経なければならない。

① 定款の変更　　　　　　　　④ **仮換地の指定**
② 事業計画の決定・変更　　　⑤ 保留地の処分方法
③ **換地計画**　　　　　　　　⑥ その他

組合における総会の議決は、定款に特別に定めがある場合を除いては、組合員の**半数以上が出席**しなければならず、出席組合員の**過半数**（「$\frac{2}{3}$以上」ではナイ！）で決する。また、あらかじめ通知した会議の目的である事項以外は、議決できない（34条）。総代会が設けられた組合においては、理事は、通常総会を招集することを要しない（36条）。また、**組合員は書面又は代理人**をもって、総代は**書面**（定款で定めるところにより、**電磁的方法**でも可）をもって議決権又は選挙権を行うことができる（38条）。

(6) 組合の**解散**事由（45条）

① 設立についての認可の取消　④ **事業の完成又は事業の完成不能**
② **総会の議決**　　　　　　　⑤ 合併
③ 定款で定めた解散事由の発生　⑥ 事業の引継

(注) 組合は、**総会の議決等により解散**しようとする場合においては、その解散について**知事の認可**を受けなければならない。

（絶対注意） 組合員が７人未満となっても解散事由とはならない。

(7) 解散した組合は、清算の目的の範囲内において、その清算の結了に至るまではなお存続するものとみなされる（45条の2）。

(8) 土地区画整理事業を施行しようとする者、**個人施行者、組合を設立しようとする者又は組合等**は、知事及び市町村長に対し、土地区画整理事業の施行の準備又は施行のために、土地区画整理事業に関し専門的知識を有する職員の**技術的援助**を求めることができる（75条）。

　　土地区画整理組合（以下この問において「組合」という）に関する次の記述のうち、正しいものはどれか。
(1)　組合は、設立の認可を受けた後、設立の登記をすることによって成立する。
(2)　組合が施行する土地区画整理事業では、換地計画において定められた保留地は、換地処分の公告の日の翌日において、施行者たる当該組合が取得する。
(3)　組合は、市街化調整区域内において土地区画整理事業を施行することはできない。
(4)　組合は、組合員が7人未満になった場合には、解散しなければならない。
(5)　組合は、施行の前後において施行地区内の宅地価額の総額が減少した場合は、減価補償金を交付しなければならない。

A 5 　都道府県・市町村が施行する場合　⊕ H27・29・R6年

(1)　フローチャート

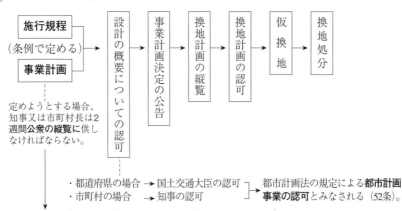

施行規程
（条例で定める）
事業計画

定めようとする場合、知事又は市町村長は2週間**公衆の縦覧**に供しなければならない。

設計の概要についての認可 → 事業計画決定の公告 → 換地計画の縦覧 → 換地計画の認可 → 仮換地 → 換地処分

・都道府県の場合 → 国土交通大臣の認可
・市町村の場合 → 知事の認可
→ 都市計画法の規定による**都市計画事業の認可**とみなされる（52条）。

利害関係者は、**縦覧期間満了の日の翌日から起算して2週間を経過する日までに知事に意見書を提出**できる。知事は意見書の提出があった場合には、都道府県都市計画審議会に付議しなければならない（20・55条）。

(注)都道府県又は市町村が都市計画事業として土地区画整理事業を施行しようとする場合、施行規定及び事業計画を定めなければならない（52条）。

土地区画整理審議会（56・57・58・62条） ⊕ H27・R3・4・6年

① 設 置	公的**施行**の**1つの事業ごと**に置かなければならない（施行地区を工区に分けた場合、**工区ごと**に**設置**できる）。		
② 権 限	意 見	(ア) 換地計画の**策定**　(イ) 仮換地の指定　(ウ) 減価補償金の交付	
	同 意	(ア) 宅地地積の適正化　(イ) 特別の換地　(ウ) **保留地の指定** (エ) **評価員の選任** (注) 事業計画に関する権限はナイ！	
③ 委 員 (10〜50人で 施行規程で 定める)	(ア) **宅地の所有者** → 所有者の中から所有者が選挙 (イ) **宅地の借地権者** → 借地権者の中から借地権者が選挙		(ア) の委員数と(イ) の委員数は、おおむね、所有者総数と借地権者総数の割合におおむね比例。必ず設置
	(ウ) 学識経験者 → 知事、市町村長が選任		設置は任意委員の定数の $\frac{1}{5}$ 以内
④ 招 集	**知事**又は**市町村長**が招集。少なくとも会議を開く日の **5日前**（緊急を要する場合は **2日前**）までに委員に通知しなければならない。		
⑤ 会 議	審議会の会議は、委員の半数以上が**出席**しなければ開くことができず、その議事は、出席委員の過半数で決し、可否同数の場合においては、会長の決するところとする（会長は議決に加わることは**できない**）。		

(1) 評価員の選任（65条）

　　知事又は市町村長は、都道府県又は市町村が施行する事業ごとに、**土地又は建築物の評価について経験を有する者3名以上**を、**土地区画整理審議会の同意**を得て、**評価員**（非常勤）に選任しなければならない。

(注) **審議会の委員**の中から選任するのではナイ！（←よく出る！）。

AA **7**　認可公告の効果 ⊕ H27・28・30・R1・5年

(1) 立入り（72・73条）

　　土地区画整理事業の**施行の準備又は施行**のために、その必要の限度において、他人の占有する土地に**立ち入って、測量・調査**ができる（市町村長の認可が必要だが、組合設立認可前でも立入可能）。ただし、損失を与えた場合は**損失を与えた者と受けた者との協議**により、受けた者に対して通常生ずべき**損失を補償しなければならない。**なお、施行者は、日出前及び日没後においては、土地の占有者の承諾があった場合を除き、建築物が所在し、又はかき、さく等で囲まれた他人の占有する土地に立ち入ってはならない。

(2) 建築行為等の制限（76条）

　　事業の施行、組合の設立認可等の公告があった日以後、換地処分の公告までの間に、次の行為を行おうとする者は、**許可**を受けなければならない。

制 限 さ れ る 行 為		許 可 権 者
① 土地の形質の変更	事業施行の障害となる場合のみ	原則……知事[注] 国土交通大臣が施行する 土地区画整理事業 ……国土交通大臣
② 建築物その他の工作物の新築、改築、増築		
③ 5トン超の物件の設置・堆積		

（注）市の区域における民間施行又は市施行の場合は、**市長**

B 8　換地計画 ⊕ H28年

(1)　施行者は、規準、規約、定款又は施行規程並びに事業計画又は事業基本方針及び換地計画に関する図書その他政令で定める簿書を主たる事務所に備え付けておかなければならない。

　　また、利害関係者から換地計画に関する簿書の閲覧の請求があった場合には、施行者は、**正当な事由なく、これを拒んではならない（84条）。**

(2)　**施行者が、個人、組合、区画整理会社、市町村、機構等**の場合
　→換地計画について知事の認可を受けなければならない（86条）。

(3)　施行地区が工区に分かれている場合には、**工区ごとに定める**ことができる（86条）。

(4)　縦　覧（88条）

①個人施行者以外の施行者	換地計画決定前に、計画を2週間公衆（利害関係者ではナイ！）の縦覧に供しなければならない。 ↓ 利害関係者は、縦覧期間内に、施行者に意見書を提出できる。施行者が審査する。
②個人施行者の場合	縦覧に代えて、換地計画に係る区域内の宅地の権利者の同意を得なければならない。

　（注）区画整理会社は、所有者・借地権者の3分の2以上の**同意**を得る。

┌ 施行者は… ─────────────
①意見を採択すべきであると認めるとき→ 換地計画に必要な修正を加えなければならない。
②意見を採択すべきでないと認めるとき→ その旨を意見書を提出した者に通知しなければならない。

　意見書を採択して換地計画を修正した場合には、その修正部分につき、原則として、あらためてこの縦覧手続が必要となる。
　なお、**公的施行者**は、**換地計画を作成**する場合又は縦覧に基づく意見書の内容を審査する場合には、**土地区画整理審議会の意見**を聴かなければならない。

A⑨　換地照応の原則　㊙ H28・R2・3年

　換地計画において**換地を定める**場合、換地及び従前の宅地の**位置、地積、土質、水利、利用状況、環境等が照応**するように定めなければならない（**換地照応の原則**）（89条）。従前の土地をそのまま指定する**原地換地**が最も望ましい。

　換地を定める場合において、**不均衡**が生ずると認められるときは、従前の宅地及び換地の位置、地積、土質、水利、利用状況、環境等を総合的に考慮して、**金銭により清算**するものとする（94条）。

〈換地照応の原則の例外〉

(1)　宅地の所有者の申出又は同意があった場合においては、換地計画において、その宅地の全部又は一部について**換地を定めないことができる**。→ 清算金で清算する。宅地の使用収益権者（ex. 地上権者・賃借権者・借地権者）があるときは**同意**が必要（90条）。

(2)　主な**宅地地積の適正化**→**公的施行のみ**

　①　**増換地**（91条）

　　増換地とは、災害防止・衛生向上の見地から、面積が一定の基準に達しない場合に、その宅地又は借地の地積を適正にするため、地積が小である宅地について**過小宅地**とならないように換地を定めることができる（基準地積以上の面積にすることである）。増加部分については清算金が徴収される。

　　従前の宅地の地積が著しく小であるため、増換地をすることが適当でないと認められる宅地については、**土地区画整理審議会の同意**を得て換地を定めないことができる。

　②　**減換地**（91条）

　　減換地とは、増換地をするために、増換地に充てるために、地積が大で余裕がある宅地について地積を減じて換地を定めること。**土地区画整理審議会の同意**が必要となる。

(3)　**立体換地**（93条）

　　立体換地とは、従前の宅地・借地等について換地を定めず、耐火建築物の一部とその敷地の**共有持分**を与える手法である。公的施行者の場合、**土地区画整理審議会の同意**が必要。

(4)　特別の換地（主なもの）（95条）

　①　**公共施設**等（ex. 学校、鉄道）の用に供される宅地

　　換地計画において、その**位置、地積等**に特別の考慮を払い、換地を定めることができる。公的施行者の場合、**土地区画整理審議会の同意**が必要。

　②　重要文化財等の敷地

　　重要文化財等の指定を受けた建造物等で、文化財としての性質上移転することが適当でないものについては、移転の必要を生じないようにしなければならない。

AA **10**　仮換地（98条〜100条の2）　㊙ H29・30・R1・2・4・5年

(1) 仮換地の指定（98条）

① 指定できる場合（2パターンあり）

施行者は、**換地処分を行う前において**、

(ア) 土地の区画形質の変更もしくは**公共施設の新設もしくは変更に係る工事のため必要がある場合**、又は

(イ) **換地計画に基づき換地処分を行うため必要がある場合**

においては、施行地区内の宅地について**仮換地を指定できる**。

② 指定方法（2パターンあり）

(ア) **換地計画において定められた事項**

又は　　　　　　　　　　　　　　　　　　　　　┐→を考慮して

(イ) **この法律に定める換地計画の決定の基準**（ex. 照応の原則）┘　指定

> **絶対注意**　必ずしも換地計画に基づくことを要しない（←よく出る！）。

③ 同意等

(ア) **個人**→従前の宅地及び仮換地となるべき土地の所有者等の同意が必要

(イ) **組合**→総会もしくはその**部会又は総代会の同意**が必要

(ウ) **区画整理会社**→所有者・借地権者の**3分の2以上の同意が必要**

(エ) **都道府県、市町村、国土交通大臣、機構等**

→**土地区画整理審議会の意見**を聴かなければならない。

④ 通　知

仮換地の指定は、その仮換地となるべき土地の所有者及び従前の宅地の所有者に対し、仮換地の位置及び地積並びに仮換地の指定の効力発生の日を**通知してする**ものとする（借地権者等に対しても通知を行う）。

(2) 仮換地指定の効果（99・100条）

① **仮換地指定の効力発生の日だけを定めた場合**

(ア) 従前の宅地について権原に基づき使用収益ができる者（所有権者、借地権者等）は、指定の効力発生日から換地処分の公告の日まで、仮換地につき、従前の宅地におけると同様に**使用収益できる**。

(イ) **従前の宅地**については、**使用収益できない**。

〈図　示〉

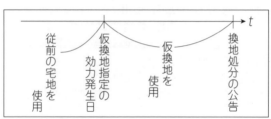

78

② **仮換地指定の効力発生の日と別に仮換地の使用収益開始日を定めた場合**
（例：仮換地上に建物等があってこれを除却しなければならないような場合）
使用収益開始日以後でなければ、仮換地を使用収益できない。

〈図　示〉

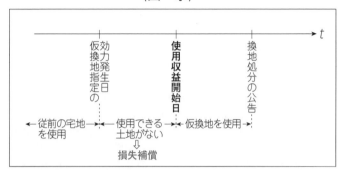

(3) **仮換地に指定されなかった宅地**は、換地処分の公告の日までは、**施行者が管理**する（100条の2）。

(4) 従前の宅地に関する権利を売買等によって取得すると、その従前の宅地に対応する仮換地を使用収益できる。

(5) 施行者は、仮換地を指定した場合に、従前の宅地に存する建築物等を移転又は除却することが必要となったときは、移転又は除却できる（77条）。

A⑪　保留地（96・104・108条）　🏵 H27・R1・3・4年

(1) 施行者	個人・組合・区画整理会社	公的施行者
(2) 定める目的	①**事業の費用に充てるため**又は②**規準・規約・定款で定める目的のため**	**事業の費用**に充てるため
(3) 定める要件		①事業施行後の宅地の価額の総額が施行前の宅地の価額の総額を**超えること**②保留地は①の差額の**範囲内**であること③**土地区画整理審議会の同意**（意見ではナイ！）を得ていること
(4) 取得	換地処分の公告があった日の**翌日**に、**施行者が取得**する（承継取得ではなく、原始取得）。	
(5) 処分		取得した保留地をその目的のために、その保留地を定めた目的に適合し、かつ**施行規程で定めた方法に従って処分しなければならない。**

AA **12**　換地処分　⊕ H27・30・R1・2・5・6年

(1)　換地処分の時期（103条）

換地処分は、換地計画に係る区域の**全部**について**工事が完了した後**遅滞なく、しなければならない。ただし、規準・規約・定款・施行規程に別段の定めがあるときは、**一部の工事が完了する以前**にすることができる。換地処分は、**関係権利者**に換地計画において定められた関係事項を**通知**して行う。

個人施行者が換地処分を行った場合、遅滞なく、その旨を知事に届け出なければならない。

(2)　**施行者**は、換地処分の公告があった場合は、直ちに、その旨を登記所に通知するとともに（知事を経由する必要ナシ）、事業施行により変動があったときは、遅滞なく、土地・建物の登記の申請、嘱託をしなければならない。この登記がなされるまでは、土地、建物について**他の登記はできない**。ただし、登記の申請人が確定日付のある書類により**換地処分の公告前に登記原因が生じたことを証明した場合**には、換地処分の登記がされる以前でも、他の登記ができる（107条）。

〈図　示〉

換地処分公告

登記については制限がない。

事業施行による変動の登記がされるまでは
原則として、他の登記はできない。

(3)　換地処分の効果（104・105・106条）

古い権利（消滅）	換地処分の公告の日が終了	換地処分の公告の日の翌日	新しい権利（発生）
①**換地計画において換地等を定めなかった**従前の宅地上の権利は消滅する。 ②行使する利益がなくなった地役権は消滅する。	したとき		①換地計画において定められた**換地**は、従前の宅地とみなされる。 ②**清算金が確定**する。 ③施行者が**保留地を取得する**。 ④公共施設は原則として**市町村の管理**に属する。

（注）清算金は、**所有権**についてのみ定められるわけではなく、**借地権等一定の権利**についても定められる（94条）。

(4)　施行者は、**換地処分の公告がある日以前においても**、公共施設に関する工事が**完了**した場合においては、その公共施設を管理する者となるべき者にその**管理を引き継ぐことができる**（106条）。

B **13**　減価補償金（109条）　㊗ R2・4年

(1) 意　　　　義	都道府県、市町村、国土交通大臣又は**機構等**による事業により、施行後の宅地の価額の総額が施行前の宅地の価額の総額より**減少した場合**に、交付する金銭で、その総額は差額相当額である。
(2) 交付を受ける者	施行後の総額が施行前の総額より減少した旨の公告の日における**従前の宅地の所有者及び使用収益権者**（建築物の所有者は含まれない）。
(3) 交　付　額	差額相当額を各権利者の権利の価額にあん分した額（施行者は、**土地区画整理審議会の意見を聴かなければならない**）。

(注)**12**(3)の要件と上記(1)の要件より、**減価補償金を交付する場合には、保留地は定められないことになる**。

（**絶対注意**）民間施行の場合には、減価補償金の制度はない。

COLUMN

減価補償金制度

　ふつう、土地区画整理事業をすると、施行後の宅地の価額の総額は、施行前の宅地の価額の総額を上回ります。

　だってそうでしょう。不整形の土地をキレイにし、公園や道路も整備すると当然地価が上昇しますからね。

　しかし、公共施設をたくさんつくった場合（公共施設の敷地は宅地ではない）や公共施設の配置が悪い場合（たとえば、住宅街の近くに火葬場をつくった場合、住宅街の地価が下落する）には、施行前の宅地の価額の総額を下回ってしまいます。

原則		例外	
施行後の宅地総額	＞ 施行前の宅地総額	施行後の宅地総額	＜ 施行前の宅地総額

　以上の理由で下回ってしまった場合、原因は行政側にあるわけですから、地域住民に補償をしなければいけません。すなわち、公告日における従前の宅地の所有者、地上権者、賃借権者等に減少額を按分して交付しなければならないのです。なお、減価補償金制度は、**公的施行者による事業**に適用されます。

A14 　清算金　⊕ R1・2・3・4年

(1)　施行者は、換地処分を行う前であっても、**仮換地を指定**した場合は、必要があると認めるときは、仮に算出した**仮清算金**を、清算金の徴収又は交付の方法に準ずる方法により**徴収**し、又は**交付**することができる（102条）。

(2)　施行者は、換地処分があった旨の公告があった場合に、確定した清算金を徴収又は交付しなければならない。また、清算金は**利子を附して分割徴収**し、又は**分割交付**することができる。清算金を徴収する権利は、**5年**で時効消滅する（110条）。

(3)　施行者は、施行地区内の宅地又は宅地について存する権利について清算金又は減価補償金を交付すべき場合において、その交付を受けるべき者から徴収すべき清算金があるときは、これを**相殺**できる（111条）。

(4)　施行者は、施行地区内の宅地又は宅地について存する権利について清算金又は減価補償金を交付する場合において、当該宅地又は権利について**先取特権、質権、抵当権**があるときは、その清算金又は減価補償金を**供託しなければならない**。ただし、これらの担保権の債権者から供託しなくてもよい旨の申出があった場合はこの限りではない（112条）。

(5)　土地区画整理事業の施行により地上権、永小作権、賃借権等の土地を使用収益できる権利の目的である土地等の利用が増し、又は妨げられるに至ったため、**従前の地代等が不相当**となった場合においては、当事者は、契約の条件にかかわらず、**将来に向かってこれらの増減を請求できる**（113条）。

COLUMN

清算金

　清算金とは、通常、各権利者の個別の宅地の価額が、施行前の宅地の価額より増加又は減少することになるので、その過不足を後に徴収又は交付するものです。

　したがって、減価補償金が交付される場合においても、個々の宅地についての清算金は徴収又は交付することになり、施行者が減価補償金を交付するときに、徴収すべき清算金がある宅地については、その権利者に対しては、これらの交付額及び徴収額を相殺できるのです。

5　農　地　法

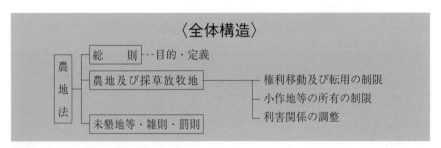

〈全体構造〉

```
農地法 ── 総　則 ── 目的・定義
        ── 農地及び採草放牧地 ── 権利移動及び転用の制限
                              ── 小作地等の所有の制限
                              ── 利害関係の調整
        ── 未墾地等・雑則・罰則
```

B **1**　**定　義**（2条）⊕ R2年

(1) **農地** → 耕作の目的に供される土地。
(2) **採草放牧地** → 農地以外の土地で、主として耕作又は養畜の事業のための採草又は家畜の放牧の目的に供されるもの。

（注）現況が農地、採草放牧地のいずれにも該当しない土地は、農地法上の農地、採草放牧地に該当しないので、農地法上の許可は不要である。

COLUMN

農地法の目的等　⊕ H27・28・29・30・R1・2年

農地法の目的は一言でいうと、「**日本の農業生産力を守ること**」です。そのため、農地等を勝手に売ったりできず、許可等が必要です。

農地法の規制を受ける権利は、所有権、賃借権、地上権、永小作権、**使用貸借権**又は質権等で、**抵当権**は使用収益権がないので、**対象外**です。なお、本法適用につき、土地の面積は、原則として**登記簿の地積**によります。

農地であることの要件	
↓	
地目は関係ナシ！	地目がたとえ山林や原野や宅地でも実際に農作物をつくっていたら農地に該当します。
↓	
所有者等の主観的意思は関係ナシ！	**現況**で判断
↓	
一時的に耕作している土地は農地ではナイ！	逆に、**休耕地**（既に遊休化しているものも含まれる可能性アリ）は農地です。
↓	
米麦だけとは限らナイ！	苗圃、わさび、れんこん等を栽培している土地も農地です。
↓	
肥培管理をしていないとダメ！	タケノコが勝手に生えてくる土地は農地ではありません。

AA **2** 許　可　㊙ H27・28・29・30・R2・3・4・5・6年

内　容	許可権者
ⓐ又はⓒについての**権利移動**（3条）	農業委員会
ⓐ→ⓐ以外へ**転用**（4条）	（1）原則→知事 （2）指定市町村の区域内 →指定市町村の長
ⓐ→ⓐ以外へ ⓒ→ⓒ以外 （除・農） へ**転用**するための**権利移動**（5条）	

市街化区域のみ！
↓

内　容	届出
ⓐ→ⓐ以外へ 転用 ⓐ又はⓒを ⓐ及びⓒ以外へ 転用するための権利移動	農業委員会

（注）農地をⓐ。採草放牧地をⓒと略す。

絶対注意　3条に関しては、市街化区域の例外ナシ。また、ⓒの単なる**転用**は許可も届出も不要。また、知事は、**農用地区域内にある農地**については、原則として、**転用許可をすることができない**（4条）。

AA **3**　許可不要事由等　㊙ H27・28・R1・2・3・4・6年

	第　3　条	第　4　条	第　5　条
(1)	国、都道府県が権利を**取得**又は道路・農業用用排水施設等のため**転用、転用目的権利移転**する場合（道路・農業用用排水施設等以外への転用、転用目的権利移転は、知事〈4ha超の農地の場合は農林水産大臣〉との**協議の成立で許可があったものとみなされる**）(注1)(注2)。		
(2)	土地収用法等により、権利が**収用又は使用**される場合		
(3)	**遺産分割・包括遺贈**による場合(注3)	（許可不要事由ではナイ！）	
(4)	（許可不要事由ではナイ！）	地方公共団体（都道府県を除く）がその設置する道路、河川等の施設で土地収用法第3条各号に掲げるものの敷地に供するため取得・転用する場合等	

（注1）

①　**道路・農業用用排水施設**等への転用、転用目的権利移転	**許可不要**
②　①以外のため転用、転用目的権利移転	知事等との協議の成立をもって許可があったとみなされる。

（注2）**都道府県**において、農地について使用収益目的で権利取得しようとする者は、取得後の面積合計が右記に達しない場合は、**権利取得ができない、という規定は廃止されているので注意!**

都府県	50a
北海道	2ha

（注3）**相続・遺産分割・法人の合併**等により農地又は採草放牧地の権利を取得した者は、**許可は不要**だが、農業委員会にその旨を届け出なければならない。

下記のように、「許可が必要か・不要か、されるか・されないか」の判断は重要！

(1) 権利取得者又はその世帯員が自ら耕作又は養畜の事業を常時行う場合でなければ原則として、許可されない。

  ex. 1. **農家が農地を他の農家に転売・転貸するための取得 → 許可**されない。

    2. **農家以外の個人が農地を自ら耕作するための取得 → 許可**される。

    3. **サラリーマンが自ら耕作するための取得→許可**される。

(2) 農家が自己所有農地を転用して**温室**とする → その農地の面積が**2a未満**なら**許可不要**。

(3) 会社が**資材置場として一時的に使用**するための賃貸借 → **許可必要**。

(4) **親族に贈与**する→**許可必要**。

(5) **民事調停法**による農事調停による取得 → **許可不要**。

(6) 一時的利用のための農地の転用 → **許可必要**。

(7) **農地所有適格法人**以外の法人が使用収益権を取得 → 原則として**許可されない。** → 試験研究・農事指導のための取得 → **許可される。**

(注) 一定の株式会社は農地所有適格法人になれるので、株式会社でも農地の所有権を取得できることがある（2・3条）。なお、農地所有適格法人とは、農事組合法人、株式会社（**公開会社でないものに限る**）又は持株会社で、一定の要件を満たしているものをいう。

(8) 土地を**開墾**して農地を造成する → **許可不要**。

c4　第3・4・5条の共通点・相違点　㊙ H26年（最終）

条　　　文	第　4　条	第　3　条	第　5　条
(1) 条　　件	許可は**条件**を付けてすることができる。		
(2) 許可を受けないでした行為	（条文上規定ナシ）	効力を生じない。	
(3) 違反した場合の**罰則**	3年以下の懲役又は300万円以下の罰金（64条）。		

(注) 農地の売買契約自体は、農地法上の許可を受ける前に締結しても差し支えない。許可を受けるまで効力が生じないだけである。

AA **5** 　農地又は採草放牧地の賃貸借 　㊙ H28・30・R2・3・4・6年

(1) 　対抗力（16条）

　　農地又は採草放牧地の**賃貸借**（使用貸借は含まナイ）は、**登記**がなくても、農地又は採草放牧地の**引渡し**があったときは、以後に物権を取得した**第三者に対抗できる**。

(2) 　更　新（17条）

　　期間の定めのある場合、期間満了の1年前から6カ月前までの間に、相手方に対し更新しない旨の通知をしないときは、従前の賃貸借と同一の条件でさらに賃貸借をしたものとみなす。

(3) 　解約等の制限（18条）

　　農地又は採草放牧地の**賃貸借**（使用貸借は含まナイ）の**当事者**は、次の行為を行う場合は**知事の許可**を受けなければならない。

　① **賃貸借の解除、解約の申し入れ**をすること（一定の許可不要事由アリ）。

　② 合意による解約をすること（ただし、**合意による解約が、その解約によって農地等を引き渡すこととなる期限前6カ月以内に成立した合意で、その旨が書面において明らかになっている場合等は許可を要しない**）。

　③ 賃貸借の**更新をしない旨**の通知をすること（ただし、**10年以上の期間の定めのある賃貸借契約について行う場合等は許可を要しない**）。

(4) 　農地または採草放牧地の**賃貸借の存続期間**は、**50年**（20年ではナイ！）を超えることはできない（民法604条）。農地の賃貸借契約は、当事者は**書面**により内容を明らかにしなければならない（21条）。

(5) 　農地について所有権又は賃借権その他の使用及び収益を目的とする権利を有する者は、当該農地の農業上の適正かつ**効率的な利用を確保**するようにしなければならない（2条の2）。

COLUMN

農地法改正のいきさつ

　これまで**自作農主義**（農地所有者が直接耕作する）が貫かれていましたが、①**食料自給率の低下**、②**休耕地の増加**、③**後継者不足**、④**農業の効率化**、⑤**食の安全の実現**等に対処するため、農地法の目的を、農地の効率的な利用促進を目的としたものに改めるため、平成21年に改正されたのです。

　これにより、農業生産法人以外でも農地を借りることが可能となり、**市民農園等の利用や一般企業の参入が増加**しそうです。輸入に頼らない安全でおいしい農作物は、たとえ少々高くても国民が求めていると思います。

　農地法に関する次のイからホまでの記述のうち、正しいものの組合せはどれか。

イ　株式会社であって公開会社である法人でも、一定の条件を満たせば、農地又は採草放牧地について使用貸借による権利又は賃借権の設定に係る許可を受けることができる。

ロ　農地又は採草放牧地の賃貸借は、その登記がなくても、農地又は採草放牧地の引渡しがあったときは、引渡しが行われた後にその農地又は採草放牧地について物権を取得した第三者に対抗することができる。

ハ　都市計画法に定められた市街化区域外にある農地を採草放牧地にするために使用及び収益を目的とする権利を取得する場合は、都道府県知事の許可を受ける必要は無い。

ニ　農地又は採草放牧地について、所有権、地上権、永小作権、質権、使用貸借による権利、賃借権若しくはその他の使用及び収益を目的とする権利を譲渡又は設定した者は、農業委員会への届出を行う必要がある。

ホ　都道府県知事は、農用地区域内にある農地を農地以外のものにしようとする者が農地所有適格法人以外である場合に限り、その行為に係る許可をすることができる。

(1)　イとロ

(2)　イとニ

(3)　ロとハ

(4)　ハとホ

(5)　ニとホ

6 地価公示法

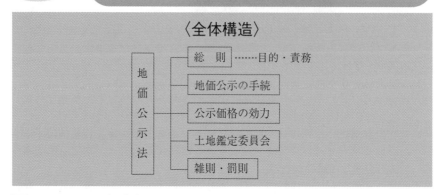

〈全体構造〉

地価公示法
- 総則 ……目的・責務
- 地価公示の手続
- 公示価格の効力
- 土地鑑定委員会
- 雑則・罰則

AA ❶ 目 的（1条）⊕ H28・29・30・R4年

都市及びその周辺の地域等において、**標準地**を選定し、その**正常な価格**を公示することにより、**一般の土地の取引価格に対して指標を与え**（取引価格の算定等に資すのではナイ！）、**及び公益事業に供する土地に対する適正な補償金の額の算定等に資し**、もって**適正な地価の形成に寄与**すること（土地取引の促進・土地利用の確保が目的ではナイ！　不動産鑑定業の保護ではナイ！）。

AA ❷ 公示の手続（2〜5条）⊕ H28・30・R1・2・3・5・6年

地価公示は**都市計画区域**その他の土地取引が相当程度見込まれるものとして**省令**で定める**区域（公示区域）（除：国土法上の規制区域）内**で行われる。

(1) **土地鑑定委員会**（国土交通大臣ではナイ！）が、**自然的及び社会的条件**からみて類似の利用価値を有すると認められる地域において、土地の利用状況、環境等が通常と認められる一団の土地につき**標準地**を選定。

(2) **2人以上の不動産鑑定士**の鑑定評価（注1）

(3) **土地鑑定委員会**による**審査、調整及び判定**（国等の意見聴取不要）

(4) 土地鑑定委員会は、**標準地の毎年1月1日現在の1㎡当たりの正常な価格**（注2）を3月下旬（**毎年1回**）に官報に**公示**する。

(注1) 不動産鑑定士は、標準地の鑑定評価を行うにあたっては、
- ① **近傍類地の取引価格から算定される推定の価格** ┐
- ② **近傍類地の地代等から算定される推定の価格** ├→を勘案して行わなければ
- ③ **同等の効用を有する土地の造成に要する推定の費用の額** ┘ならない。

(注2) 土地について、自由な取引が行われるとした場合におけるその取引（農地、採草放牧地又は森林をその用途のまま取引する場合を除く）において（土地利用規制がある場合は、規制を所与として）通常成立すると認められる価格（**更地としての価格**）をいう。

(注3) 標準地の鑑定評価を行った不動産鑑定士は、土地鑑定委員会に対し**鑑定評価書**を提出しなければならない。

AA **3** 公示事項 (6・7条) 🔘 H27・28・R1・2・4・5年

　　土地鑑定委員会は、地価を官報で下記の事項を公示したときは、速やかに、関係市町村（東京都の特別区、指定都市の区、以下同じ）の長に対して、公示事項のうち当該市町村が属する都道府県に存する標準地に係る部分を記載した書面及び図面を送付しなければならない。関係市町村の長は、当該市町村の事務所で一般の閲覧に供しなければならない。

(1)　標準地の所在の郡、市、区、町村、字及び地番
(2)　標準地の単位面積当たりの価格（単価→総額ではナイ！）及び価格判定の基準日
(3)　標準地の地積及び形状
(4)　標準地及びその周辺の土地利用の現況、その他

AA **4** 公示価格の効力 🔘 H27・30・R2・3・4・6年

(1)　一般の土地取引に対する効力（1条の2）
　　　都市及びその周辺地域で土地取引を行う者は、当該土地に類似する利用価値がある標準地の公示価格を指標として取引を行うよう努めなければならない。
(注)　公示価格は都市及びその周辺の地域等において、土地の取引を行う者に対する指標であるとともに、国土利用計画法に基づき、土地売買等の当事者が知事に土地に関する権利の移転等の届出を行った場合において、当該知事が届出に係る土地に関する権利の相当な価額を算定する際、規準となるものである。

(2)　公示価格が規準となる場合
　　① 不動産鑑定士は、公示区域内の土地について、鑑定評価を行う場合において当該土地の正常な価格を求めるときは、公示価格を規準としなければならない（8条）。
　　② 土地収用法等により土地を収用できる事業を行う者は、公示区域内の土地を当該事業のため取得する場合において、当該土地の取得価格を定めるときは、公示価格を規準（参考ではナイ！）としなければならない（9条）。

　（絶対注意）　譲渡価格を定めるときは、規準とする必要はない。

　　③ 土地収用法第71条の規定により、公示区域内の土地について、事業認定の告示の時における相当な価格を算定するときは、公示価格（近傍類地の取引価格ではナイ！）を規準として算定した当該土地の価格を考慮しなければならない（10条）。
(注)「公示価格を規準とする」とは、対象土地の価格を求めるに際して、当該対象土地とこれに類似（最も近接ではナイ！）する利用価値を有すると認められる1又は2以上の標準地との位置、地積、環境等の土地の客観的価値に作用する諸要因について比較を行い、その結果に基づき、当該標準地の公示価格と当該対象土地の価格との間に均衡を保たせること（11条）。

c **5**　　土地鑑定委員会（12～15条）　⊕ H15年（最終）

(1)設　　　置	地価公示法及び不動産の鑑定評価に関する法律に基づく権限を行うために、**国土交通省**に置かれる。	
(2)協力要請	その所掌事務を行うため必要があるときは、**関係行政機関の長**及び**関係地方公共団体**に対し、資料の提出、意見の開陳等の協力要請ができる（**協力要請できる相手は2つ！**）。	
(3)委員	①数	委員会は、**委員7人**をもって組織する（うち、**6人は非常勤**）。
	②任命	**(ア)不動産の鑑定評価に関する事項**又は**(イ)土地に関する制度**について学識経験を有する者のうち、**両議院の同意**を得て、**国土交通大臣が任命**する。
	③任期	**3年**

AA **6**　　土地の立入権（22・23条）　⊕ H27・28・R1・3・5・6年

(1)誰　　　　が	土地鑑定委員会の**委員**、又は土地鑑定委員会の**命や委任を受けた者**
(2)何の目的で	標準地の鑑定評価・価格の判定、又は標準地の選定のため
(3)何　　　を	他人の占有する土地に**立ち入る**ことができる。
(4)どのように	立入日の**3日前**までに、その旨を土地の**占有者**（所有者ではナイ！）に**通知**（承諾ではナイ！）しなければならない。また、建物が所在し、又はさく等で囲まれた他人の占有する土地に立ち入ろうとするときは、立入りの際、あらかじめ、その旨を土地の占有者に告げなければ立入りができない。**日出前又は日没後は占有者の承諾がなければ立入りができない**。土地の占有者は、正当な理由のない限り、**立入りを拒み、又は妨げてはならない**。

B **7**　　守秘義務（24条）　⊕ H27・R5年

(1)義　務　者	標準地の鑑定評価を行った不動産鑑定士
(2)義 務 内 容	**正当な理由なく**、鑑定評価に際して知り得た**秘密を漏らしてはならない。**

B **8**　　鑑定評価命令（25条）　⊕ R6年

(1)命令権者	**土地鑑定委員会**（**国土交通大臣ではナイ！**）
(2)命令内容	標準地の鑑定評価のため必要があると認めるときは、不動産鑑定士に対し、**鑑定評価を命ずる**ことができる。
(3)報　酬　等	(2)により標準地の鑑定評価を行った不動産鑑定士に対しては、旅費及び報酬を支給する。

不動産鑑定評価法との関係（26条） ㊗ H26年（最終）

　本法の標準地の鑑定評価は、**不動産の鑑定評価に関する法律でいう不動産の鑑定評価に含**まれないので、不動産の鑑定評価に関する法律の**適用を受けない**。

　すなわち、不動産鑑定士は、不動産鑑定業者の登録を受けていない場合でも、標準地の鑑定評価を行うことができる。

B **10** **罰　則（27〜29条）** ㊗ H27年

罰　　　則	事　　　　由
(1) 6カ月以下の懲役若しくは50万円以下の罰金、又はこれらの併科	①不動産鑑定士が標準地の鑑定評価について**虚偽の鑑定評価**を行った者 ②不動産鑑定士が標準地の鑑定評価に際して知ることのできた**秘密を漏らした者**
(2) 50万円以下の罰金	土地の占有者が土地鑑定委員会の命を受けた者等による土地の立入りを拒み、又は妨げた者
(3) 10万円以下の過料	①不動産鑑定士が土地鑑定委員会により標準地の鑑定評価を命じられたにもかかわらず、正当な理由がなく、鑑定評価を行わないとき ②土地鑑定委員会に対し鑑定評価書を提出しないとき

過去問チェック⑱　　　　　　　　　　　　　　　　（2021年）

　地価公示法に関する次のイからホまでの記述のうち、誤っているものの組合せはどれか。

イ　国土利用計画法の規定により指定された規制区域については、標準地の価格の公示は行われない。

ロ　「正常な価格」とは、土地について、自由な取引が行われるとした場合におけるその取引において通常成立すると認められる価格のことをいい、この場合の取引には森林を宅地にする取引は含まれない。

ハ　土地鑑定委員会の命を受けた者が、標準地の鑑定評価のために、建築物が所在し、又はかき、さく等で囲まれた他人の占有する土地に立ち入ろうとするときは、あらかじめ、その旨を土地の占有者に告げなければならない。

ニ　不動産鑑定士は、公示区域内の土地について鑑定評価を行う場合において、当該土地の正常な価格を求めるときは、土地鑑定委員会により公示された標準地の価格を規準としなければならない。

ホ　標準地は、国土交通大臣が、自然的及び社会的条件からみて類似の利用価値を有すると認められる地域において、土地の利用状況、環境等が通常と認められる一団の土地について選定する。

(1)　イとロ　(2)　イとハ　(3)　ロとホ　(4)　ハとニ　(5)　ニとホ

7　不動産登記法

A 1　登記記録の構成（3条・規則4条）⊕ H27・29・R6年

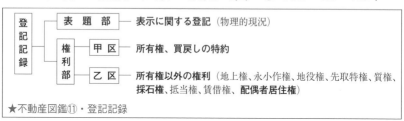

★不動産図鑑⑪・登記記録

（注）登記官は表示に関する登記があった場合において、必要があると認める
ときは、当該不動産の表示に関する事項を調査できる（29条）。

C 2　登記所に備えるもの ⊕ H15年（最終）

(1)　**登記記録**　(2)　**地図**　(3)　**建物所在図**

（注1）地図（土地の地図）は**一筆又は二筆以上**の土地ごとに、建物所在図は**一
個又は二個以上**の建物ごとに作成される。
（注2）附属建物は、主たる建物とは別棟の建物であっても、不動産登記法上、
主たる建物と合わせて一個の建物として取り扱われる（44条）。
（注3）**土地の地積**は、その土地の境界線を水平面上に投影したときの投影図の面
積（水平投影面積）によって、**平方メートル**を単位として定める（規則100条）。
（注4）**建物の構造**とは、建物の物理的形態による区分で、建物の主たる部分の
構成材料、屋根の種類及び階数の3要素を組み合わせて定める（規則114条）。
（注5）**建物の床面積**は、各階ごとに、壁その他の区画の**中心線**（区分所有建物
は、**内側線**）で囲まれた部分の水平投影面積により、**平方メートル**を単位
として定める（規則115条）。

比　較　床面積 ⊕ H15年（最終）

(1) **区分所有建物**→壁その他の区画の**内側線**で囲まれた部分の水平投影面積
(2) **(1)以外の建物**→壁その他の区画の**中心線**で囲まれた部分の水平投影面積

AA 3　登記の申請等 ⊕ H27・28・29・30・R2・3・4年

(1)　**登記記録**は、表示に関する登記又は権利に関する登記につき**一筆の土地又
は一個の建物**ごとに作成される（附則3条）（**一不動産一登記記録の原則**）。
(2)　誰でも登記官に対し、手数料を納付して、**登記事項証明書**、登記簿、地図、
建物所在図等の謄・抄本の**交付**を請求でき、**送付**も請求できる（120条）。

(3) 登記は原則として**当事者の申請、官公署の嘱託**によりなされるが、**表示に関する登記は登記官が職権**でできる。

(4) 権利に関する登記は、原則として登記義務者と登記権利者との共同**申請**によるが、①一定の**判決による登記**、②**相続又は法人の合併による権利の移転の登記**、③**登記名義人の氏名等変更登記**、④**保存登記**、⑤**仮登記義務者の承諾ある仮登記等**は、登記権利者の**単独申請**ができる（60条）。

(5) 所有権の登記の抹消は、所有権の移転の登記がない場合に限り、所有権の登記名義人が単独申請できる（77条）。

(6) 建物を**新築**したとき、土地が新たに生じたとき、土地・建物が**滅失**したとき、**地目・地積又は建物の表示事項の変更があったとき等**（除：住所変更）は表題部所有者又は所有権の登記名義人は、その日から**1カ月以内に表示に関する登記**を申請しなければならない（37・47・57条）。

(7) 登記の申請は、当事者又はその代理人が登記所に出頭する必要はなく、オンライン又は**郵送**により**申請**できる。

(8) **相続**によって不動産の所有権を取得した相続人は相続の開始があったこと及び取得を知った**日から3年以内**に、**遺産分割**により法定相続分を超えて不動産の所有権を取得した者は、**遺産分割の日から3年以内**に、所有権移転登記を申請しなければならない（76条の2）。

(9) 登記事務は不動産の所在地を管轄する法務局、地方法務局又はその支局、出張所が管轄区域として担当する。ただし、不動産が**数カ所の登記所の管轄区域にまたがっているとき**には、**いずれか1つの登記所**が管轄する。

(10) **土地の分筆又は合筆の登記**を申請できるのは、土地の**表題部所有者又は所有権の登記名義人のみである**（39条）。

(11) **登記官**は、一筆の土地の一部が別の地目となり、又は地番区域を異にするに至ったときは、職権で、その土地の**分筆の登記**をしなければならない（39条）。

(12) 所有権の登記が**ない土地とある土地、地目・地番区域が相互に異なる土地**等は、**合筆の登記**は、**申請**できない。また、所有権の登記が**ない建物**と所有権の登記が**ある建物**、表題部所有者又は所有権の登記名義人が**相互に異なる**（又は、**持分を異にする**）建物の**合併の登記**は、**申請できない**（41・56条）。

(13) 登記申請者の委任による代理人の権限は**本人の死亡**で、**消滅しない**（17条）。

B **4**　**権利に関する登記に係る主な添付書類** ㊙ R5年

(1)　**申請情報**（申請人の氏名、登記目的、登記原因、土地・建物の所在地 etc.）

(2)　**添付情報**（①登記原因証明情報、②登記識別情報）

（注）登記権利者及び登記義務者が共同して**権利に関する登記**の申請をする場合等に、申請人は、原則として、その申請情報と併せて登記義務者等の登記識別情報を提供しなければならず、提供できないときは、登記官による**事前通知制度や資格者代理人**による**本人確認制度**で、本人確認がなされる。

　登記の種類（主なもの）　⊕ R1・2・5・6年

(1) **保存登記**とは、初めてする所有権の登記で、原則として**表題部所有者又は
その相続人**等、所有権を有することが**確定判決で確認された者**、収用によっ
て所有権を取得した者が**申請できる**。この**登記がないと、移転登記できない**。

(2) **付記登記**とは、既存の登記に付記してその一部を変更し、又は新たな登記
として既存の登記の順位を維持する登記である。

(3) **更正の登記**とは、登記事項に錯誤又は遺漏があった場合に行われるもので、
変更の登記とは、登記事項に変更があった場合に行われるものである。登記
名義人の住所の変更の登記は、登記名義人が単独申請できる（64条）。変更の
登記は、登記上利害関係を有する第三者がいない場合には**付記登記**によって
することができる（66条）。

B **6**　仮登記　⊕ H30・R5年

(1)本登記に必要な**実体法上の物権変動が生じている**が、**手続上の要件が備わ
っていない場合**、(2)**物権変動は生じていない**が、**将来において物権変動を生じ
させる請求権**が発生しており、その権利を保全する必要のある場合にできる。

設例	仮登記

> ① 　4月1日に、BがAと、「仕事が成功したら君の土地を買おう」とい
> う停止条件付契約をし、所有権移転請求のための仮登記をした。
> ② 　Bへの仮登記後、Aはまだ所有権を有している以上、他の人に売っ
> てもよく5月1日にAがCに土地を売り、Cへ所有権移転登記をした。
> ③ 　Bの仕事が成功し、6月1日に、4月1日の仮登記を本登記に改める
> と、**本登記の順位は仮登記の順位**（4月1日時点のもの）**となり、C**
> の登記に優先する（**Bが本登記を申請するには、Cの承諾が必要**）。

(1) 　申請できる者
〈原則〉仮登記権利者と仮登記義務者の共同**申請**
〈例外〉次の場合には仮登記権利者のみによる**単独申請ができる**
　① 　**仮登記義務者の承諾があるとき**
　② 　**仮登記を命ずる処分があるとき**
　③ 　判決があるとき

B **7**　登記された権利の優劣　⊕ H29年

　原則として、**登記の前後**による。登記用紙中**同区**にした登記については順位
番号により、**別区**に登記された権利間の優劣は**受付番号**による。同一の不動産
に対し二以上の申請がされた場合において、その前後が明らかでないときは、
同時にされたものとみなす（19条）。

c **8**　区分建物の登記記録　㊫ H21年（最終）

(1)　**区分建物の表題登記の申請**は、**原始取得者**が、当該新築された1棟の建物に属する他の区分建物の表題登記の申請と**一括**でしなければならない（48条）。

(2)　**敷地権**は、1棟の建物の**表題部**と専有部分の**表題部**に登録される。

(3)　**規約共用部分の登記**は建物の表題部にされる登記で、建物の**表題部所有者又は所有権の登記名義人**以外の者は、申請できない（58条）。この登記がある建物の減失の登記をするときは、申請情報に、申請人の当該建物についての所有権を証する情報を添付しなければならない（不動産登記令別表17項）。

(4)　原始取得者から直接建物を取得した者は、原始取得者の**所有権保存登記を経由することなく**、**自分の名義**で直接、**保存登記**ができる。

(5)　区分建物に係る敷地権の登記の手順
　　①**建物の登記記録の表題部**に記載し、②**土地の登記記録の権利部の相当区**（所有権→甲区、地上権・賃借権→乙区）に**敷地権である旨の登記**をする。

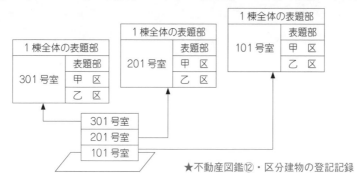

★不動産図鑑⑫・区分建物の登記記録

過去問チェック⑲　　　　　　　　　　　　　　　　　　（2018年）

不動産登記法に関する次の記述のうち、誤っているものはどれか。

(1)　地目又は地積について変更があったときは、表題部所有者又は所有権の登記名義人は、その変更があった日から1月以内に、当該地目又は地積に関する変更の登記を申請しなければならない。

(2)　相互に接続していない土地であっても、それぞれの土地の所有権の登記名義人が同じであれば、合筆の登記をすることができる。

(3)　分筆の登記は、表題部所有者又は所有権の登記名義人以外の者は、申請することができない。

(4)　乙区に抵当権の設定の登記のみがある土地について分筆の登記をする場合において、当該抵当権者が当該抵当権を分筆後の一方の土地について消滅することについて承諾し、承諾したことを証する情報が提供されたときは、当該承諾に係る土地について当該抵当権が消滅した旨の登記がされる。

(5)　何人も、登記官に対し、手数料を納付して、地図又は地図に準ずる図面の写しの交付を請求することができる。

8 宅地造成及び特定盛土等規制法

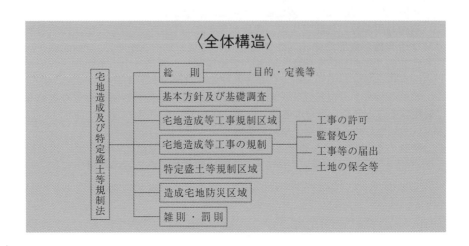

〈全体構造〉

```
宅地造成及び特定盛土等規制法 ─┬─ 総　則 ──────── 目的・定義等
                              ├─ 基本方針及び基礎調査
                              ├─ 宅地造成等工事規制区域 ─┬─ 工事の許可
                              ├─ 宅地造成等工事の規制 ───┼─ 監督処分
                              │                          ├─ 工事等の届出
                              │                          └─ 土地の保全等
                              ├─ 特定盛土等規制区域
                              ├─ 造成宅地防災区域
                              └─ 雑則・罰則
```

B❶　目　的（1条）⊕ R1・6年

　宅地造成、特定盛土等又は土石の堆積（以下、「宅地造成等」という）に伴う崖崩れ又は土砂の流出による災害の防止のため必要な規制を行うことにより、**国民の生命**及び**財産の保護**を図り、もって公共の福祉に寄与すること。

B❷　用　語（2条）⊕ H29・R2年

(1)　**宅地** →「農地、採草放牧地、森林（以下「農地等」という）、**道路、公園、河川その他政令で定める公共施設の用に供せられている土地**（以下「公共施設用地」という）」**以外の土地**

(2)　**宅地造成** → ①**宅地以外の土地を宅地**にするため、②**盛土その他**の土地の形質の変更で、次のように切土、盛土を行うもの

　(ア)　**高さ1m超**の崖を生ずる**盛土**

　(イ)　**高さ2m超**の崖を生ずる**切土**

　(ウ)　**切土と盛土を同時**にし、**高さ2m超**の崖を生ずるもの（除：(ア)(イ)）

　(エ)　(ア)(ウ)に該当しない**高さ2m超の盛土**

　(オ)　(ア)〜(エ)以外で、盛土又は切土をする土地の面積が**500㎡超**のもの

(3)　**特定盛土等** → 宅地又は農地等において行う盛土その他の土地の形質の変更で、当該宅地又は農地等に隣接し、又は近接する宅地において災害を発生させるおそれが大きいものとして政令で定めるもの

(4)　**土石の堆積** → 宅地又は農地等において行う土石の堆積で、①**高さ2m超**又は②**面積500㎡超**のもの（一定期間経過後に土石を除却するものに限る）

(5) **災害** → **崖くずれ又は土砂の流出**による災害

(6) **設計** → その者の責任において、設計図書（宅地造成、特定盛土等又は土石の堆積（以下、「**宅地造成等**」という）に関する工事を実施するために必要な一定の図面及び仕様書）を作成すること

(7) **工事主** → 宅地造成等に関する工事の請負契約の**注文者**又は請負契約によらないで自らその工事をする者

(8) **工事施行者** → 宅地造成等に関する工事の**請負人**又は請負契約によらないで自らその工事をする者

(9) **造成宅地** → **宅地造成又は特定盛土等**（宅地において行うものに限る）に関する工事が施行された宅地

A **3**　宅地造成等工事規制区域（10条）　⊕ H28・30・R3・4年

要件	**宅地造成等**に伴い災害が生ずるおそれが**大きい**市街地又は市街地となろうとする土地の区域又は**集落**の区域（これらの区域に**隣接**し又は**近接**する区域を含む。以下「**市街地等区域**」という）であって、宅地造成等に関する工事について規制を行う必要があるもの
手続	**知事**（又は指定都市・中核市の長。以下同じ）は、必要があると認めるときは、**関係市町村長**（含：特別区の長。以下同じ）の**意見を聴いて**指定できる。指定するときは**公示**をするとともに、その旨を**関係市町村長に通知**しなければならない。

★不動産図鑑⑬・宅地造成工事規制区域（兵庫県西宮市）　2024年9月現在、標識はまだ変更されていません。

絶対注意　都市計画区域内外を問わない。

　主務大臣（国土交通大臣及び農林水産大臣）は、**宅地造成等**に伴う災害の防止に関する**基本方針**を定めなければならない（3条）。

　知事又はその命じた者若しくは委任した者は、基礎調査のため他人の占有する土地に立ち入って測量又は調査を行う必要があるときは、その必要の限度において、**他人の占有する土地に立ち入ることができる**。立入日の**3日前**までに**占有者**に通知をしなければならない（5条）。

AA **4**　工事の許可・検査　⊕ H27・29・30・R1・2・3・4年

(1) **宅地造成等工事規制区域**において行われる宅地造成等に関する工事については、**工事主（請負人ではナイ！）**は、**工事に着手する前**に、**知事の許可**を受けなければならない。ただし、規制区域指定後に都市計画法上の**開発許可**を受けたときは、宅地造成又は特定盛土等に関する工事については、**許可を受けたものとみなす**。知事は申請に係る宅地造成に関する工事の計画が一定

の技術的基準に適合しないときは許可をしてはならない。知事は、許可の申請があった場合、遅滞なく許可又は不許可の処分をしなければならない。また、許可をする場合、一定の**条件を付す**ことができ、知事は条件に違反しているものについて工事停止を命じることができる（12・14・15・20条）。

(2) 宅地造成等工事規制区域内で行われる宅地造成等に関する工事は、一定の技術的基準に従い、**擁壁又は排水施設**等（以下「擁壁等」という）の設置等災害を防止するため必要な措置が講じられたものでなければならない（13条、施行令21条）。

　　また、下記の工事は、一定の資格者の設計が必要である。

① 高さ**5m超の擁壁の設置**
② 盛土又は切土をする面積が**1,500㎡超の土地の排水施設の設置**

(3) 国又は都道府県（又は指定都市、中核市）が、宅地造成等工事規制区域内において行う宅地造成等に関する工事については、知事との協議の成立をもって、許可があったものとみなす（15条）。

(4) 許可を受けた者は、許可を受けた**工事の計画を変更**しようとするときは、**知事の許可を受けなければならない**（**軽微な変更〈ex. 工事の着手予定年月日・完成年月日の変更、造成主・設計者・工事施行者の変更〉**は許可不要で、届出でよい）（16条）。許可を受けた者は、工事を完了したときは、**知事の検査**を申請しなければならない。検査の結果、技術的基準に適合していると認めたときは、知事は**検査済証**を交付しなければならない（17条）。

A **5** 　監督処分（知事等が行う）（20条） 🈡 H27・29・30・R2年

(1) **許可の取消**〜**不正手段で許可を受けた者**、許可の条件違反者に対して。
(2) **工事停止等**〜**工事主、請負人、現場管理者**に対して。
(3) **使用禁止等**〜**工事主、所有者、管理者、占有者**に対して。

AA **6** 　宅地造成等工事規制区域内の知事等への届出義務（21条）
🈡 H27・28・30・R2・3・4・6年

届 出 を し な け れ ば な ら な い 者	届 出 期 間
(1)区域指定の際、**現に宅地造成等工事**をしている工事主	**指定後21日以内**
(2)**高さ2m超の擁壁**等の除却工事等を行おうとする者(注)	**工事着手の14日前**
(3)**公共施設用地**を宅地又は農地等に**転用**した者（注）	**転用日から14日以内**

（注）許可を受けた場合等を除く。

AA **7** 　宅地の保全・改善 🈡 H27・29・30・R1・4・6年

(1) 宅地造成等工事規制区域内の土地の**所有者・管理者・占有者**は、宅地造成等（規制区域指定前に行われたものを含む）に伴う災害が生じないよう、そ

の土地を**常時安全な状態に維持**するように努めなければならない（22条）。

(2) **知事**は、宅地造成等工事規制区域内の土地について、宅地造成等（規制区域指定前に行われたものを含む）に伴う災害防止のため必要があると認める場合は、その土地の**所有者・管理者・占有者・工事主・工事施行者**に対し、**擁壁等**の設置又は改造その他宅地造成等に伴う**災害の防止に必要な措置**をとることを**勧告**できる（22条）。

(3) **知事**は、宅地造成等工事規制区域内の土地で、宅地造成若しくは特定盛土等に伴う災害防止のため必要な**擁壁等**が設置されて**おらず**、若しくは**極めて**不完全であり、又は土石の堆積に伴う災害の防止のため必要な措置がとられておらず、若しくは極めて不十分であるために、これを放置するときは、宅地造成等（規制区域指定前に行われたものを含む）に伴う災害発生のおそれが**大きいと認められる**場合は、一定限度において、規制区域内の土地又は**擁壁等**の所有者・管理者・占有者に対して、相当の猶予期間を**付けて**、**擁壁等**の設置若しくは改造又は地形若しくは**盛土**の改良又は土石の除却のための工事を行うことを**命ずる**ことができる（23条）。

(4) **知事**は、宅地造成等工事規制区域内の土地の**所有者・管理者・占有者**に対して、当該土地又は当該土地において行われている工事の状況について**報告**を求めることができる（25条）。

B 8 特定盛土等規制区域 ㊙ R6年

(1) **知事**は、**基本方針**に基づき、かつ、**基礎調査**の結果を踏まえ、**宅地造成等工事規制区域以外の土地**で、土地の**傾斜度**、渓流の位置その他の自然的条件及び周辺地域における土地利用の状況その他の社会的条件からみて、当該区域の土地において**特定盛土等又は土石の堆積**が行われた場合には、これに伴う災害により市街地等区域その他の区域の居住者等の生命又は身体に危害を生ずるおそれが特に大きいと認められる区域で、指定できる（26条）。

(2) **特定盛土等規制区域内**で行われる**特定盛土等又は土石の堆積に関する工事**について、**工事主**は、原則として、**工事着手日の30日前**までに、工事の計画を**知事に届け出**なければならない（27条）。

(3) **特定盛土等規制区域内**で行われる**特定盛土等又は土石の堆積に関する工事**（**大規模な崖崩れ又は土砂の流出**を生じさせるおそれが大きいものとして政令で定める規模のもの）について、**工事主**は、原則として、**工事着手前**に、**知事の許可**を受けなければならない（29条）。

(4) **知事**は、特定盛土等規制区域内の土地の**所有者・管理者・占有者**に対して、当該土地又は土地で行われている工事の状況について**報告**を求めることができる（44条）。

A 9 造成宅地防災区域 ㊙ H28・29・R1・2年

(1) **知事**は、**基本方針**に基づき、かつ、**基礎調査**の結果を踏まえ、必要がある

ときは、宅地造成又は一定の特定盛土等に伴う災害で相当数の居住者等に危害を生ずる宅地造成に伴う災害が発生するおそれが大きい一定の一団の造成宅地（除：**宅地造成等工事規制区域内の土地**）を、**造成宅地防災区域**として指定できる（45条）。

(2) 造成宅地防災区域内の造成宅地の**所有者**、**管理者**又は**占有者**は、相当数の居住者等に危害を生ずる宅地造成に伴う災害が生じないように、その造成宅地について擁壁や排水施設等の設置又は改造等の必要な措置を講ずるように努めなければならない（46条）。

(3) 立入検査の規定（24条）及び報告徴取の規定（25条）は、造成宅地防災区域にも準用される。

過去問チェック⑳　　　　　　　　　　　　　　　　　　（2024年）

宅地造成及び特定盛土等規制法に関する次の記述のうち、誤っているものはどれか。ただし、以下の記述のうち、「都道府県知事」は指定都市又は中核市の長を含むものとする。

(1) この法律は、宅地造成、特定盛土等又は土石の堆積（以下この問において「宅地造成等」という）に伴う崖崩れ又は土砂の流出による災害の防止のため必要な規制を行うことにより、国民の生命及び財産の保護並びに環境の保全を図り、もって公共の福祉に寄与することを目的とする。

(2) 宅地造成等工事規制区域の指定の際、当該宅地造成等工事規制区域内において行われている宅地造成等に関する工事の工事主は、その指定があった日から21日以内に、当該工事について都道府県知事に届け出なければならない。

(3) 宅地造成等工事規制区域内の土地の所有者、管理者又は占有者は、宅地造成等（宅地造成等工事規制区域の指定前に行われたものを含む）に伴う災害が生じないよう、その土地を常時安全な状態に維持するように努めなければならない。

(4) 都道府県知事は、特定盛土等規制区域内の土地の所有者、管理者又は占有者に対して、当該土地又は当該土地において行われている工事の状況について報告を求めることができる。

(5) 都道府県知事は、特定盛土等規制区域内の土地で、特定盛土等に伴う災害の防止のため必要な擁壁等が設置されておらず、これを放置するときは、特定盛土等（特定盛土等規制区域の指定前に行われたものを含む）に伴う災害の発生のおそれが大きいと認められるものがある場合、当該特定盛土等規制区域内の土地の所有者に対して、相当の猶予期限を付けて、擁壁等の設置等を命ずることができる。

9　宅地建物取引業法

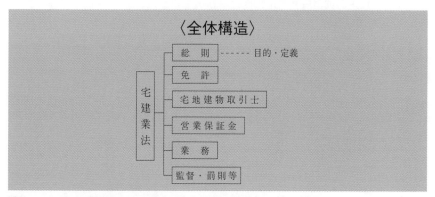

〈全体構造〉

```
          ┌ 総　則 ----- 目的・定義
          ├ 免　許
宅建業法 ─┼ 宅地建物取引士
          ├ 営業保証金
          ├ 業　務
          └ 監督・罰則等
```

B **1**　宅地建物取引業とは（2条）🈩 R3・4年

取引の種類＼取引態様	売 買	交 換	貸 借
自 分 で 行 う	○	○	×
代　　　　理	○	○	○
媒　　　　介	○	○	○

左の行為を業として行う（**不特定多数の者**のために**反復継続**して行うこと）。

（注1）　**自分で行う貸借**は宅建業ではナイ！
（注2）　宅建業者は、①広告をするとき、又は②注文を受けたときは、**取引態様の別を明示**しなければならない（34条）。

比　較

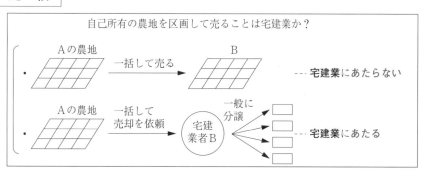

自己所有の農地を区画して売ることは宅建業か？

・　Aの農地　── 一括して売る →　B　--- **宅建業にあたらない**

・　Aの農地　── 一括して売却を依頼 →　宅建業者B　── 一般に分譲 →　--- **宅建業にあたる**

★不動産図鑑⑭・区画して売買

B **2** 免 許 （3・4条）㊙ H27年

(1) 免許権者（免許に**条件**を付すことができる）

 ① **1つの都道府県**の区域内だけに事務所を設置する場合 → **知事**

 ② **2つ以上の都道府県**の区域内に事務所を設置する場合 → **国土交通大臣**

(2) 有効期間 → **5年**

(3) 免許を受けた者は、（知事免許でも）**全国どこでも**宅建業ができる。

(4) 免許の更新

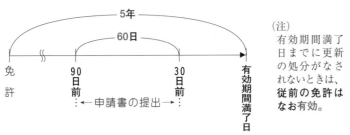

（注）
有効期間満了日までに更新の処分がなされないときは、**従前の免許はなお有効。**

(5) 知事免許を受けた業者が、他の都道府県にも事務所を設けるため国土交通大臣免許を受けるには、登録免許税を支払わなければならない。

〈図 示〉

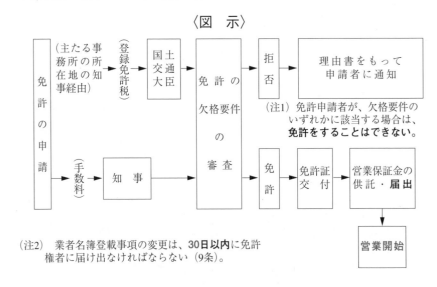

（注1）免許申請者が、欠格要件のいずれかに該当する場合は、**免許をすることはできない。**

（注2）業者名簿登載事項の変更は、**30日以内**に免許権者に届け出なければならない（9条）。

3 　宅地建物取引業者　⊕ H19年（最終）

「免許を受けて宅建業を営む者」を宅建業者という。

(注1) 無免許で宅建業を営むと、罰則の適用がある。

(注2) 国、地方公共団体等には、**宅建業法の適用はない**（当然**免許不要**）。

(注3) 信託会社等は、国土交通大臣に届け出ることにより、免許を受けなくても宅建業者とみなされる（**免許不要**だが、その他の業法上の規定は**適用アリ**）。

B **4** 　宅地建物取引士（15条）　⊕ H28年

(1) 宅地建物取引士（以下、宅建士という）とは

　宅建士試験に**合格**し、**登録**をし、**宅地建物取引士証**（以下、宅建士証という）の交付を受けた者（パートの宅建士でも事務ができる）。なお、**2つ以上の知事の登録はできない**。登録は、**試験を行った都道府県の知事**の登録となるが、**事務は全国でできる**。

(2) 成年者である専任の宅建士の設置義務

　事務所は宅建業の従業者**5名につき1名の割合**以上。案内所等は**最低1名**（設置義務に抵触した場合は、**2週間**以内に適合義務）。

(3) 宅建士の事務（**専任でなくてもできる**）

　① 重要事項の説明＆35条書面への記名・交付（又は電磁的方法による提供）

　② 契約書（37条書面）に**記名**

(4) 変更の登録

　登録事項（ex.氏名・住所）に**変更**が生じた場合、**遅滞なく**、**変更の登録**を申請しなければならない。

(5) 登録の移転

　現に登録している都道府県以外の都道府県に所在する宅建業者の事務所に従事したとき、又は従事しようとするとき（ex.転勤・転職）、**登録の移転**ができる。

(6) **2年以上の実務経験**を有しない者は登録できないが、国土交通大臣が２年以上の実務経験を有する者と同等以上の能力を有すると認めた者は、登録OK。

B **5** 　誇大広告の禁止（32条）　⊕ R5年

　オトリ広告を含む。取引の有無や実害の有無関係ナシ。テレビやインターネットによるものも禁止。

AA **6** 　広告開始時期、契約締結時期の制限　⊕ H28・29・30・R4・6年

　バブルの頃、就職についての記事などで**青田買い**という言葉をよく見かけた。これは収穫前の状態で、収穫量を見込んで米を買う方法からきている。不動産の取引でも、**造成や工事が完了する前**に、その不動産を売ることを、俗に**青田売り**とよぶ。この場合、模型や完成予想図を用いて広告がなされるため、広告

と実際との間に**食い違いが生じてトラブル**が生ずることが多い。

　そこで、**宅建業法では**、その工事に関して必要とされる**開発許可、建築確認その他政令で定める許可等の処分があった後**でなければ、その工事をしている宅地又は建物の売買その他の業務の**広告**をしたり、**契約を締結してはならない**としている。

	広告開始時期の制限 (33条)	契約締結時期の制限 (36条)
(1) 対象物件	造成中、建築中の宅地、建物(**未完成物件**)	
(2) 可能時期	**開発許可、建築確認**等の処分の後	
(3) 規制される取引の種類	売買・交換・貸借	売買・交換

過去問チェック㉑　　　　　　　　　　　　　　　（2012年）

　都市計画法第29条第1項の許可が必要とされる宅地の造成又は建築基準法第6条第1項の確認が必要とされる建物の建築に関する工事の完了前において、宅地建物取引業者が行う業務に関する次の記述のうち、宅地建物取引業法に違反する業務はどれか。
(1) 開発許可を受けた後に、宅地の売買を広告すること。
(2) 開発許可を受ける前に、宅地の売買の媒介をすること。
(3) 開発許可を受ける前に、宅地の貸借の代理をすること。
(4) 建設確認を受けた後に、建物の売買の代理をすること。
(5) 建設確認を受ける前に、建物の貸借の媒介をすること。

AA **7**　書面の交付（35・35条の2・37条）㊗ H29・R1・2・3・5・6年

(1)　**35条書面の交付（相手方の承諾を得て一定の電磁的方法による提供可）**→**契約成立前に**
（注1）宅建業者は、**宅建士（パート可）**に、**説明させなければならない**。
（注2）宅建業者間取引では、**35条書面の交付は必要、重要事項の説明は不要**。
(2)　主な説明事項
　　① **登記**に関する事項
　　② **法令上の制限**で契約の内容の別に関する事項の概要
　　③ 私道負担（建物の貸借契約以外の場合）
　　④ 供給施設・排水施設の整備状況（飲用水・電気・ガス）
　　⑤ 未完成物件では、工事完了時の形状、構造（含：内装・外装）
　　⑥ 代金等以外に授受される金銭（ex.手付・権利金）の額及び**授受の目的**
　　⑦ 契約の解除

⑧ 損害賠償の予定又は違約金

⑨ 手付金等を受領する場合の保全措置の概要

⑩ 支払金・預り金の保全（50万円未満は不要）

⑪ ローンのあっ旋等

⑫ 一定の契約不適合責任を負うことについて、保証保険契約の締結やその措置の有無及び概要

⑬ 宅建業者の相手方等の保護の必要性及び契約内容の別を勘案して国土交通省令で定める事項（ex.既存建物の**建物状況調査**を実施しているかどうか、及び実施している場合はその結果の概要）

⑭ 旧耐震基準の建物が一定の**耐震診断**（強制ではナイ！）を受けたものであるときは、その内容

(3) **契 約 書（37条書面）**　　→ 契約が成立したら遅滞なく

〈図　示〉

（注1）宅建士は説明をする際、**請求がなくても宅建士証（従業者証明書ではナイ！）の提示義務アリ。**交付は交付すべき者の承諾を得て一定の電磁的方法による提供可。

（注2）供託所等に関する説明は、**宅建士に説明させる必要はない。**

B 8 　免許換え（7条）⊕ H29年

(1) 宅建業者が免許を受けた後に、**事務所**の増設・廃止等により免許権者が異なることになる場合は、**新たな免許**を受けなければならない。

大 臣 免 許 ➡	A県知事免許 ➡	A県知事へ**直接**免許換えを申請
A県知事免許 ➡	B県知事免許 ➡	B県知事へ**直接**免許換えを申請
A県知事免許 ➡	大 臣 免 許 ➡	大臣へ免許換えを申請（(3)参照）

(2) 国土交通大臣又は知事は、免許をしたときは、**遅滞なく**、その旨を、従前の免許をした知事又は国土交通大臣に**通知**するものとする。新免許を受けたときに従前免許は失効する。

(3) 国土交通大臣に提出すべき申請書その他の書類は、その主たる事務所の所在地を管轄する**都道府県の知事を経由**しなければならない。

B **9** 　営業保証金（25〜28条）⊕ H28年

(1) 金 額
　　① 主たる事務所……**1,000万円**
　　② 従たる事務所（1カ所につき）……**500万円**
(2) 供託先　→　主たる事務所の最寄りの供託所
(3) 有価証券による供託は可能…国債は額面金額、地方債等は額面金額の90%
　　　　　　　　　　　　　　　　　　　　で評価
(4) 還付権者　→　宅建業者と宅建業に関し取引をした者（除：宅建業者）
(5) 営業開始　→　営業保証金を**供託し、届出をした後**
(6) 全体構造（本店、支店1カ所の場合）

(7) 主たる事務所の移転による最寄りの供託所の変更の場合の義務
　　① **金銭のみ供託**➡営業保証金の**保管替え請求**をしなければならない。
　　② **有価証券**又は有価証券＋金銭の供託➡**新たな供託**をしなければならない
　　（金銭部分のみの保管替え請求はできない）。

AA **10**　媒介契約（34条の2）⊕ H28・29・30・R2・4年

(1) **宅建業者**（宅建士ではナイ！）は、媒介契約（除：貸借）を締結したとき
は、**遅滞なく**、一定の書面を作成し、**記名押印**して依頼者に**交付**（依頼者の
承諾を得て電磁的方法による提供可）しなければならない。売買又は交換の
申込があれば、遅滞なく、依頼者に報告義務アリ。

(2) 専任媒介契約のまとめ

	契 約 の し く み	有効期間	業 者 の 義 務			
			契約の相手方の積極的探索義務	業務処理状況の報告義務	登録を証する書面引渡義務	成約報告義務
専任媒介契約	●他の業者に重ねて媒介を依頼できない。 ●**自己発見取引**が認められる。	3カ月以内（注）	指定流通機構への物件**登録義務**を負う（7日以内）。	2週間に1回以上	遅滞なく、依頼者にする（依頼者の承諾を得て一定の電磁的方法による提供可）。	遅滞なく、指定流通機構にする。
専任媒介契約 専属専任媒介契約	●他の業者に重ねて媒介を依頼できない。 ●**自己発見取引**が認められない。	3カ月以内（注）	指定流通機構への物件**登録義務**を負う（5日以内）。	1週間に1回以上		

(注) **依頼者**の申出があれば更新可能（3カ月以内）

AA **11** 業者**自ら売主**となる場合の制限　㊗　H27・28・30・R1・2・4・5・6年

(1) **自己の所有に属しない**宅地、建物の売買契約（**含：予約**）締結はできない。
(注) 物件を取得する契約（含：予約。**停止条件付契約**は除く）を締結している場合等はできる（33条の2）。
(2) **事務所等以外の場所**においてした買受けの申込み又は売買契約を締結した買主は、無条件で（損害賠償等ナシで）申込みの撤回又は**契約の解除ができる**。なお、申込みの撤回等は、**書面を発した時**に効力を生じる（37条の2）。
(注) 次のいずれかに該当すると、**クーリング・オフ**はできない。
　①買主等が物件の**引渡し**を受け、かつ、**代金全額**を支払った場合。
　②買主等が宅建業者からクーリング・オフができる旨等を書面で告げられた日から起算して**8日**経過したとき。
(3) **損害賠償の額の予定、又は違約金**を定めるときには、代金の額の$\frac{2}{10}$を超えてはならない。超える特約をした場合、**超える部分は無効**である（38条）。
(4) 代金の額の$\frac{2}{10}$**を超える**金額の**手付**を受領してはならない（39条）。また、手付がいかなる性質のものでも、**解約手付**としての意味が加わる。
(5) **一定の契約不適合責任**の追及要件を**引渡しから2年以上**の期間内に通知するとする特約以外は、**民法の規定より買主に不利**となる特約を定めてはならない（40条）。
(注) 引渡しから**1年**と定めたら→無効→民法の規定が適用（知った時から1年）
(6) **手付金等の保全措置後**でなければ買主から手付金等を受領してはならない。保全措置を講じない場合、買主は手付金等の支払拒否ができる（41条）。
(注) 下記①又は②の場合は、保全措置不要。

①買主が売買目的物につき、**所有権の登記**を備えた場合。

② （未完成物件）受領額が、代金の**5％以下**、かつ**1,000万円以下**の場合

　（完 成 物 件）受領額が、代金の**10％以下**、かつ**1,000万円以下**の場合

(7) **割賦販売**の賦払金の支払いが履行されない場合は、**30日以上**の相当な期間を定めてその支払いを**催告**し、その期間内に履行されないときでなければ契約を解除できない（42条）。

(8) **所有権の留保**、譲渡担保は、原則として禁止される（43条）。

(注) (1)～(8)の**8種制限**は、**宅建業者間取引**の場合は適用されない。

A 12　業者のその他の義務　⊕ H27・29・30・R1年

(1) 宅建業者、その従業者は、正当な理由なく、業務上知った他人の**秘密を他に漏らしてはならない**。（廃業等をした後でも）（45条）。

(2) 宅建業者は、国土交通大臣の定める**報酬額を超えて受け取ってはならない（相手方の同意を得ていても）**（46条）。また、要求する行為も禁止。

(3) 宅建業者は、**手付**について貸付けその他**信用の供与**をすることにより契約の締結を誘引する行為をしてはならない（47条）。

(4) 宅建業者又はその代理人・使用人その他の従業者は、宅建業に係る契約について、次の行為をしてはならない（47条の2）。

① 契約締結の勧誘の際、相手方等に対し、**利益を生ずることが確実であると誤認させるべき断定的判断を提供**する行為。

② 契約を締結させ又は契約の申込みの撤回等を妨げるため、相手方等を**威迫**すること。

(5) **従業者証明書**を携帯させなければ、従業者を業務に従事させてはならない。また、従業者は、取引の関係者から請求があったときは、当該証明書を提示しなければならない（48条）。

(6) 宅建業者は、**事務所ごと**に、その業務に関する**帳簿**を備えなければならない（49条）。

c🔢 監督処分と罰則 (65〜86条) ⊕ H14年 (最終)

(注) 宅建業者の免許が取り消された場合でも、それまでの取引を結了する範囲内で、なお、宅建業者とみなされる (76条)。なお、処分権者は下記のとおり。

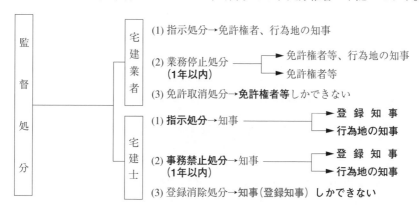

監督処分

宅建業者
(1) 指示処分→免許権者、行為地の知事
(2) 業務停止処分 (1年以内)
　　▶免許権者等、行為地の知事
　　▶免許権者等
(3) 免許取消処分→**免許権者等**しかできない

宅建士
(1) **指示処分**→知事
　　▶登録知事
　　▶行為地の知事
(2) **事務禁止処分**→知事 (1年以内)
　　▶登録知事
　　▶行為地の知事
(3) 登録消除処分→知事(登録知事) しかできない

c**1** 不動産所得

不動産所得とは、不動産及びその上に存する権利、船舶又は航空機の貸付による所得で事業所得又は譲渡所得に該当しないものをいう（26条）。

$$\boxed{不動産所得} = \boxed{総収入金額} - \boxed{必要経費}$$

ex.アパートの賃料収入　ex.修繕費、火災保険料、減価償却費、
　　　　　　　　　　　　　　固定資産税、取壊し費用等

AA**2** 譲渡所得 ⊕ H28・29・R1・2・3・4・6年

(1) **譲渡所得**とは、資産の譲渡による所得（含：借地権、地役権等の譲渡・設定の対価）をいう（33条）。

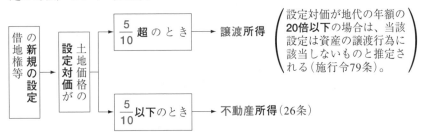

借地権等の新規の設定 → 設定対価が土地価格の → $\frac{5}{10}$ 超 のとき → 譲渡所得

（設定対価が地代の年額の**20倍以下**の場合は、当該設定は資産の譲渡行為に該当しないものと推定される（施行令79条）。）

→ $\frac{5}{10}$ 以下のとき → 不動産所得（26条）

(2) **事業所得**との比較
　① 不動産業者（個人）の**棚卸資産**（販売**目的**で所有）である土地の譲渡 →
　　事業所得
　② **事業用**に供されている店舗・工場等の譲渡 → **譲渡所得**
　③ **居住用財産**の譲渡 → **譲渡所得**

c**3** 譲渡所得の計算 ⊕ H1年（最終）

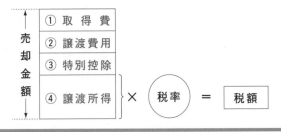

売却金額 ｛① 取 得 費　② 譲 渡 費 用　③ 特 別 控 除　④ 譲 渡 所 得｝× 税率 = 税額

10年前に取得した土地（取得費1,500万円）を、5,000万円で売却した。譲渡費用は300万円とする。

Q1. 譲渡所得はいくらか？

5,000万円－1,500万円－300万円＝3,200万円

（売却金額）（取得費）（譲渡費用）

Q2. 上記の土地が居住用財産だとしたら？

5,000万円－1,500万円－300万円－3,000万円＝200万円

COLUMN

所得には10種類ある ㉺ H30・R5・6年

所得税は国によって課される税金で、**実質的に所得を得た者が所得税の納税義務者**となります。所得とは、(1)利子所得、(2)配当所得、(3)**不動産所得**、(4)事業所得、(5)給与所得、(6)**譲渡所得**、(7)退職所得、(8)**山林所得**（山林の伐採又は譲渡による所得）、(9)一時所得、(10)雑所得です。所得税は、これらの所得をそれぞれ計算し、合算して「**総合課税**」するのが原則ですが、他の所得と切り離して課税する「**分離課税**」という制度もあります。また、以下のような**損益通算**の制度もあります。

区　分		所得の種類	第1次通算	第2次通算	第3次通算
総所得金額	継続的所得	給　与　所　得 事　業　所　得 不　動　産　所　得 利　子　所　得 配　当　所　得 雑　　所　　得	この中で損益を通算 **1**	第1次通算の損益を通算 **2**	退職所得、山林所得と第2次通算の損益を通算 **3**
	一時的所得	**譲　渡　所　得** 一　時　所　得	この中で損益を通算 **1**		
非継続的所得		退　職　所　得 山　林　所　得			

※ ☐ の損益は他の所得から差し引ける。

(注) 譲渡所得の**50万円の特別控除**について、**長期**譲渡益と**短期**譲渡益がある場合、まず、**短期**から控除する（33条）。同一年中に2つの譲渡所得の基因となる資産を譲渡した場合も**50万円**まで!!

c 4 短期譲渡所得と長期譲渡所得

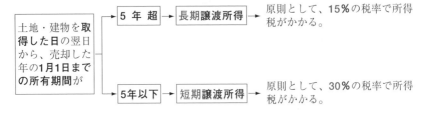

AA 5 取得費 ⊕ H27・29・30・R2・4・6年

(1)取得費	譲渡所得の金額の計算上控除する取得費とは、譲渡資産の取得に要した一切の費用を含む。すなわち、譲渡資産の 取得に要した金額 ＋ 設備費 ＋ 改良費 の額の合計額である。**建物**のような減価償却資産の取得費は、通常の取得費から**取得の日から譲渡の日までの償却費累積額又は減価の額**を控除したものとされる（38条）。
(2)特例	①昭和27年12月31日以前から所有していた土地建物等は、原則として、土地建物等の譲渡による**収入金額の5％**に相当する金額を取得費とする概算取得費の控除が適用される（租税特別措置法31条の4）。また、取得費が不明な場合は概算取得費とし、取得費が明らかでも5％を適用したほうが有利なら5％の適用ができる。 ②(ア)個人からの贈与、(イ)**相続**（限定承認に係るものを除く）、(ウ)遺贈（包括遺贈のうち限定承認に係るものを除く）、(エ)個人からの取得費及び譲渡経費の合計額未満の低額譲渡により取得した資産を譲渡した場合は、**贈与者・被相続人・遺贈者・低額譲渡者が取得したときの取得費に受贈者・相続人・受遺者・低額譲受者が支出した設備費・改良費等を加えた額が取得費**とされる（60条）。

(注1) 取得に要した金額 → 購入資産の場合は、購入価額のほか、購入手数料・周旋費、不動産取得税・登録免許税等の費用を含む。

　　　設備費 → 購入機械を据えつけるための基礎工事費等である。

　　　改良費 → 資産取得後その資産価値を高めるような改良に要した費用である。

(注2) 個人が**贈与により取得した資産**を譲渡した場合における譲渡所得の金額の計算にあたっては、**取得費は贈与者の取得時における価額、取得時期は贈与者がその財産を取得した時**とされる。

絶対注意 譲渡所得の金額の計算にあたっての取得価額・取得時期

ケース		引き継ぐ取得価額・取得時期
(1) **贈与**により取得した資産		**贈与者**の取得価額・取得時期
(2) **交換**の特例により取得した資産		交換により**譲渡**した資産の**取得価額・取得時期**
(3) 相続により取得した資産	**単純承認**	**被相続人**の取得価額・取得時期
	限定承認	**引き継がない。相続時の価額**を取得費、相続が生じた時を取得時期とみなす。

AA **6** 特別控除（措置法33条の4～35条） ㊱ H27・29・30・R1・6年

(1) **居住用財産の特別控除** ⇨ **3,000万円**～**長期・短期を問わず**適用される

① 主な要件

（ア）売却した相手方が配偶者、直系血族、一定の親族、内縁関係、同族会社等特別の関係にある人でない。

（イ）**前年又は前々年にこの3,000万円控除を受けていない（3年に1回）。**

（ウ）本年、前年、前々年に**居住用財産の買換えの特例を受けていない。**

（注）この3,000万円控除とは、**選択適用。**

② 同一年中に短期譲渡所得の基因となる資産と長期譲渡所得の基因となる資産の譲渡をした場合、特別控除は**短期譲渡所得の金額から控除**する。

③ かつて居住の用に供していた家屋であって、その居住の用に供されなくなった日から同日以後**3年を経過する日の属する年の12月31日**までの間に譲渡されるものは、居住用財産の譲渡所得の特別控除の対象となる。

（注1）居住用財産 → 居住用の家屋が2以上ある場合は、**主として居住の用に供していると認められる一の家屋**に特別控除が適用される。

（注2）被相続人が居住していた家屋で、相続開始後に空家となっている一定の家屋を譲渡した場合、**3,000万控除**が認められる。

なお、居住用財産の譲渡に限らず、一定の事由による譲渡所得については次のような特別控除がある。

(2) **収用交換等の場合** ⇨ **5,000万円**

（注）主な適用要件

① 公共事業の施行者から最初に買取申出を受けた日から、原則として、**6カ月以内**に譲渡したこと。

② 一の収用等に係る事業につき、資産が**2以上の年**に分けて譲渡されたときは、**最初の年に譲渡した資産**に限られること。

(3) **特定土地区画整理事業等**のた
めに土地等を譲渡した場合　⇨　**2,000万円**

(4) 特定住宅地造成事業等のため
に土地等を譲渡した場合　⇨　1,500万円

(5) 農地保有の合理化等のために
農地等を譲渡した場合　⇨　800万円

（注）(1)～(5)のうち2つ以上の適用を受ける場合でも**5,000万円**が限度。

A **7**　収　用　⊕ H27・29・30・R6年

　個人の所有する土地等の資産（除：棚卸**資産等**）が土地収用法等の規定により収用等をされて補償金等を取得した場合、優遇措置がある（措置法33条）。

COLUMN

2つの優遇措置

　収用されると、「**補償金**」がもらえますが、補償金は**譲渡所得として課税**されます。しかし、無理矢理土地を取られた上、税金までたくさん取られたのではやってられませんよね。そこで、次の優遇措置のいずれか**1つ**を選択できます。

(1) **5,000万円控除**

| |補償金　－　（取得費＋譲渡費用）| － 5,000万円 ＝ 譲渡所得

(2) **代替資産取得による課税の繰り延べ**

　収用の対価として支払われた補償金を使って同種の資産を購入すれば、いっさいの課税を見送るというもので、その代替資産を譲渡しないかぎりは、期間の制限なく課税を繰り延べてもらえます。

| 補償金 | ≦ | 代替資産取得価額 |……… **課税なし**

| 補償金 | ＞ | 代替資産取得価額 |……… 超える部分につき課税

C **8**　**特定の居住用財産の買換えの特例** ⊕ H12年（最終）

(1) 買換え特例とは
　個人が一定の要件のもとにその年の1月1日において**所有期間が10年を超える**家屋又は土地等を譲渡し、新たに居住用財産を取得し居住の用に供し、又は供する見込みである場合には、居住用財産の買換えの特例が認められる。

(2) **主な要件**（措置法36条の2）
　① 居住用財産を譲渡し、別の居住用財産を買い換えること。

② 譲渡資産の**所有期間**は10年超、**かつ居住期間**は10年以上
③ 譲渡資産の譲渡対価の額が1億円以下
④ 買換え資産の規模
　家屋は床面積が**50㎡以上**、土地は敷地面積**500㎡以下**のもの。
⑤ 買換え資産の築後年数
　買換え資産が、既存住宅である中高層の耐火共同住宅である場合には、築後経過年数が25年以内であるものに限る。

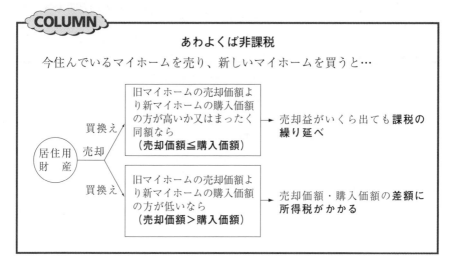

COLUMN

あわよくば非課税

今住んでいるマイホームを売り、新しいマイホームを買うと…

居住用財産

買換え
売却

旧マイホームの売却価額より新マイホームの購入価額の方が高いか又はまったく同額なら
（売却価額≦購入価額） → 売却益がいくら出ても**課税の繰り延べ**

買換え

旧マイホームの売却価額より新マイホームの購入価額の方が低いなら
（売却価額＞購入価額） → 売却価額・購入価額の**差額に所得税がかかる**

設例

　居住用財産（取得費4,000万円）を1億円で譲渡し、1億2,000万円の居住用財産を購入した場合（適用要件はすべて満たしているとする）を例にとって考えてみましょう。

　この場合は、1億円≦1億2,000万円ですから、税金はかかりませんね。
↓
別パターン①：9,000万円の居住用財産を購入したとすると、
1億円＞9,000万円ですから、差額の1,000万円について課税されます。
↓
別パターン②：6,000万円の居住用財産を購入したとすると、
1億円＞6,000万円ですから、4,000万円について課税されます。
↓
3,000万円特別控除を選択した方が有利です。（1億円－4,000万円－3,000万円）＝3,000万円について課税されますので。

^{AA} **9** みなし譲渡 ㉞ H27・28・29・30・R1・2・3・5・6年

　譲渡所得の基因となる資産をその譲渡時の価額の**2分の1に満たない**金額で譲渡した場合には、その譲渡先が**法人の場合に限り**、その**譲渡時の価額に相当する金額**により譲渡（時価譲渡）があったものとみなされる（59条）。

　また、**個人**が、譲渡所得の基因となる資産をその譲渡の時における価額の**2分の1に満たない金額**で個人に譲渡した場合においては、当該対価の額が譲渡所得の金額の計算上控除する取得費及び譲渡に要した費用の額の合計額に満たないときは、その**不足額**は、**譲渡所得の金額の計算上、なかったものとみなす**（59条、施行令169条）。

> **COLUMN**

法人に安く売ると損

　ある個人が時価5,000万円の土地を2,000万円で売ったとしましょう。譲渡先が**個人**であれば、2,000万円として課税計算されます。

　他方、譲渡先が**法人**の場合は、5,000万円で売ったとして課税計算されるのです。当然、税金は個人への譲渡に比べ倍以上になってしまいます。

　時価の半額未満でしか買い手がつかない場合でも、税負担のことを考えれば、法人に売ることだけは避けないといけないですね。

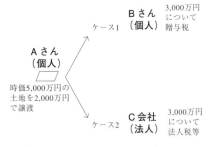

---

^A **10** 譲渡代金が回収不能となった場合等の特例 ㉞ H28・R2・5年

　資産の譲渡代金が**回収不能**となった場合、又は**保証債務**を履行するため資産の譲渡をした場合において求償権の行使ができなくなったときは、その回収不能となった金額又は求償権の行使ができなくなった金額に対応する部分の金額は、その**年分**の譲渡所得の金額の計算上、**なかったものとみなされる**（64条）。

^B **11** 長期譲渡所得の軽減税率 ㉞ H27・R6年

(1)　居住用財産を譲渡した場合の軽減税率（措置法31条の3）

　居住用財産（譲渡年1月1日における**所有期間が10年超のもの**）を譲渡した場合については、**3,000万円特別控除後の譲渡益**に対し、**6,000万円以下の部分について10%**、**6,000万円超の部分について15%**の税率となる。

116

(2) **優良住宅地の造成等**のために土地等を譲渡した場合の課税の特例（措置法31条の2）

　　土地等（譲渡年1月1日における所有期間が**5年超**のもの）を譲渡した場合において、それが優良住宅地等のための譲渡（次の①～③）に該当するときは、その譲渡益に対して**2,000万円以下**の部分について**10％**、**2,000万円超**の部分について**15％**の税率となる。

　　① **国又は地方公共団体等**に対する一定の譲渡
　　② 独立行政法人都市再生機構等の行う住宅建設や宅地造成に供するもの
　　③ 収用等によるもの、その他

AA **12** 固定資産の交換の特例（58条）㊙ H27・28・29・30・R1・2・3・5年

適用要件は以下のとおりである。

(1) 交換対象資産 → 次に掲げる**固定資産（棚卸資産はダメ！）**の同一区分での交換であること。

　　① 土地（借地権等を含む）　　　　　　　④ 船舶
　　② 建物（これに付属する設備等を含む）　⑤ 鉱業権（租鉱権等を含む）
　　③ 機械及び装置

(2) 所有期間

　　譲渡資産及び取得資産(注)のそれぞれの所有者が**1年以上所有**していたこと。

（注）**交換のために取得したと認められるものを除く。**

(3) 用　途

　　取得資産を譲渡資産の譲渡直前の用途と**同一の用途**に供すること。

(4) 交換差金等

　　交換時における譲渡資産と取得資産との価額（時価）の差額（交換差金等）が、これらの価額のうち、**いずれか多い価額の20％以下**であること。

(絶対注意) **交換**により**譲渡**した資産の取得価額・取得時期は交換により取得した資産に引き継がれる。

A⑬　災害による損失　㊐ H30・R3・4・5年

(1)　生活に通常必要でない資産の災害による損失（62条）

　　居住者が、災害又は盗難若しくは横領により、**生活に通常必要でない資産**
として政令で定めるもの（**別荘**等）について受けた損失の金額（保険金、損
害賠償金その他これらに類するものにより補てんされる部分の金額を除く）
は、政令で定めるところにより、その者のその損失を受けた日の属する年分
又は**その翌年分**の**譲渡所得**の金額の計算上**控除すべき金額**とみなす。

(2)　雑損控除・繰越控除（71・72条）

　　(1)の場合等を除き、災害・盗難等による損失は、**雑損控除**として控除され
る。また、控除しきれないものは、翌年以降3年間の繰越控除が認められる。

A⑭　重複適用の可否（措置法31条の2・31条の3）

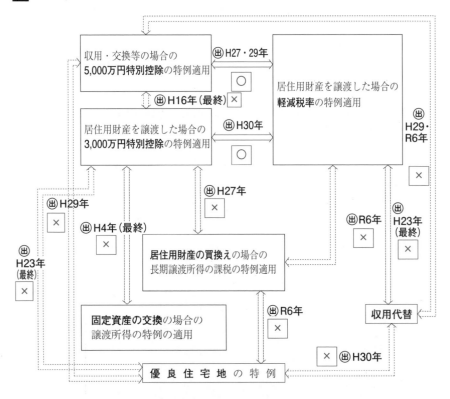

A⑮　非課税とされる譲渡所得　㊐ H27・R1・4・6年

(1)　**資力を失い**債務を弁済することが**著しく困難**な場合に、**強制換価手続**によ
り土地や建物等の資産を譲渡したことによる所得（**損失ではナイ！**）（9条）。

（注）強制換価手続とは、滞納処分、強制執行、担保権の実行としての競売、企業担保権の実行手続、破産手続をいう（国税通則法2条）。
(2) ①②のいずれかに該当する場合の資産の譲渡による所得（措置法40条）。
  ① 国又は地方公共団体に対し資産を贈与し、又は遺贈した場合
  ② 一定の公益法人に対し資産を贈与し、又は遺贈し、当該贈与又は遺贈が教育・科学の振興、文化の向上、社会福祉への貢献その他公益の増進に著しく寄与すること等の要件を満たすもの
(3) 国又は地方公共団体に対し**重要文化財として指定された資産（土地を除く）**を譲渡したことによる所得（措置法40条の2）。
(4) 相続税の納付のため、財産を**物納**した場合における当該物納による財産を譲渡したことによる所得（措置法40条の3）。

c 16 所得税の原則的納税地（15条） ㊶ H5年（最終）

(1) 国内に住所を有する場合 → その住所地
(2) 国内に住所を有せず、居所を有する場合 → その居所地（譲渡した土地の所在地ではない）。

過去問チェック㉒ （2005年）

　所得税法に関する次の記述のうち、正しいものはどれか。
(1) 等価交換により固定資産の交換の場合の譲渡所得の特例の適用を受けて取得した固定資産の償却費の計算については、その者がその取得した固定資産を、資産のその交換の時におけるその固定資産の価額に相当する金額をもって取得したものとみなされる。
(2) 建物又は構築物の所有を目的とする賃借権の設定の対価として支払を受ける権利金の金額がその土地の価額の10分の5以下であっても、その金額は譲渡所得に係る収入金額とされる。
(3) 譲渡所得とは、資産の譲渡による所得をいうので、個人の不動産売買業者が、販売目的で所有しているたな卸資産である土地や建物を譲渡したことによる所得は、通常譲渡所得とされる。
(4) 個人が贈与により取得した資産を譲渡した場合の譲渡所得の金額の計算については、その贈与の時における価額を譲渡資産の取得費とみなし、その贈与のあった時を譲渡資産の取得の時とみなされる。
(5) 譲渡所得の基因となる資産を法人に対して贈与した場合には、その贈与の時における価額に相当する金額により、その資産の譲渡があったものとみなされる。

11 地方税法

■固定資産税■

B **1** 課税客体（341・342条） ㊙ R4・5年

(1) 固定資産税は、**毎年1月1日（賦課期日）**に所在する固定資産に対して、その**固定資産の所在する市町村**（東京都区部では都）によって課される。

固定資産	土　　地	田・畑・宅地・塩田・山林等
	家　　屋	住家、店舗、工場、倉庫、その他の建物
	償却資産	法人税、所得税で減価償却の対象となる資産（備品、機械等）

(2) **国、地方公共団体等が所有するもの**や固定資産の性格に照らして一定のもの（墓地、公共の道路、運河用地及び水道用地、保安林等）は**非課税**となる。

(3) 公有水面の埋立より造成された土地は竣功認可があるまでは公有水面として取り扱われるが、**竣功認可前に工作物が設置**されているようなときは、土地とみなされ、**課税客体となり得る**（343条）。

(4) 国・都道府県が固定資産を**有料**で借り受けて、公用又は公共用に供する場合、その固定資産の所有者に**固定資産税を課することができる**（348条）。

C **2** 償却資産 ㊙ H23年（最終）

(1) 償却資産とは、土地及び家屋以外の事業の用に供することができる資産（除：無形減価償却資産）で減価償却額又は減価償却費が法人税法又は所得税法による所得の計算上損金又は必要経費に算入されるもの（**これに類する資産で法人税又は所得税を課されない者が所有するものを含む**）をいう（341条）。

(2) 償却資産に係る売買があった場合において、売主が当該償却資産の所有権を留保しているとき固定資産税の賦課徴収については、当該償却資産は、**売主及び買主の共有物とみなされる**（342条）。

(3) 固定資産税の納税義務がある**償却資産の所有者**は、**毎年1月1日現在**における当該償却資産について、その所在等を**1月31日まで**にその償却資産所在地の市町村長に**申告**しなければならない（383条）。

AA **3** 納税義務者（343・352条） ㊙ H27・28・29・30・R5年

原則	1月1日（賦課期日）現在に**固定資産課税台帳に所有者として登録されている者**（**質権又は100年より永い存続期間の定めのある地上権**が設定されている土地については、その**質権者又は地上権者**）
例外	(1) 納税義務者が1月1日前に**死亡**している場合等 → 賦課期日において**現に所有（使用ではナイ！）している者** (2) 震災等で所有者の**所在不明**な場合 → 使用者を所有者とみなして課せる。

（注1）**年度中に売買があっても、納税義務者を買主に変更できない。**

（注2）**所有者**とは、土地については**土地登記簿又は土地補充課税台帳**、家屋については**建物登記簿又は家屋補充課税台帳**に所有者として登記又は登録されている者をいい、償却資産については、償却資産課税台帳に所有者として登録されている者をいう。

（注3）2人以上の者に土地が共有されている場合、各共有者は**連帯納付義務**を負う。マンション等のような区分所有に係る家屋の敷地のうち、区分所有者全員によって共有されていること等一定の要件に該当するものについては、土地の共有者がその**持分割合等**によって**あん分した額**を納付する義務を負う。

（注4）市町村が一定の調査を尽くしてもなお固定資産の所有者が1人も明らかにならない場合は、その使用者を所有者とみなして固定資産課税台帳に登録し、固定資産税を課すことができる。

C **4** 課税標準（349・394条の2）㊙ H16年（最終）

課税標準は、**1月1日現在における価格**として**固定資産課税台帳**（市町村に備え付けられている）に**登録されている価格**（3年に一度見直し）である。評価替えに伴う急激な税負担の増加を緩和するため、**負担調整措置**がとられている。

なお、固定資産課税台帳とは、土地課税台帳、土地**補充**課税台帳、家屋課税台帳、家屋**補充**課税台帳及び償却資産課税台帳をいう（341条）。

AA **5** 固定資産の評価等 ㊙ H27・28・29・30・R1・2・3・5・6年

(1) **市町村長は固定資産評価員及び固定資産評価補助員**（必要があると認める場合に一定の者から選任し、評価員の職務を補助させることができる）を選任する。2以上の市町村の長は、当該市町村の議会の同意を得て、協議によって共同して**同一の者**を当該各市町村の固定資産評価員に選任できる。固定資産評価員は、国会議員及び地方団体の議会議員、農業委員会の農業部会の委員、**固定資産評価審査委員会の委員**のいずれの職も兼任できない（404・405・406条）。

(2) 市町村は、固定資産税を課される固定資産が少ない場合、固定資産評価員を設置しないで、その職務を市町村長に行わせることができる（404条）。

(3) 市町村長は、①納税義務者、②賃借人等、所有者、破産管財人等（不動産鑑定士・住所を有する者ではナイ！）からの求めに応じ、固定資産課税台帳の一定部分又はその写しをこれらの者の閲覧に供しなければならない。閲覧期間に制限はない（382条の2、3・387条）。

(4) **市町村**は、その市町村内の土地及び家屋について、固定資産課税台帳に基づいて、**土地名寄帳**及び**家屋名寄帳**を備えなければならない（387条）。

(5) **固定資産評価基準**は、**総務大臣**が固定資産の評価の基準並びに評価の実施の方法及び手続を定め、公示したものであり、市町村長はこの固定資産評価基準によって固定資産の価格を決定する（388・403条）。道府県知事は、市町村における**固定資産の価格の決定が固定資産評価基準によって行われていな**

いと認める場合は、市町村長に対し、固定資産課税台帳に登録された価格を修正して登録するように**勧告**する。

〈固定資産の評価・決定のフローチャート〉

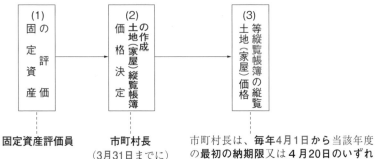

(6) 市町村長は、公示日以後において固定資産価格等の登録がなされていないこと又は**登録された価格**等に**重大な錯誤**があることを発見した場合においては、**直ちに**固定資産課税台帳に登録された類似の固定資産の価格と均衡を失しないように価格等を決定し、又は決定された価格等を**修正**して、台帳に登録しなければならない。この場合においては、市町村長は、遅滞なく、その旨を**当該固定資産税**の**納税義務者**に通知しなければならない（市町村議会の同意は不要）（417条）。

(7) 総務大臣は、市町村における固定資産の価格の決定が固定資産評価基準によって行われていないと認められる場合には、知事に対し、当該市町村長に修正勧告をするように指示するものとする（422条の2）。

(8) **固定資産評価審査委員会**は固定資産の**価格**に関する**不服を審査決定**するため**市町村**に置かれ、**委員の定数は3人以上**とし、**市町村の条例で定められる。**委員は、市町村の住民、市町村税の納付義務がある者又は固定資産の評価に関し学識経験を有する者のうちから、市町村の議会の同意を得て、**市町村長が選任**する（423条）。**地方団体の長（ex. 市町村長）は委員会の委員を兼ねることはできない**（425条）。固定資産税の**納税者**は、固定資産課税台帳に登録された**価格**等について**不服**がある場合は、固定資産課税台帳への価格登録の公示の日から**3カ月以内**に、文書をもって**固定資産評価審査委員会**に審査の申出ができる（432条）。固定資産評価審査委員会における不服の審査は、**書面**による。ただし、審査を申し出た者の求めがあった場合には、当該審査を申し出た者に口頭で意見を述べる機会を与えなければならない。また、申出

を受けた日から**30日以内に審査の決定**をしなければならない（433条）。**納税者は委員会の決定に不服**がある場合は、**取消の訴え**を提起できる（434条）。

(9) 登記所は、土地又は建物の表示に関する登記をしたときは、**10日以内に**、その旨を当該土地又は家屋の所在地の**市町村長に通知**しなければならず、市町村長は、当該通知を受けた場合においては、遅滞なくその異動を土地課税台帳又は家屋課税台帳に記載し、又はこれに記載された事項を**訂正**しなければならない（382条）。

A 6 税 率（350条）㊒ R1・4・5年

標準税率は、$\dfrac{1.4}{100}$ であり、税率は各市町村が条例で定める。

（絶対注意） 制限税率は**廃止**された。

B 7 法定免税点（351条）㊒ H28・R1年

同一市町村（区制を施行している場合は区）内において、同一の者の有する固定資産の**課税標準となるべき額（特例適用後）**が下記未満なら、原則として固定資産税を課することができない。

(1)土地 30万円　　(2)家屋 20万円　　(3)償却資産 150万円

(注1) 市町村は条例でこれより低い額の免税点は定められるが、高い額は定められない（351条）。

(注2) 住宅用地に対する課税標準の特例及び負担調整措置の適用がある土地については、これらの措置を**適用した後の固定資産税の課税標準となるべき額**について、免税点の判定を行う。

A 8 住宅の特例（349条の3の2・附則16条）🔁 H29・R1・2・6年

区　分				特　例　の　内　容	
税額の特例	新築住宅（注1）	一定の要件を満たす新築住宅：(50m²以上［戸建以外の貸家40m²］280m²以下)	新たに課税される年度から	3年度間	その家屋の120m²までの部分の**税額**の $\frac{1}{2}$ が減額される。
		一定の要件を満たす新築の中高層耐火住宅(地上階数3階以上のもの)：(50m²以上［戸建以外の貸家40m²］280m²以下)		5年度間	
課税標準の特例	住宅用敷地（注2）	200m²以下の小規模住宅用地及び200m²超の住宅用地のうち200m²までの部分	台帳価格の	$\frac{1}{6}$	が**課税標準**となる。
		200m²超の住宅用地の200m²超の部分		$\frac{1}{3}$	

　(注1)　新築特例適用住宅の対象範囲は、**人の居住の用に供する**家屋又はその部分で専ら避暑、避寒その他の日常生活以外の用に供するもの以外のものである。
　(注2)　空家等対策の推進に関する特別措置法に基づく必要な措置の**勧告**の対象となった**特定空家等に係る土地**については、**特例措置の対象から除外**される。

A 9　その他の規定とまとめ 🔁 H29・30・R1・2年

(1)　市町村長は、**天災**その他特別の事情がある場合や**貧困**に因り生活のため公私の扶助を受ける者の固定資産税については、当該市町村の条例の定めるところにより減免できる（367条）。

(2)　市町村の徴税吏員は、固定資産税に係る滞納者が滞納に係る**督促**を受け、その督促状を発した日から起算して**10日**を経過した日までに督促に係る固定資産税について地方団体の徴収金を完納しない場合は、滞納者の財産を**差し押え**なければならない（373条）。

A 〈地方税のまとめ〉 🔁 H30・R1・2・3年

	不動産取得税		固定資産税	都市計画税
(1)課税団体	都道府県		市　町　村	
(2)課税対象	土地、家屋		土地、家屋、償却資産	土地、家屋
(3)課税標準	台　帳　価　格			
(4)税　率	$\frac{4}{100}$	2027.3.31まで 土地・住宅 $\frac{3}{100}$ 家屋（住宅以外）$\frac{4}{100}$	（標準）$\frac{1.4}{100}$	（制限）$\frac{0.3}{100}$
(5)徴収方法	普通徴収（賦課課税方式）			

（注）固定資産税の納期は、**4月・7月・12月・2月**中において、当該市町村が条例で定めるが、特別の事情がある場合、**異なる納期を定めることができる**。市町村は土地又は家屋に対して課する固定資産税を徴収しようとする場合、**課税明細書**を納税者に交付しなければならない。固定資産税の**納税通知書又は課税明細書**は、遅くとも**納期限前10日まで**に納税者に交付しなければならない。また、都市計画税は固定資産税と**併せて賦課徴収できる**（362・364条）。

 「**償却資産**に係る固定資産税の徴収方法は申告納付である」という**ヒッカケがよく出るがマチガイ！** これも**普通徴収**である。

空家問題 🈺 H29・R2年

住宅には二面性があります。**一つ目は住宅サービス（フロー）、二つ目は資産（ストック）**です。住宅ストックは増加していますが、それを上回るように空家が増加しています。政府は、2015年に**空家等対策の推進に関する特別措置法**に基づく必要な措置の勧告の対象となった**特定空家**等に係る土地について、**固定資産税の特例措置の対象から除外する措置**を講ずるとしました。

住宅総数と空家率

年	総数	空家	空家率
2013年	6,063万	820万	13.5%
2018年	6,242万	846万	13.6%
2023年	6,502万	900万	13.8%

過去問チェック㉓ (2001年)

固定資産税に関する次の記述のうち、正しいものはどれか。
(1) 市町村が所有する固定資産は、公用又は公共の用以外の用に供されている場合であっても、固定資産税は非課税とされている。
(2) 固定資産税の制限税率は100分の2.1とされており、これを超える税率で課税しようとする場合には、総務大臣に協議しなければならない。
(3) 固定資産税課税台帳のうち、土地課税台帳及び家屋課税台帳は登記所に備え付けられている。
(4) 固定資産の価格は、固定資産の評価に関する知識及び経験を有する者のうちから市町村長が選任した固定資産評価補助員によって決定される。
(5) 市町村長は、固定資産評価審査委員会の決定に不服がある場合は、審査の決定のあった日から3箇月以内に、その取消しの訴えを提起することができる。

12 　相 続 税 法

■相続税■

A**1**　課税客体等（1〜3・12条）㉒ H27・28・R1・5年

　個人が相続または**遺贈**（**死因贈与**を含む）によって財産を取得した場合には、その取得者（相続人又は受遺者）に対して、**相続税**が**国**によって課される。課税対象となる財産は原則として下表のようになる。

相続開始時の住所	日本国籍を有する者	左以外
国　　内	国内・国外すべて	国内・国外すべて
国　　外	国内・国外すべて	国内のみ

　（注）被相続人が日本国内に住所を有する場合も、無制限納税義務者となる。
　課税資産は、金銭に見積もることができる経済価値あるものすべてである。
　相続又は遺贈により財産を取得した者が、被相続人の**死亡前3年以内**に被相続人から**贈与**を受けた財産は相続税の対象となる（不動産の場合、その**贈与時の価額を相続税の課税価格に加算**）。相続税額からすでに課税された贈与税額が差し引かれる。
　なお、以下のものは非課税財産となる。
(1)　墓所、公益事業用財産
(2)　**死亡保険金**、又は死亡退職金のうち（**500万円×法定相続人数**）の部分

C**2**　法定相続分

区　　　　分	法定相続人	法定相続分
(1) 相続人が配偶者と子の場合	配偶者	$\frac{1}{2}$
	子	$\frac{1}{2}$
(2) 相続人が配偶者と直系尊属の場合	配偶者	$\frac{2}{3}$
	直系尊属	$\frac{1}{3}$
(3) 相続人が配偶者と兄弟姉妹の場合	配偶者	$\frac{3}{4}$
	兄弟姉妹	$\frac{1}{4}$

(注) 相続税額の計算順序
(1)法定相続分より、相続税の総額を計算
(2)各相続人の課税価格の割合により、相続税の総額を**あん分**し、**各人の納付税額を計算**

AA **3** 各種控除 （15条・19条の2） ⊕ H28・R1・2・3・4・5・6年

(1) 基礎控除

   3,000万円 ＋ 600万円 × <u>法定相続人の数</u>(注1〜3)

(注1) **相続を放棄した者の数を含む。**

(注2) 代襲相続の場合は代襲相続人の数を含む。

(注3) **養子が複数いる場合**で、**実子もいる場合**、**養子のうち1人**を数に含める。
なお、**特別養子縁組による養子**は実子とみなされる。

(2) **配偶者**が相続した財産が、**1億6,000万円以下**又は総遺産の**法定相続分に相当する金額以下**の場合、配偶者には相続税はかからない。

B **4** 納　付 ⊕ R6年

(1) 期　限（27条）	相続開始を**知った日の翌日から10カ月以内**に申告、納付				
(2) 延 納	① 要　件 （38条）	税額が**10万円超→担保を提供して、年賦延納可**			
		延納税額が**100万円以下**で、期間が**3年以下→担保不要**			
	② 期　間 （38条）	原　則	**5年以内**		
		主 な 例 外	課税相続財産の価額のうちに占める割合	$\frac{5}{10}$ 以上	不動産等に係る税額については**15年以内**
				$\frac{3}{4}$ 以上	**20年以内**
(3) 物 納	① 物納が認められるための2要件	税務署長は、次の2要件に該当するときは、納付が困難とする金額を限度として物納の許可ができる（41条）。 (ｱ)納付すべき相続税額について**金銭納付によることを困難**とする事由のあること (ｲ)相続税の納付期限又は**納付すべき日**までに納税義務者の申請があること			
	② 対　象 財　産	国債及び地方債、不動産及び船舶、社債及び株式並びに証券投資信託又は貸付信託の受益証券等、**動産のみ**(41条)			

(注1) 延納の適用が受けられるのは、**期限内申告書**の他に**修正申告書も含まれる**（31・33・38条）。また、延納申請書の提出期限は、**相続税の納期限たる申告書の提出期限**まで（39条）。修正申告書の提出により納付すべきこととなった相続税も、**物納することができる**（33・41条、国税通則法第35条）。

(注2) 一定要件に該当すれば、物納の許可があった後も**物納を撤回できる**。

127

■贈与税■

c**1** 贈与税がかかる場合（1条の4・2条の2）㊒ H13年（最終）

贈与をした者	贈与を受けた者	受贈者にかかる税
個　人	個　人	**贈与税**
法　人	個　人	**所得税（一時所得）**
個人又は法人	法　人	**法人税**

（注）**遺贈**により相続財産を取得した場合は、相続税がかかる。

AA**2** 各種控除（21条の5・21条の6）㊒ H27・29・30・R1・2・3・4・6年

(1) **基礎控除**　年110万円

(2) **配偶者控除**　2,000万円（→贈与する配偶者1人につき1回のみ）

　　ただし、**婚姻期間**（婚姻の届出日～贈与を受けた日）が**20年以上**であって、**居住用不動産**（日本国内所在のもののみ）又はそれを取得するための金銭の贈与であり、受贈者の居住の用に供し、引き続き供せられる見込み（**贈与を受けた年の翌年3月15日までに**）があることが必要である。また、贈与を受けた者の**所得制限はない**。

A**3** 納　付 ㊒ H27・R4・5年

(1) 期　限（28条）		贈与のあった年の**翌年の2月1日から3月15日**までに申告納付
(2)延納(38条)	① 要　件	税額が**10万円超**で、かつ、金銭で一時に納付することが**困難**な場合は、**担保**を提供してできる。贈与税額が100万円以下で、期間が3年以内→**担保不要**
	② 期　間	**5年以内**の年賦延納（贈与税に物納の制度はナイ！）

AA**4** 相続時精算課税制度 ㊒ H27・28・29・30・R1・2・3・5・6年

　高齢者の保有資産を次世代に移転させる観点から、創設された。

　贈与の年の1月1日において**60歳以上**（住宅取得資金の贈与なら**年齢制限ナシ**）**の父母又は祖父母から18歳以上の子・孫への贈与**について、選択制により、従来からの贈与税制度に代えて、贈与時には軽減された贈与税〔**非課税枠（特別控除額）を2,500万円**とし、2,500万円を超える部分について一律20%で課税〕を納付し、**相続時において相続税で清算**するというものである。財産価額**110万円以下の贈与でも申告が必要**（21条の5・21条の11）。

（注）**父母双方から贈与**を受ける場合、非課税枠は**5,000万円**となる。

被相続人から相続又は遺贈により財産を取得しなかった場合でも、**相続時精算課税制度の適用**を受けた受贈財産は、**相続税の課税対象となる**（21条の16）。この制度をいったん**選択**したら、**撤回できない**（21条の9）。

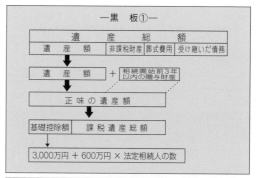
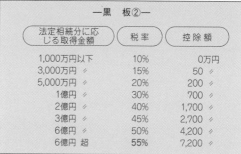
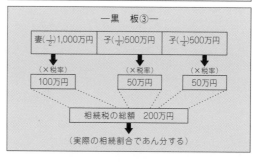
129

宅地建物取引士関係法規以外の法規

　不動産に関する行政法規の最高位に君臨するのが「土地の憲法」と言われる土地基本法です。土地基本法は、昭和60年代のバブル経済に伴う地価高騰が、国民の住宅取得を困難とし、社会資本の整備に支障を及ぼすとともに、土地を持つ者と持たざる者との資産格差を拡大させ、社会的不公平感を増大させる等を背景として、平成元年に制定され、令和2年に改正されました。そして、No.2の国土利用計画法で規定される土地利用基本計画は、都市計画法等の個別法規の上位計画で、各種法規を総合調整する機能があります。

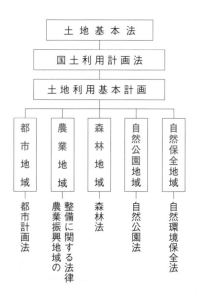

13　土地基本法

AA **1** 目　的（1条）　㊙ H28・29・30・R2・5年

　土地についての基本理念を定め、並びに土地所有者等、国、地方公共団体、事業者及び国民の**土地についての基本理念に係る責務**を明らかにするとともに、**土地に関する施策の基本となる事項**を定めることにより、土地が有する効用の十分な発揮、現在及び将来における地域の良好な環境の確保並びに災害予防、災害応急対策、災害復旧及び災害からの復興に資する**適正な土地利用及び管理**並びにこれらを促進するための土地の取引の円滑化及び**適正な地価の形成**に関する施策を総合的に推進し、もって**地域の活性化**及び**安全で持続可能な社会の形成**を図り、国民生活の**安定向上と国民経済の健全な発展に寄与**すること。

AA **2** 土地についての基本理念（2〜5条）　㊙ H27・28・29・R1・2・3・4・5・6年

(1)　土地は公共の利害に関する特性を有していることに鑑み、**公共の福祉を優先**させるものとする（土地についての公共の福祉優先）。

(2)　土地は、その所在する地域の自然的、社会的、経済的及び文化的諸条件に応じて適正に利用し、又は管理されるものとする。土地は、その周辺地域の良好な環境の形成を図るとともに当該**周辺地域への悪影響を防止**する観点から、適正に利用し、又は管理されるものとする。土地は**適正かつ合理的な土地の利用及び管理**を図るため策定された土地の利用及び管理に関する**計画に従って利用**し、又は管理されるものとする（適正な利用及び管理等）。

(3)　土地は、土地の所有者又は土地を使用収益する権原を有する者（以下「土地所有者等」という）による適正な利用及び管理を促進する観点から、円滑に取引されるものとする（円滑な取引等）。土地は、**投機的取引の対象とされてはならない。**（注）投機的土地取引に係る契約は、**無効ではない。**

(4)　土地の価値がその所在する地域における社会的経済的条件の変化により増加する場合には、土地所有者等に対し、その**価値の増加に伴う利益に応じて**適切な負担が求められるものとする。土地の価値が地域住民その他の土地所有者等

以外の者によるまちづくりの推進その他の地域における公共の利益の増進を図る活動により維持され、又は増加する場合には、土地所有者等に対し、その価値の維持又は増加に要する費用に応じて適切な負担が求められるものとする（**土地所有者等による適切な負担**）。

COLUMN

投機的取引とは

「**ある財の異時点間の価格変化による利益確定目的で、安く購入し、高く売る行為**」をいいます。土地は保有コストが低く、短期的には**供給が固定的**（←経済学の用語です）なため、投機対象になりやすいのです。土地は投機的取引の対象とされてはなりませんが、**投資の対象とすることは禁止されていません**。

AA **3** 　責　務　🏛 H28・29・30・R1・2・5年

(1) 土地所有者等の責務（6条）	① 土地についての基本理念にのっとり、土地の利用及び管理並びに取引を行う責務を有する。 ② ①の責務遂行に当たっては、その所有する土地に関する登記手続その他の権利関係の明確化のための措置及び当該土地の**所有権の境界の明確化のための措置を適切に講ずる**ように努めなければならない（**罰則規定はナイ！**）。 ③ 国又は地方公共団体が実施する土地に関する施策に**協力しなければならない**。
(2) 国及び地方公共団体（7条）	① 土地についての**基本理念にのっとり、土地に関する施策を総合的に策定**し、及びこれを実施する責務を有する。 ② ①の責務遂行に当たっては、土地所有者等による適正な土地の利用及び管理を確保するため必要な措置を講ずるように努めるとともに、地域住民その他の土地所有者等以外の者による当該利用及び管理を補完する取組を推進するため必要な措置を講ずるように努めるものとする。 ③ **広報活動**等を通じて、土地についての基本理念に関する国民の理解を深めるよう適切な措置を講じなければならない。
(3) 事 業 者（8条）	① 土地の利用及び管理並びに取引（含：支援行為）に当たっては、土地についての**基本理念に従わなければならない**。 ② (2)が実施する施策に**協力しなければならない**。
(4) 国 民（9条）	① 土地の利用及び管理並びに取引に当たっては、土地についての**基本理念を尊重しなければならない**。 ② (2)が実施する施策に**協力するよう努めなければならない**。

（注）施策に協力しなくても、**罰則の適用はない**。

AA **4** 政府の義務（10〜11条） (出) H27・28・29・30・R1・2・3年

(1) 政府は、土地に関する施策を実施するため必要な**法制上、財政上及び金融上の措置**を講じなければならない。

> **COLUMN**
> ### 法制上、財政上及び金融上の措置とは
> **税制改正・財政政策**（政府が公共事業等に金を使う）・**金融政策**（金利引下げによる、設備投資や住宅取得等の促進）等です。

(2) 政府は、**毎年**（3年や著しい地価上昇下落発生時ではナイ！）、国会に、**不動産市場**、土地の利用及び管理その他の土地に関する動向及び政府が土地に関して講じた基本的な施策に関する**報告を提出**しなければならない。

(3) 政府は、毎年、(2)の土地に関する動向を考慮して講じようとする**基本的な施策を明らかにした文書**を作成し、**国会に提出**しなければならない。政府は、文書を作成するには、**国土審議会の意見**を聴かなければならない。

(4) 政府は、土地の利用及び管理、土地の取引、土地の調査並びに土地に関する情報の提供に関する基本的施策その他の土地に関する施策の総合的な推進を図るため、土地に関する基本的な方針を定めなければならない（21条）。

AA **5** 土地に関する基本的施策 (出) H30・R1・2・3・4・5・6年

(1) **国及び地方公共団体**は、適正かつ合理的な土地の利用及び管理を図るため、人口及び産業の将来の見通し、土地の利用及び管理の動向その他の自然的、社会的、経済的及び文化的諸条件を勘案し、**必要な土地の利用及び管理に関する計画**（以下、「計画」という）**を策定する**ものとする。**計画を策定する場合において、住民その他の関係者の意見を反映させる**ものとし、諸条件の変化を勘案して必要があると認めるときは、計画を**変更するものとする**（12条）。

(2) **国及び地方公共団体**は、土地の高度利用、土地利用の適正な転換その他適正な土地の利用及び管理の確保を図るため、①土地の利用又は管理の規制又は誘導に関する措置を適切に講ずるとともに、②計画に係る事業の実施及び当該事業の用に供する土地の境界の明確化その他必要な措置を講ずる。①②の措置を講ずるに当たっては、次の点に努める

　① 公共事業の用に供する土地その他の土地の所有権又は当該土地の利用若しくは管理に必要な権原の取得に関する措置を講ずるように努める。

　② 需要に応じた宅地の供給が図られるように努める。

　③ **低未利用土地**（居住の用、業務の用その他の用途に供されておらず、又はその利用の程度がその周辺の地域における同一の用途若しくはこれに類する用途に供されている土地の利用の程度に比し著しく劣っていると認められる土地をいう。以下同じ）に係る情報の提供、低未利用土地の取得の支援等低未利用土地の適正な利用及び管理の促進に努める。

　④ **所有者不明土地**（相当な努力を払って探索を行ってもなおその所有者の

全部又は一部を確知することができない土地をいう）の発生の抑制及び解消並びに円滑な利用及び管理の確保が図られるように努める（13条）。
(3) **国及び地方公共団体**は、円滑な土地の取引に資するため、不動産市場の整備に関する措置その他必要な措置を講ずるものとする。**土地の投機的取引及び地価の高騰**が国民生活に及ぼす弊害を除去し、適正な地価の形成に資するため、土地取引の規制に関する措置その他必要な措置を講ずるものとする（14条）。
(4) **国及び地方公共団体**は、**社会資本の整備**に関連して土地所有者等が著しく利益を受けることとなる場合において、**地域の特性等を勘案して適切であると認めるときは、その利益に応じてその社会資本の整備についての適切な負担**を課するための必要な措置を講ずるものとする（15条）。
(5) **国及び地方公共団体**は、土地についての基本理念にのっとり、土地に関する施策を踏まえ、**税負担の公平の確保**を図りつつ、土地に関し、適正な税制上の措置を講ずるものとする（16条）。
(6) **国**は、適正な地価の形成及び課税の適正化に資するため、土地の**正常な価格を公示**（地価公示）するとともに、**公的土地評価について相互の均衡と適正化**が図られるよう努めるものとする（17条）。
(7) **国及び地方公共団体**は、土地に関する施策の総合的かつ効率的な実施を図るため、地籍、土地の利用及び管理の状況、不動産市場の動向等に関し、調査を実施し、資料を収集する等必要な措置を講ずるものとする。また、土地に関する施策の円滑な実施に資するため、**個人の権利利益の保護に配慮しつ**つ、国民に対し、地籍、土地の利用及び管理、不動産市場の動向等の土地に関する情報を提供するように努めるものとする（18条）。
(8) **国及び地方公共団体**は、土地に関する施策を講ずるにつき、**相協力し**、その**整合性を確保**するように、また、総合的見地に立った行政組織の整備及び行政運営の改善に**努めるものとする**（19条）。
(9) **国**は、地方公共団体が実施する土地に関する施策を支援するため、情報の提供その他必要な措置を講ずるように努めるものとする（20条）。

過去問チェック㉔　　　　　　　　　　　　　　（2000年・一部改題）

土地基本法に関する次の記述のうち、誤っているものはどれか。
(1) 土地について投機的取引をする場合、価値増加に伴う適切な負担が必要である。
(2) 事業者は、土地の利用等に当たっては、土地についての基本理念に従わなければならない。
(3) 国及び地方公共団体は、土地に関する施策を講じるにつき、相協力し、その整合性を確保するように努めるものとする。
(4) 国及び地方公共団体は、円滑な土地の取引に資するため、不動産市場の動向等の土地に関する情報を提供するように努めるものとする。
(5) 国は、適正な地価の形成及び課税の適正化に資するため、土地の正常な価格を公示するものとする。

14 都市再開発法

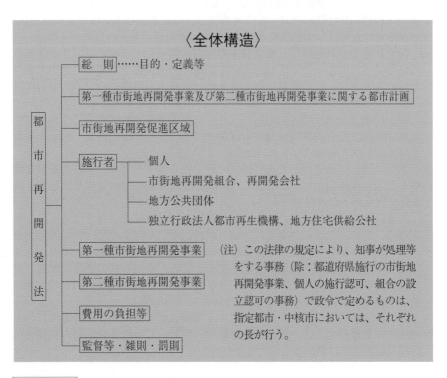

〈全体構造〉

都市再開発法
- 総 則……目的・定義等
- 第一種市街地再開発事業及び第二種市街地再開発事業に関する都市計画
- 市街地再開発促進区域
- 施行者
  - 個人
  - 市街地再開発組合、再開発会社
  - 地方公共団体
  - 独立行政法人都市再生機構、地方住宅供給公社
- 第一種市街地再開発事業
- 第二種市街地再開発事業
- 費用の負担等
- 監督等・雑則・罰則

(注) この法律の規定により、知事が処理等をする事務 (除：都道府県施行の市街地再開発事業、個人の施行認可、組合の設立認可の事務) で政令で定めるものは、指定都市・中核市においては、それぞれの長が行う。

比 較　　㉘ H20年 (最終)

市街地再開発事業は、土地区画整理事業とよく似ているので、比較した。

	市街地再開発事業	土地区画整理事業
施 行 者	個人 (1又は共同) 組合 (5人以上) 再開発会社 地方公共団体 独立行政法人都市再生機構 地方住宅供給公社	個人 (1又は共同) 組合 (7人以上) 区画整理会社 地方公共団体 国土交通大臣 独立行政法人都市再生機構 地方住宅供給公社
事 業 方 式	**権利変換** (第一種事業) **管理処分** (第二種事業)	**換地処分**

再開発とは？

第一種市街地再開発事業は、権利変換方式により従前の建築物や土地の所有者等が従前の価格に見合う再開発ビルの床（権利床）を取得するとともに、土地の高度利用により生み出される新たな床（保留床）を処分することにより事業費をまかなう事業です。下図を見て下さい。Aさんは土地の所有権を失いますが、建物の1階の所有権と土地の共有持分等をゲットします。

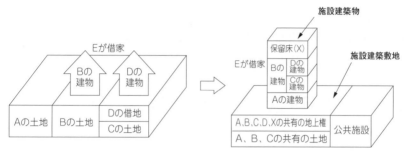

★不動産図鑑⑮・市街地再開発事業

第二種市街地再開発事業は、施行者が施行地区内の建築物や土地等を**収用**し、従前の地権者が希望した場合には建築物や土地等の代償に代えて再開発ビルの床を与えるとともに保留床処分により事業費をまかなう事業で、対象区域が大規模で、かつ**都市防災上**の理由等から公益性・緊急性の高い区域に限られており、そのため施行者も公的施行者と再開発会社とに限定されています。

B **1** 施行者と事業の関係（6条）　⊕ H28・R5年

施行者	場　所	事業の種類
（1）個　人	施行区域の内外でできる （**施行区域で行う場合は都市計画事業**となる）。	第一種事業のみできる。
（2）**組　合**		
（3）その他の施行者	施行区域内のみ （**必ず都市計画事業**となる）。	**第一種事業・第二種事業のどちらもできる。**

絶対注意 国は施行者となりえないので注意！

B **2**　施行区域（3条・3条の2）🌐 H29・R3年

(1) **第一種市街地再開発事業の施行区域**～次の①・②いずれかに該当する区域

　① **市街地再開発促進区域内**の土地の区域

　② 次の条件を備えた土地の区域（面積要件はナイ！）

　　(ア) **高度利用地区**（高度地区ではナイ！）、**特定用途誘導地区**、**特定地区計画等区域**又は**都市再生特別地区**内にある。

　　(イ) 当該区域内の耐火建築物の建築面積の合計が、全建築物の建築面積のおおむね$\frac{1}{3}$以上等。

　　(ウ) 十分な公共施設がなく、土地の利用状況が著しく不健全である。

　　(エ) 土地の高度利用を図ることが、都市の機能の更新に貢献すること。

(2) **第二種市街地再開発事業の施行区域**～次の①かつ②に該当する区域

　① (1)②(ア)～(エ)に該当する。

　② 一定の区域で、その面積が**0.5ha以上**のもの。

B **3**　個人の施行手続（7条の9～7条の20）🌐 H28年

(1) 規準又は規約及び事業計画

　① 1人の場合…………**規準**及び事業計画

　② 2人以上の場合……**規約**及び事業計画 }→**知事の認可**（市町村長経由で申請）

　　施行地区内の宅地について所有権又は借地権を有しない者（ex. **民間デベロッパー**）であっても、所有権若しくは借地権を有する者の同意を得た者であれば施行者となれる（2条の2）。

　　本法上の宅地とは、公共施設の用に供されている国、地方公共団体その他一定の者の所有する土地**以外の土地**をいう（2条）。

(2) 事業計画

　① 施行地区・設計の概要・事業施行期間・資金計画を定める。

　② 事業計画については、施行地区内の公共施設の管理者、当該事業の施行により整備される公共施設又は施行令2条に掲げる施設の**管理者又は管理者となるべき者の同意**を得なければならない（7条の12）。

　③ 施行地区内に施行者以外に**宅地又は建築物の権利者**（ex. **借家権者**）があるときは、事業計画につき**同意**（$\frac{2}{3}$以上の同意ではナイ！　原則として、全員の同意）を得なければならず、得られないときは、その理由を記載した書面を認可申請者に添付しなければならない（7条の13）。

(3) 知事は、申請が認可基準に適合しているときは**認可**、**公告**する（7条の15）。

(4) 個人施行者、再開発会社は、第一種市街地再開発事業を**終了**しようとするときは、**知事の認可**を受けなければならない。知事は、終了の認可をしたときは、**公告**する（7条の20）。

AA **4** 組合の施行手続（8〜44条）⊕ H29・R1・3・4・5・6年

(1) 組合の設立の認可（事業計画決定に先立っての設立OK）

① **土地所有者又は借地権者**が5人以上共同して、**定款**・事業計画を定め、知事の認可（市町村長経由で申請）を受けて設立（**認可により成立**）。定款、事業計画等の変更についても、**知事の認可**を受けなければならない（11・38条）。

② 宅地の**所有権者・借地権者**（未登記無申告者を除く）の**それぞれ** $\frac{2}{3}$ **以上の同意**が必要。また、同意した者の所有する宅地の地積と借地の地積との合計がすべての宅地と借地の合計面積の $\frac{2}{3}$ **以上**であることが必要（14条）。

> （絶対注意） 借家権者の同意は不要。

③ 設立認可の申請者は、事業計画につき施行区域内の公共施設の管理者、事業の施行により整備される公共施設等の管理者又は管理者となるべき者の同意を得なければならない（12条）。また、設立に係る同意を得ようとする者は、あらかじめ、施行地区となるべき区域の公告を当該区域を管轄する**市町村長**に申請しなければならない（15条）。

④ 知事は、組合設立認可申請があったときは、明らかに認可すべきでないと認めるときを除き、施行地区となるべき区域を管轄する市町村長に、事業計画を2週間公衆の縦覧に供させなければならない。組合が施行する第一種市街地再開発**事業に関係のある土地若しくはその土地に定着する物件について権利を有する者又は参加組合員**は、縦覧に供された事業計画（除：都市計画で定められた事項）について意見があるときは、**縦覧期間満了の日の翌日から起算して2週間を経過する日までに**、**知事に意見書**を提出できる。知事は、意見書の提出があった場合は、その内容を審査し、次の処理をしなければならない。

(ア) **意見書を採択すべきである**と認めるとき→事業計画の修正を命じる。

(イ) **意見書を採択すべきでない**と認めるとき→意見書提出者に通知(16条)。

(2) 組合員（20・21条）

① 施行地区内の宅地のすべて**の所有権者及び借地権者（借家権者は含まない）**は、すべてその組合の組合員となる（宅地又は借地権が数人の**共有**に属するときは、原則として**その数人が1人の組合員**とみなされる）。

② 組合が設立された場合に、強制的に組合員となるのは、第一種市街地再開発事業に係る施行地区内の宅地につき所有権又は借地権を有する者に限られ、当該施行地区内の建物について借家権を有する者は含まれない。

③ **参加組合員**

施行地区内の宅地につき権利を有しないが、将来建築される施設建築物の取得を**希望**する者を、参加組合員として組合に加入させることができる。

次に掲げる者で**かつ定款で定める者**は、その希望により組合員となる。

(ア) 住宅建設計画法3条に規定する公的資金による住宅を建設する者

(イ) **不動産賃貸業者、商店街振興組合等**

定款に定められない者は参加組合員になれない。

(3) 理事及び監事は、**組合員**（法人にあっては、その役員）のうちから**総会**で選挙する。ただし、特別の事情があるときは、**組合員以外の者**のうちから総会で選任できる（24条）。

(4) 賦課金等

① 組合は、**参加組合員以外の組合員**から、事業の経費に充てるため賦課金を賦課徴収できる（39条）。

② **参加組合員**は、権利変換計画の定めるところにより、取得することとなる施設建築物の一部等の価額に相当する額の**負担金及び事業の経費に充てるための分担金**を組合に納付しなければならない（40条）。

③ 次の事項は**総会の議決**を経なければならない（30条）。

(ア) **定款の変更**、(イ) **事業計画**の決定・変更、(ウ) 権利変換計画、(エ) **賦課金の額及び徴収方法**、その他

(5) 組合に、この法律及び定款で定める権限を行なわせるため、**審査委員を3人以上**置く。審査委員は、**土地及び建物の権利関係又は評価**について特別の知識経験を有し、かつ、公正な判断をすることができる者のうちから**総会で選任**する（43条）。

(6) 組合は、下記の事由により**解散**する。**事業の完成により解散**しようとするときは、**知事の認可**を受けなければならない。この場合、その**認可により解散**する（45条）。組合が解散した場合には、総会で他の者を選任したときを除き、**理事が清算人**となる（46条）。

| 比　　較 | 組合の解散事由 |

	市街地再開発組合	土地区画整理組合
(1) 人　数	5人以上	7人以上
(2) 解　散	①設立認可の取消し（☆） ②総会の議決（☆・★） ③事業の完成（★）	①設立認可の取消し ②総会の議決 ③定款で定めた解散事由の発生 ④事業の完成又はその完成の不能 ⑤合併 ⑥事業の引継ぎ

（注）☆:権利変換期日前に限る、★:借入金があれば債権者の同意

「事業の継続の困難」を理由に解散できない。

(7) 知事は組合施行の第一種市街地開発事業につき、その事業が定款又は事業計画に違反すると認めるとき等に組合の事業の状況検査ができる（125条）。

c **5** その他の施行者による施行等（51〜59条） ㊀ H22年（最終）

(1) 地方公共団体

施行規程（注）
事業計画 ｝を定める → 事業計画で定めた設計概要について認可を受けなければならない。 → ①都道府県→国土交通大臣の認可 ②市町村 →知事の認可

（注）地方公共団体の条例で定める。

(2) 機構等

施行規程
事業計画 ｝を定める → 事業計画の認可(注) ─┬→ 原則→国土交通大臣の認可
└→ 例外→市のみが設立した地方住宅供給公社→知事の認可

（注）施行規程については認可不要。

B **6** 第一種市街地再開発事業（60〜114条） ㊀ R3年

(1) 施行者等は、事業の準備又は施行のため、立入調査権が認められている。個人・組合の場合には、あらかじめ、知事の許可が必要である（60条）。

(2) 一定の公告後に、施行地区内で次の行為をしようとする者は、**知事（市の区域は、市長）の許可**を受けなければならない（66条）。

- (ア) **土地の形質の変更** ｝事業の障害のおそれがある場合
- (イ) 建築物その他の工作物の**新築**・改築・増築
- (ウ) **重量5トン超**の分割困難な物件の設置・堆積

なお、施行地区内での(ア) 土地の形質変更、(イ) 建築物等の新築・改築・増築・大修繕、(ウ) 物件の附加増置には、**知事等の承認**がなければ、施行者にその権利を主張できない。

〈フローチャート〉

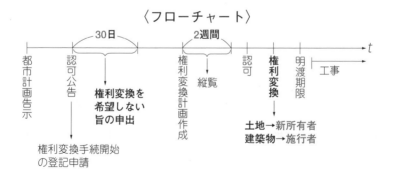

AA 7 　権利変換 　㊤ H27・28・30・R1・2・3・4・6年

(1) 権利変換手続開始の登記（70条）

　　施行者は事業計画の認可等の公告があったときは、遅滞なく、施行地区内の宅地・建築物・宅地の既登記借地権につき、**権利変換手続開始の登記**を申請し、又は嘱託を**しなければならない**。この**登記後**は、所有者・借地権者は、**権利を処分**するには施行者（知事ではナイ！）**の承認**を必要とし、未承認の処分は、**施行者に対抗できない**。

(2) 権利変換を希望しない旨の申出等（71条）

　　宅地の所有者・借地権者・建築物の所有者は権利変換に代えて、金銭の給付又は建築物の移転を施行者に申し出る（**認可等の公告があった日から起算して30日以内**）ことができる。**借家権者**も、施設建築物の一部についての借家権を取得しない旨の申出ができる。

(3) **権利変換計画**は**施行地区ごと**に定めなければならない。施行地区が工区に分かれているときは、権利変換計画は、**工区ごとに定めることができる**（72条）。
　　権利変換計画は、関係権利者間の利害の**衡平**に十分の考慮を払って定めなければならない（74条）。

(4) 権利変換の基準（75条）

① **一個の施設建築物の敷地**は、**一筆の土地**となるように定めなければならない（例外アリ）。

② 施設建築物の敷地には、当該施設建築物の所有を目的とする地上権が設定される。

(5) 権利変換計画の認可申請手続

① **個人施行者**の場合（72条・7条の13）

　　権利変換計画の認可を申請しようとする場合は、その者以外に施行地区内の宅地又は建物について権利を有する者があるときは、**これらの者の同意**を得なければならない。

② **個人施行者以外の施行者**の場合（83条）

　　権利変換計画を定めようとするときは、権利変換計画を**2週間公衆の縦覧に供しなければならない**。施行地区内の宅地又は土地に定着する物件について権利を有する者等は、**縦覧期間内**に施行者に対して**意見書を提出**することができる。

(注) 施行者は、**権利変換計画を定め**又は変更しようとするときは、**審査委員の過半数の同意**を得なければならない（84条）。

(6) 権利の変換

① 権利変換期日における権利の変換の効力（87条）

(ア) 施行地区内の**土地** → 新たに所有者となるべき者に**帰属**。この場合において、従前の土地を目的とする**所有権以外の権利**は、都市再開発法に別段の定めがあるものを除き、**消滅**する。

(イ) 施行地区内の**建築物** → 原則として施行者に**帰属**

絶対注意 　**使用貸借権者**には権利変換による取得は認められていない（77条）。

② 施行地区内の従前の**土地を目的とする借地権等の所有権以外の権利**（既
登記の抵当権等を除く）**は権利変換期日に自動消滅する**（87・89条）。そ
して新たな権利が与えられない場合には**権利変換期日までに補償金**を支払
わなければならない（91条）。施行者が過失なく補償金を受けるべき者を
確知できない場合は、施行者は**補償金の支払に代えてこれを供託できる**
（92条）。**権利の変換を希望しない申出等の期間満了日**における近傍類似の
土地、近傍同種の建築物の取引価格等を考慮して定められる（80条）。

③ 土地の明渡し（95・96条）。

権利変換期日において従前の**借地権等の所有権以外の権利は消滅**するが
（既登記の抵当権等を除く）、従前の権利者は、**施行者が通知した明渡期限
までは**、従前の用法に従って**占有を継続**できる。

施行者は、権利変換期日後第一種市街地再開発事業に係る工事のため必
要があるときは、施行地区内の土地、物件を占有している者に対し、期限
を定めて、土地の明渡しを求めることができる。明渡期限は、請求をした
日の翌日から起算して**30日を経過した後の日**でなければならない。

④ 施設建築物の建築等の特例（99条の2・99条の3）

（ア）施設建築物の建築・公共施設の整備、工事等は、原則として、**施行
者がすべて行う**が、例外的に、**特定建築者に行わせることができる。**

（イ）権利変換計画において施行者以外の所有者等が施設建築物の全部を
取得するように定められていないことが要件。

⑤ 担保権の処理（89条）

施行地区内の宅地、借地権又は建築物について存する**担保権等の登記に
係る権利**は、権利変換期日以後は権利変換計画の定めるところに従い、施
設建築敷地若しくはその共有持分、又は施設建築物の一部等に関する**権利
の上に存する**ものとする。

(7) **登 記**

① **施行者**は、**権利変換期日後遅滞なく**、施行地区内の土地につき、従前の
土地の表題部の登記の抹消及び新たな土地の表題登記並びに権利変換後の
土地に関する権利について必要な登記を**申請し又は嘱託**しなければならな
い（90条）。

② **施行者**は、施設建築物の建築工事が完了したときは、**遅滞なく**、施設建
築物及び施設建築物に関する権利について必要な**登記を申請し又は嘱託**し
なければならない（101条）。

(8) 第一種市街地再開発事業により施行者が取得した施設建築物の一部等（保
留床）は、**原則として、公募により賃貸し又は譲渡**しなければならない。た
だし、施行地区内に宅地、借地権若しくは権原に基づき存する建築物を有する
者又は施行地区内の建築物について借家権を有する者の居住又は業務の用に供
する等のときは、**公募によらずに賃貸し、又は譲渡できる**（108条）。

B 8 　権利変換手続の特則 ㊙ R1・6年

(1) 全員同意型の権利変換（110条）

　施行者は、施行地区内の土地又は物件に関し**権利を有する者・特定事業参加者全員の同意**を得たときは、一定の規定(注)によらないで権利変換計画を定めることができる。

（注）ex. ① **個人以外の施行者が権利変換計画を定めようとするときの2週間公衆の縦覧に供しなければならない規定**

　　　　 ② **一個の施設建築物の敷地は一筆の土地となる規定**

　　　　 ③ **施設建築敷地には施設建築物所有目的の地上権が設定される規定**

(2) 地上権非設定型の権利変換（111条）

　権利変換計画を定めることが適切でないと認められる**特別の事情**（ex. 施行地区内の宅地の所有者の大半が権利変換を希望しないで転出する場合等）がある場合、施設建築敷地に地上権が設定されないものとして権利変換計画を定めることができる。

B 9 　第二種市街地再開発事業 ㊙ R5年

(1) 施行できる場合	安全上又は防火上支障がある建築物が密集し、**災害の発生**のおそれがあり、環境が不良な場合や重要な公共施設を**早急に整備**する必要がある場合等
(2) 管理処分方式	従前の宅地の所有権、借地権又は建築物の所有権を施行者が**買収**し、各権利者はその代償として、建築施設の部分を譲り受けることを希望する旨の申出をする方法（118条の2・118条の10）。 (注)権利変換期日に、土地が新たに所有者となるべき者に帰属するとの条文は準用されない。
(3) 土地の収用権	アリ（6条）
(4) 促進区域との関係	市街地再開発促進区域では、施行されない（7条の2）。

A 10 　再開発会社 ㊙ H27・R3・5年

(1) 次の要件のすべてに該当する**株式会社**は、市街地再開発事業の施行区域内の土地について市街地再開発事業を施行できる（2条の2）。

　① **市街地再開発事業の施行を主たる目的**とするものであること。

　② 定款に株式の**譲渡につき取締役会の承認を要する旨の定め**があること。

　③ 施行地区となるべき区域内の宅地について所有権又は借地権を有する者が、総株主の議決権の**過半数を保有**していること。

　④ ③の議決権の過半数を保有している者及び当該株式会社が所有する施行

地区となるべき区域内の宅地の地積とそれらの者が有するその区域内の借地の地積との合計が、その区域内の宅地の総地積と借地の総地積との合計の**3分の2以上**であること。

（注1）再開発会社は、**第一種・第二種市街地再開発事業**をともに施行できる。

（注2）再開発会社は、都市計画で定められた**施行区域内**でのみ、事業を施行でき、**必ず都市計画事業**となる。

(2) 認可までの手続き

① 再開発会社として、市街地再開発事業を施行しようとする者は、規準及び事業計画を定め、**知事の認可**を受けなければならない（50条の2）。

② 規準に、**特定事業参加者**に関する事項を定めることができる。定めようとするときは、原則として特定事業参加者を公募しなければならない（50条の3）。

③ **施行の認可**を申請しようとする者は、**規準及び事業計画**について、施行地区となるべき区域内の宅地について所有権を有するすべての者及びその区域内の宅地について借地権を有するすべての者の**それぞれの3分の2以上の同意**を得なければならない。この場合、同意者が所有するその区域内の宅地の地積と同意者のその区域内の借地の地積との合計が、その区域内の宅地総地積と借地総地積との合計の**3分の2以上**でなければならない（50条の4）。

B **11** 審査委員のまとめ ⊕ H27年

(1) 審査委員の設置義務

① 個人・再開発会社の場合（7条の19・50条の14）

知事の承認を受けて、土地及び建物の権利関係又は評価について特別の知識経験を有し、かつ、公正な判断をすることができる者を**3人以上**選任し、この法律及び規準（又は規約）で定める権限を行わせる。

② 組合の場合（43条）

土地及び建物の権利関係又は評価について特別の知識経験を有し、かつ、公正な判断をすることができる者を**3人以上総会**で**選任**し、この法律及び定款で定める権限を行わせる。

(2) 審査委員の権限（79・84条）

① 権利変換計画の決定・変更→**過半数**の**同意**

② 縦覧に供された権利変換計画の意見書の採否→過半数の同意

③ 床面積が過小となる施設建築物の一部についての調整→過半数の同意

（注）個人・組合・再開発会社のみ

都市再開発法に関する次の記述のうち、誤っているものはどれか。
(1) 市街地再開発組合が施行する第一種市街地再開発事業において、施行地区内の宅地について所有権若しくは借地権を有する者又は施行地区内の土地に権原に基づき建築物を所有する者は、組合設立認可の公告があった日から起算して30日以内に、施行者に対し、権利の変換を希望せず、自己の有する宅地、借地権若しくは建築物に代えて金銭の給付を希望し、又は自己の有する建築物を施行地区外に移転すべき旨を申し出ることができる。
(2) 第二種市街地再開発事業について都市計画に定めるべき施行区域は、その面積が0.5ヘクタール以上のものでなければならない。
(3) 市街地再開発組合が施行する第一種市街地再開発事業においては、その施行地区内の宅地に所有権又は借地権を有する者は、すべてその市街地再開発組合の組合員となる。
(4) 権利変換計画は、施行地区ごとに定めなければならない。
(5) 再開発会社が市街地再開発事業の施行の認可を申請しようとする場合は、規準及び事業計画について、施行地区となるべき区域内の宅地について所有権を有する者すべての者及びその区域内の宅地について借地権を有するすべての者のそれぞれの過半数の同意を得なければならない。

都市再開発法における市街地再開発組合（以下、「組合」という）に関する次の記述のうち、正しいものはどれか。
(1) 組合を事業計画の決定に先立って設立する場合には、設立後事業計画の決定の際に公共施設の管理者又は管理者となるべき者の同意を得ればよいので、組合設立の際には必要ない。
(2) 宅地又は借地権が数人の共有に属するときは、その数人がそれぞれ1人の組合員となる。
(3) 組合が定款を変更するには、総会の議決を経る必要があるが、都道府県知事の認可は必要でない。
(4) 総会の議決による組合の解散は、権利変換計画決定前に限り行うことができる。
(5) 第一種市街地再開発事業の参加組合員については、定款に定める必要はない。

スカイツリーと法隆寺

　スカイツリーの重量は約36,000トンで、工事費や人件費を含め、総事業費は約**650億円**もかかっています。ですから入場料が高いのも納得できます。

	重　量	高　さ
東京スカイツリー	約 36,000 トン	634 メートル
東京タワー	約 3,600 トン	333 メートル
エッフェル塔	約 7,000 トン	324 メートル
ウルトラマン	約 35,000 トン	40 メートル

　では、**耐震性**についてお話しします。スカイツリーのお手本は、**法隆寺五重塔**といわれています。1,300年以上前の世界最古の木造建築物に秘められた知恵と技とは何でしょうか。

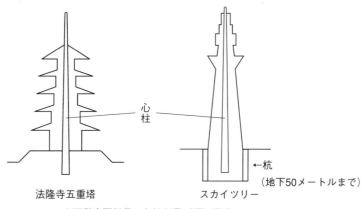

法隆寺五重塔　　　　　スカイツリー

★不動産図鑑⑯・心柱制震（振）構造

　スカイツリーは、**真ん中のコンクリート製の心柱とその回りの鉄塔部分**でできていますが、これらは基本的に**分離**していて、地震のときには別々の揺れ方をするのです。互いに揺れを吸収し合い、最大約50パーセント揺れを低減します。これは、古代人の知恵を参考にしているとされています。

　また、125メートル以上の部分には、制震（振）装置のオイルダンパーを設置しています。法隆寺五重塔に敬意を表し、「**心柱制震（振）構造**」と言われることもあります。

15　土地収用法

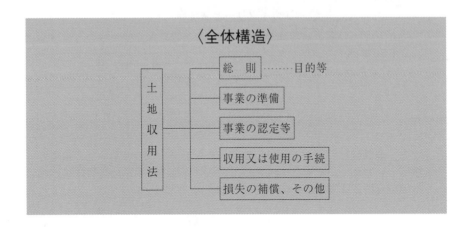

B❶　土地収用ができる事業（3条）㋐ R5年

法3条に掲げる事業で**公共の利益**となるものである。

> **COLUMN**
>
> ### 土地収用法の精神
>
> 　空港、高速道路又は観光施設等をつくるには**広大な土地**が必要です。その場合、**土地所有者から購入するのが望ましい**のですが、土地所有者が「この土地はご先祖様が残してくれた土地だ。絶対に売らん！」と主張したらどうしますか？　確かに言い分は理解できます。でも、それでは、事業ができません。**憲法第29条**では、「**私有財産は、正当な補償の下に、これを公共のために用ひることができる**」と規定されています。そこで、**最終手段**として、土地の収用をするのです。「収用」とは、**強制的に土地を取り上げること**です。しかし、「強制」とはベストの方法ではないですね。そこで、土地収用法では、「なるべく当事者の意思を尊重しよう」という法の精神があり、それがあっせん等🔟です。

B❷　土地収用の当事者（8条）㋐ H29・R1年

(1)　**起業者（収用者）**→ 土地・権利等の収用を必要とする公益事業を行う者
(2)　**土地所有者**→ 収用に係る土地所有者
(3)　**関係人**→ 収用について利害関係を有する者
　なお、以下のものが**収用の対象**となる（2〜7条）。

① 土地
② 土地に関する所有権以外の権利（ex. 地上権・永小作権・質権・抵当権）
③ 鉱業権、温泉利用権、漁業権・入漁権等
④ 立木・建物その他の定着物件
⑤ 定着物件に関する所有権以外の権利
⑥ 土石砂れき

（注）収用できるのは、国、地方公共団体等に限られない。また、買戻権・差押債権者は登記していなければ関係人には含まれない。既に他の公共事業に供されている土地等は、特別の必要がなければ収用できない（4条）。

B 3 事業の認定 ㊤ R5・6年

事業の認定とは、「土地収用という強権」を認めるのに適格な事業であるかを決定する処分である。

(1) 国土交通大臣が行う場合（17条）～下記以外は知事が行う。
  ① 国又は都道府県が起業者である事業
  ② 起業地（事業を施行する土地）が2以上の都道府県の区域にわたる事業
  ③ 1つの都道府県の区域をこえ、又は道の区域の全部にわたり利害の影響を及ぼす事業等で一定のもの

(2) 起業者は、①知事が事業の認定を拒否したとき、②知事が事業認定申請書を受理した日から3カ月を経過しても事業認定の処分をしないとき、国土交通大臣に対して事業の認定を申請できる（27条）。国土交通大臣又は知事は、事業の認定を拒否したときは、遅滞なく、その旨を起業者に文書で通知しなければならない（28条）。

（注）国土交通大臣は申請を受けたときは、公害等調整委員会の意見を聞いた上で自ら処分を行わなければならないが、②の場合、知事に対して、相当な期間を定めて処分を行うことを指示できる。

(3) 起業者は、事業認定を受けようとするときは、一定事項を記載した事業認定申請書及び添附書類を国土交通大臣又は知事に提出しなければならない（18条）。なお、事業認定申請書や添附書類に欠陥があるとき又は手数料未納のとき、国土交通大臣又は知事は、相当な期間を定めて、補正させなければならない。補正をしないときは、国土交通大臣又は知事は、却下しなければならない（19条）（却下に、収用委員会の意見を求める必要ナシ！）。

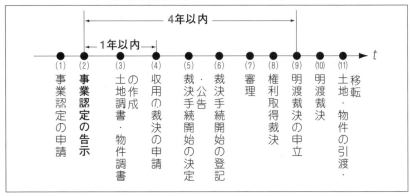

〈土地収用のフローチャート〉

（1）事業認定の申請
（2）**事業認定の告示**
（3）土地調書・物件調書の作成
（4）収用の裁決の申請
（5）裁決手続開始の決定・公告
（6）裁決手続開始の登記
（7）審理
（8）権利取得裁決
（9）明渡裁決の申立
（10）明渡裁決
（11）土地・物件の引渡・移転

1年以内（2→4）
4年以内（2→9）

A **4**　事業認定告示の効果　🔈 H28・29・R3・6年

(1) 関係人の固定（8条）

　　事業認定告示後に新しい権利を取得した者は関係人に含まれ**ない**が、**事業認定告示前からある権利を事業認定告示後に取得した者は含まれる**。

(2) 起業者は、事業認定の告示があったときは直ちに、補償等について土地所有者及び関係人に**周知させるための措置**を講じなければならない（28条の2）。告示後は、何人も知事の許可を受けなければ、起業地について**明らかに事業に支障を及ぼすような形質の変更をしてはならない**（28条の3）。

(3) 事業準備のための立入権（11・35条）

　① 事業認定**告示前 → 知事の許可要**

　② 事業認定**告示後 → 知事の許可不要 →** 立ち入ろうとする日の**3日前までに占有者に通知**しなければならない。

(4) 収用の裁決の申請（39条）

　　起業者は、事業認定の告示の日から**1年以内**に限り、**収用委員会**に対してできる。**土地所有者又は土地に関して権利を有する関係人**（除：担保物権者等）は起業者に対し、起業者が裁決を**申請すべきことを請求できる**。

比　較

> (1) 起業者 → 収用又は使用の裁決の**申請が行える**。
> (2) 土地所有者及び土地に関して権利を有する関係人（除：担保物権者）
> 　 → **起業者**に対し、上記(1)の裁決の**申請をすべきことを請求できる**。

(5) 補償金の支払請求（補償金前払制度）

① 請求権者……土地所有者及び**土地に関し権利を有する関係人**。なお、担保物権者等（ex. **抵当権者、質権者、先取特権者**）は請求できない（46条の2）。

② 請求手続……収用の裁決を**申請すべき旨の請求とあわせて行う**（46条の2）。

③ 支払……支払請求があれば、**起業者**は、原則として、**2カ月以内**に自己の見積りによる補償金（仮補償金）を支払わなければならない。（46条の4）。

絶対注意 収用する土地の**借地人**は請求できるが、その土地の上の**建物の借家人**はできない。

(6) 損失補償の制限（89条）→ **12** 参照

土地所有者又は関係人は、**事業認定の告示後**において、土地の形質の変更、工作物の新・改・増築又は大修繕、物件の附加増置をなしたときは、**知事の承認**を得た以外は、**損失補償の請求はなしえない**。

(7) 土地関係の補償金の額の算定基準日の確定（71条）→ **12** (4)

(8) 協議の確認の申請権の発生（116条）→ **10** フローチャート

〈事業認定のフローチャート〉

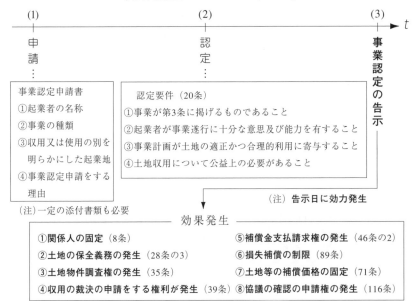

B **5**　事業認定の失効等（29・30・34条、34条の6）⊕ R3年

(1)　事業認定告示日から**1年以内に収用又は使用の裁決**の申請をしないとき

(2)　事業認定告示日から**4年以内に明渡裁決**の申立てがないとき

(3)　収用手続を保留した土地について、事業認定告示日から**3年以内に手続開始**の申立てをしないとき

(4)　事業の廃止、変更により収用の必要がなくなったとき

（注）(1)～(3)については期間満了日の翌日から、(4)については告示日から、**将来に向かって、その効力を失う**。また、(2)の場合、**既にされた裁決手続開始の決定及び権利取得裁決は、取り消されたものとみなす**。

A **6**　土地調書・物件調書　⊕ R2・3・4年

　起業者は、事業認定の告示があった後、**土地調書及び物件調書を作成**しなければならず、また、これに**署名押印**し、土地所有者及び関係人を立ち会わせた上、署名押印させなければならない。なお、土地所有者又は関係人が**立会い及び署名押印を拒んだ者又は署名押印ができない者**がある場合等には、起業者は**市町村長の立会い及び署名押印**を求めなければならない（36条）。

　起業者、土地所有者及び関係人は、作成された土地調書及び物件調書の記載事項の**真否**については、記載事項が真実でない旨の異議の内容を当該調書に付記した者がその内容を述べる場合や記載事項が真実に反していることを**立証するとき等を除き、異議を述べることができない**（38条）。

B **7**　収用手続の保留 ⊕ R4年

　起業者は、起業地の全部又は一部について、事業の認定後の**収用・使用の手続を保留**でき（31条）、保留の手続は、**事業の認定の申請と同時**に行う（32条）。

COLUMN

「損失補償は、申立の範囲内で裁決する」の例

　損失補償申立額が起業者が800万円、土地所有者が1,000万円の場合、収用委員会の評価が700万円でも、収用委員会は800万円の裁決をしなければなりません。評価が1,200万円なら、1,000万円の裁決。

裁　決	
収用委員会の評価　700万円	
起業者の申立額　　　800万円	これの範囲内でする
土地所有者の申立額　　1,000万円	

急に金を払えと言われても…

　事業認定の告示の効果の1つに、補償金の支払請求権があります。しかし、イッキに**「補償金を払ってくれ！」**と多くの土地所有者等が殺到すれば起業者は資金繰りが大変です。そこで、緊急性の高い部分だけ手続を進め、緊急性の低い部分は保留して**補償金の支払請求を回避**できるんです。

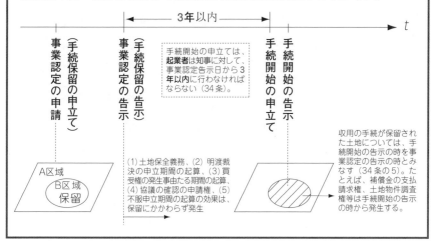

B **8** 　裁　　決　🈡 H29・30年

(1)　収用の裁決（47条の2）

　　却下の裁決をする以外は、収用委員会は収用の裁決をしなければならない。
明渡裁決は、権利取得裁決とあわせて、又は権利取得裁決のあった後に行う。ただし明渡裁決の審理は、権利取得裁決の前に行ってもよい。

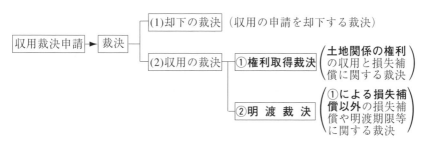

(2)　収用の裁決における規定（48条）

　　①　損失補償は、**起業者・土地所有者・関係人等**の**申立範囲内**でなされる。

---

② 収用委員会は、補償金を受けるべき土地所有者及び関係人の**氏名及び住所**を明らかにして裁決しなければならないが、これらを確知できない場合には、明らかにせずに裁決ができる（土地の区域は明らかにする必要アリ）。また、土地に関する所有権以外の権利に関し争いがある場合は、その**権利があるものとして裁決**し（確定を待ってするのではナイ！）、その権利のないことが確定した場合に、**土地所有者が受けるべき補償金**の裁決をする。

AA **9** 収用委員会 ㊙ H27・28・29・30・R1・2・4年

(1)設置(51条)	知事の所轄の下に設置→ただし独立してその職権を行う。
(2)組織 (52・53条)	委員（鑑定士の資格の有無は不問）7人で組織。2人以上の予備委員。→任期は**3年**
(3)会議・議決 (60条)	収用委員会の会議は、会長が招集し、**会長及び3人以上の委員の**出席がなければ、**会議を開き又は議決ができない**。また、議事は出席者の**過半数**で決し、可否同数のときは会長が決する。
(4)委員の除斥 (61条)	次のいずれかに該当する者は、委員として、収用委員会の会議、審査に加わり又は議決をすることはできない。 ① **起業者、土地所有者**及び**関係人** ② ①の配偶者、**四親等内の親族**、同居の親族等、その他 (注) 四親等内の親族には兄弟姉妹はもちろん、いとこも該当する。
(5)事務の委任 (60条の2)	必要あるときは、審理又は調査に関する事務（除：裁決、決定）の一部を委員に委任できる。
(6)審理 (62・63条)	① **公開しなければならない**が、収用委員会は、審理の公正が害されるおそれがあるとき等は**公開しないことができる**。 ② 起業者、土地所有者及び関係人は、損失補償に関する事項については、**収用委員会の審理**において、**意見書を提出し、又は口頭で意見**を述べることができる。
(7)指揮権 (64条)	会長又は指名委員は、起業者、土地所有者及び関係人が述べる意見、申立、審問等の行為が既に述べた意見又は申立と重複するときは、これを**制限でき**、一定の者に**退場命令**等を行える指揮権がある。
(8)権限 (65条)	収用委員会は、起業者、土地所有者又は関係人による申立が相当であると認めるとき、又は審理や調査のために必要があると認めるときは、次の処分が**できる**。 ① 起業者、土地所有者、関係人又は参考人に出頭を命じて審問し又は意見書、資料の**提出**を命ずること ② 鑑定人に**出頭**を命じて鑑定させること（土地若しくは建物又はこれらの所有権以外の権利の**価格の鑑定**の場合は、**鑑定人のうち最低1人は不動産鑑定士**でなければならず、(4)のいずれかに該当する者であってはならない） ③ 現地について土地又は物件を**調査**すること 鑑定人、参考人に対しては、旅費・手当を支給する。

(9)会 議 (66条)	収用委員会の**裁決の会議は公開**しない。また、裁決は**文書**によって行う。裁決書には会長及び会議に加わった委員が署名押印しなければならないが、土地所有者等に送達する正本には**収用委員会の印章**を押印するだけでよい。

（注）収用委員会には、**審理手続・裁決の促進**及び**遅滞回避の努力義務**がある（46条）。収用委員会の運営については、**土地収用法及びこれに基づく条例**の外、必要な事項について**収用委員会で定める**ことができる（59条）。

過去問チェック㉗ (2001年)

収用委員会に関する次の記述のうち、正しいものはどれか。
(1) 収用委員会は、都道府県及び政令指定都市に設置することが法律上義務付けられている。
(2) 収用委員会の委員のうち、少なくとも1名は不動産鑑定士となる資格を有する者でなければならない。
(3) 土地収用法は、収用委員会の審理の手続を原則として公開しないものと定めている。
(4) 収用委員会は、その審理のための現地調査をすることができない。
(5) 土地を収用する場合において、収用委員会の委員がその土地について抵当権を有するときは、当該委員は、その土地に係る審理に加わることができない。

B 10 あっせん等 ⊕ H29・R1年

(1) あっせん（15条の2〜15条の6）

①ケース	土地等の取得に関する当事者間の合意が成立しない場合
②い つ	**事業認定の告示前**（告示があったら打ち切り）
③誰 が	当事者の双方又は一方が知事に対して申請
④何 を	原則として、**5人のあっせん委員**によるあっせんが行われる。

(2) あっせん後のフローチャート

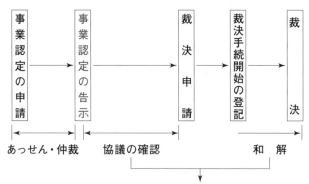

あっせん・仲裁　　協議の確認　　　　　　　和　解

協議の確認又は和解調書の作成により裁決（権利取得裁決・明渡裁決）が
あったものとみなされる（50・121条）。収用委員会は、審理の途中において、何
時でも、起業者、土地所有者及び関係人に和解を勧めることができる（50条）。

c 　買受権（106条）　㊒ H22年（最終）

(1) 買受権の発生
　① 事業認定の告示日から**20年以内**に収用した土地の全部又は一部が不要と
　　なったとき。
　② 事業認定の告示日から**10年を経過**しても収用した土地の全部又は一部を
　　事業の用に供しないとき。
(2) 買受権者
　権利取得裁決で定められた権利取得時期における土地所有者又はその包括
　承継人が、**起業者が支払った補償金相当金額**を現所有者に提供してできる。
(3) 買受権の行使期間
　不要となった時期から**5年**又は事業認定告示日から**20年**のいずれか遅い時期。

COLUMN

買受権とは

　収用された土地は、何らかの事情で、事業廃止や規模縮小で使用されな
いことが意外に多いのです（税金のムダ使いだ!!）。この場合、従前の土地
所有者に優先的に買い受ける（有償）権利を与える制度です。

AA **12**　損失補償　⊕ H27・30・R1・4・5・6年

(1)　補償をする者……**起業者**が行う（68条）。

(2)　補償を受ける者……**土地所有者又は関係人**（68条）

(3)　損失補償の特徴

　　　① **個人払い**……原則として、**各人別**に行う。ただし、各人別に見積もることが困難な場合には、所有者等に一括支払可能（69条）。

（注）土地に借地権が設定され、借地上の建物が賃貸されているようなときは、土地所有者、借地権者、借家人のそれぞれに損失補償を行う。

　　　② **金銭払い**……原則として、**金銭**で行う。例外的に**収用委員会の裁決**により、**替地**、宅地造成等の現物補償がある（70条）。

(4)　補償金の算定

　　　① 事業認定告示時の相当な価格×権利取得裁決時までの物価変動修正率

　　　（ア）**収用、使用する土地**又はその**土地に関する**所有権以外の権利（ex. 地上権）に関する補償（71条）。

　　　（イ）同一の土地所有者に属する一団の土地の**一部を収用**、使用することによって残地の価格が減じたり、残地に損失が生ずるときの補償（74条）。

　　　（ウ）土地を使用する場合、使用方法が土地の形質を変更し、その土地を**原状に復することを困難**にする場合に生ずる損失の補償（80条の2）。

　　　（エ）**土地の使用に代わる収用**の場合の補償（81条）。

（注1）土地とともに建物を収用する場合の建物の補償は、①で計算した額。

（注2）土地の使用で、以下の場合、土地所有者は**土地の収用請求ができる**。

　　　　　⑦　土地の使用が**3年以上**にわたるとき
　　　　　④　土地の使用によって土地の形質を変更するとき
　　　　　⑨　使用する土地に土地所有者の建物があるとき

　　ただし、**空間又は地下を使用する場合で、土地の通常の用法を防げないとき**は土地の収用請求ができない（81条）。

　　　② 明渡裁決時の価格

　　　（ア）移転困難な場合等や**移転料多額**の場合の収用請求権によって物件を収用する場合の補償（78・79条）。

　　　（イ）収用、使用する土地に物件があるときの**移転料**の補償（77条）。

　　　（ウ）同一の土地所有者に属する一団の土地の一部を収用し又は使用することによって、残地に**通路、みぞ、かき、さく**等の新築、改築等をするときは、その**費用の補償義務**がある（75条）が、その場合の補償。

③ 権利取得裁決時の相当の価格 (残地収用)

　　同一の土地所有者に属する一団の土地の一部を収用することによって、**残地を従来利用していた目的に供することが著しく困難**となるため、土地所有者の請求によりその**全部が収用**される場合の土地に関する**所有権以外の権利**に対する補償（76条）。

(5)　収用又は使用する土地に物件があるときは、物件の**移転料を補償して移転させなければならない**が、**物件が分割**されることとなり、その全部を移転しなければ従来利用していた目的に供することが著しく困難となるときは、その所有者は**物件の全部の移転料を請求できる**（77条）。その場合、**物件の移転が著しく困難**であるとき等は、その所有者は、**その物件の収用を請求できる**（78条）。また、移転料が移転しなければならない物件に相当するものを取得するのに要する価格をこえるときは、起業者は、その物件の収用を請求できる（79条）。

(6)　**土地所有者又は関係人（担保物権者等を除く）**は、補償金の全部又は一部に代えて**替地による損失の補償**を収用委員会に要求できる（82条）。

(7)　同一の土地所有者に属する一団の土地の一部を収用、使用する場合において、その事業の施行により**残地の価格の増加その他の利益**が生じても、その**利益を収用、使用によって生ずる損失と相殺してはならない**（90条）。

(8)　起業者は、権利取得裁決において定められた権利取得の時期までに、権利取得裁決に係る補償金等の払渡、替地の譲渡及び引渡又は宅地の造成をしなければならない。ただし、補償金等を受けるべき者がその**受領を拒んだとき**等においては、権利取得の時期までに**補償金等を供託**できる（95条）。

B 13　その他の規定 ⊞ H27年

(1)　**土地を収用**するとき、原則として、**権利取得時期において借地権等の権利は消滅**する（101条）。すなわち、Aの土地を収用する場合、Bの借地権をあらためて収用する必要はない。

A：土地所有者
B：借地権者
　　（関係人）

(2)　権利取得裁決又は明渡裁決があった後に、収用し、若しくは使用すべき土地又は収用すべき物件が土地所有者又は関係人の責に帰することができない事由によって滅失し、又は毀損したときは、その滅失又は毀損による損失は、**起業者の負担**とする（103条）。

(3)　収用委員会の裁決に**不服**がある者は、**国土交通大臣**に、審査請求ができる（129条）。

(4)　収用委員会の裁決についての審査請求においては、**損失の補償についての不服は、裁決の審査請求の不服理由とはならない**（132条）。

(5)　収用委員会の裁決のうち**損失の補償**に関して訴を提起する場合は、提起者が起業者であるときは土地所有者又は関係人を、土地所有者又は関係人であ

るときは**起業者をそれぞれ被告とし**、裁決書の正本の送達を受けた日から**6カ月以内**に**提起しなければならない**（133条）。

過去問チェック㉘　　　　　　　　　　　　　　　　　　（2021年）

　土地収用法（以下この問において「法」という）に関する次のイからホまでの記述のうち、正しいものの組合せはどれか。

イ　起業者は、法第26条第1項の規定による事業の認定の告示があったときは、直ちに、国土交通省令で定めるところにより、土地所有者及び関係人が受けることができる補償その他国土交通省令で定める事項につき、土地所有者及び関係人に周知させるため必要な措置を講じなければならない。

ロ　起業者が、法第26条第1項の規定による事業の認定の告示があった日から1年以内に法第39条第1項の規定による収用又は使用の裁決の申請をしないときは、事業の認定は、その告示があった日に遡って効力が消滅する。

ハ　権利取得裁決又は明渡裁決があった後に、収用し、若しくは使用すべき土地又は収用すべき物件が土地所有者又は関係人の責に帰することができない事由によって滅失し、又は毀損（きそん）したときは、その滅失又は毀損による損失は、起業者の負担とする。

ニ　起業者は、土地を使用する場合において、その期間が満了したとき、又は事業の廃止、変更その他の事由によって使用の必要がなくなったときは、いかなる場合も、遅滞なくその土地を原状に復した上で、土地所有者又はその承継人に返還しなければならない。

ホ　起業者、土地所有者及び関係人は、法第36条から第37条の2までの規定によって作成された土地調書及び物件調書に記載されている事項については、真実に合致しているとの推定力が与えられるため、その真否について、いかなる場合も異議を述べることができない。

(1)　イとハ
(2)　イとニ
(3)　ロとハ
(4)　ロとホ
(5)　ニとホ

16 不動産の鑑定評価に関する法律

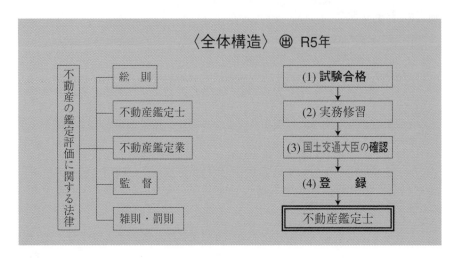

〈全体構造〉 ⊕ R5年

不動産の鑑定評価に関する法律
- 総　則
- 不動産鑑定士
- 不動産鑑定業
- 監　督
- 雑則・罰則

(1) **試験合格**
↓
(2) 実務修習
↓
(3) 国土交通大臣の**確認**
↓
(4) **登　録**
↓
不動産鑑定士

B■1　目　的 ⊕ H27年

　不動産の鑑定評価に関し、不動産鑑定士及び不動産鑑定業について必要な事項を定め、もって**土地等の適正な価格の形成に資する**ことである。

AA■2　用　語（2・52・55条）⊕ H27・29・30・R1・5年

(1)　不動産の鑑定評価

　　不動産（土地、建物の**所有権、所有権以外の権利**）の経済価値を判定し、その結果を価額に表示すること。

（注）次の場合は、上記(1)の定義に該当しても、**本法の規制を受けない。**

　① **農地、採草放牧地、森林の取引価格**（農地、採草放牧地、森林以外のものとするための取引に係るものを除く）を評価するとき。

　② **損害保険目的的の建物の保険価額**又は**損害てん補額**を算定するとき。

　③ **建築士法による建築士事務所の業務**として、建物につき鑑定するとき。

　　また、地価公示法による標準地の鑑定評価も本法の規制を受けない。

　　一筆の土地でなくてもよい。また、建物は独立の不動産として登記できないものでもよく、建物の一部でもよい。所有権以外の権利とは、**地上権**、永小作権、地役権、質権、賃借権、使用貸借による権利、採石権等であり、当然**借地権や区分地上権も含まれる。**

(2)　不動産鑑定業

　　他人の求めに応じ報酬を得て、不動産の鑑定評価を業として行うこと。

（注）自ら行うか他人を使用して行うかは問わない。報酬を得ない場合は、不動

産鑑定業に該当しない。

　　他人の求めとは、不特定多数の者からの依頼であり、業として行うとは、反復継続して行うこと。営利性は問わない。
(3)　不動産鑑定業者

　　本法24条の規定により国土交通大臣又は知事の登録を受けた者をいう。不動産鑑定士でも、業者の登録を受けなければ、鑑定業を営んではならない。

AA **3**　　不動産鑑定士　㊟ H27・28・R1・4・5年

(1)　登録権者……**国土交通大臣**（15条）

　　不動産鑑定士となる資格を有する者が、不動産鑑定士となるには、**国土交通省に備える**不動産鑑定士名簿に、氏名、生年月日、**住所**その他国土交通省令で定める事項の登録を受けなければならない。なお、**登録に有効期間はナイ！**

(2)　欠格事由（16条）～次のいずれかに該当する者は**登録不可**。

　　①　**未成年者**、破産手続開始の決定を受けて復権を得ない者等。

　　②　禁錮以上の刑に処せられた者で、その**執行を終わり、又は執行を受けることがなくなった日**から**3年**を経過しないもの。

　　③　公務員で懲戒免職の処分を受け、その処分の日から**3年**を経過しない者。

　　④　**偽りその他不正の手段により登録を受けた**ことが判明し登録の消除を受け、又は**懲戒処分として登録消除の処分**を受け、処分の日から**3年**を経過しない者。

　　⑤　懲戒処分として鑑定評価の禁止処分を受け、その期間内に申請により登録が消除され、まだ禁止期間が満了しない者。

(3)　**登録事項（ex. 住所）に変更**があったときは、遅滞なく、**変更の登録を国土交通大臣**に申請しなければならない（18条）。

(4)　以下の事由に該当するときは国土交通大臣に届け出なければならない（19条）。

事　　　　由	届け出るべき者	期　　限
① 死亡したとき	相　　続　　人	事実を知った日から30日以内
② **心身の故障**で業務を適正にできなくなったとき	本人・法定代理人・同居親族	その日から**30日以内**
③ 復権を得ない破産者、(2)②～③までのいずれかに該当するに至ったとき	本　　　　人	

(5)　国土交通大臣は、次のいずれかの場合には、**登録を消除しなければならない**（20条）。

　　①　本人から登録の消除の申請があったとき。

　　②　(4)の届出があったとき、又は**届出はないが(4)に該当する事実が判明**したとき。

　　③　**偽りその他不正の手段により登録を受けた**ことが判明したとき。

　　④　不正により不動産鑑定士試験の合格の決定を取り消されたとき。

(6)　不動産鑑定士は、**良心に従い、誠実に**不動産の鑑定評価等業務を行うとともに、不動産鑑定士の**信用を傷つけるような行為**をしてはならない（5条）。

AA **4**　**不動産鑑定業者**　㊜ H27・28・29・30・R1・2・3・4・6年

(1)　登録権者（22条）→ 知事（**2以上の都道府県に事務所設置→国土交通大臣**）
　　　不動産鑑定業を営もうとする者は、2以上の都道府県に事務所を設ける者にあっては、国土交通省に、その他の者にあってはその事務所の所在地の属する都道府県に備える**不動産鑑定業者登録簿**に登録を受けなければならない。

絶対注意　自らが不動産鑑定士でも鑑定業者の登録必要。登録事項に**変更がなくても更新の登録が必要**。また、A県知事の登録を受けた業者でも、B県内で土地等の鑑定評価ができる。登録の有効期間は、鑑定業者は5年、鑑定士は消除されない限り一生有効！

(2)　有効期間 → 新規・更新後共**5年**（**更新は期間満了日前30日まで**に申請書を提出して行う。更新申請後、有効期間満了日までに処分がなされないときは、従前の登録は**有効期間満了後も処分がなされるまで有効**（22条））

(3)　登録申請書の記載事項（23条）
　　①　**名称又は商号**　②　個人 → その**氏名**、法人 → その**役員の氏名**
　　③　事務所の**名称及び所在地**　④　事務所ごとの**専任の不動産鑑定士の氏名**

(4)　登録拒否事由（25条）〜**被保佐人**は入っていない。
　　①　登録申請者が次のいずれかに該当する者であるとき。
　　　(ア)　破産手続開始の決定を受けて復権を得ない者
　　　(イ)　禁錮以上の刑に処せられ又は本法に違反し若しくは不動産の鑑定評価に関し罪を犯して罰金刑に処せられ、その執行を終わり又は執行を受けることがなくなった日から**3年を経過しない者**
　　　(ウ)　**3**(2)④又は⑤に該当する者
　　　(エ)　**偽りその他不正手段による登録が判明**し又は監督処分として登録を消除され、その登録消除の日から**3年を経過しない者**
　　　(オ)　監督処分として業務停止命令を受け、その停止期間内に不動産鑑定業を廃止して登録が消除され、まだその期間が満了しない者
　　　(カ)　営業に関し成年者と同一の行為能力を有しない未成年者又は成年被後見人で、法定代理人（法人なら役員）が(ア)〜(オ)の一つに該当するもの

絶対注意　未成年者でも不動産鑑定業者の登録は可能！

　　　(キ)　法人でその**役員のうちに**(ア)〜(オ)の一つに該当するもののある者
　　②　登録申請書又は添附書類に**重要な事項について虚偽の記載等**があるとき。

(5)　**登録換え**（26条）〜事務所の新設廃止等で登録権者が変更する3パターン
　　①　国土交通大臣の登録→A県知事の登録
　　②　**A県知事の登録→国土交通大臣の登録**
　　③　A県知事の登録→B県知事の登録
　　　変更事由が生じる前に行うことに注意。廃業等の届出は不要。

(6) **登録事項に変更**があったときは、**遅滞なく**、登録権者に変更事項を記載した申請書を提出して行う（27条）。

(7) **毎年1回**、一定の時期に、次の書類を**国土交通大臣又は知事に提出**しなければならない（28条）。当該書類は、提出後不動産鑑定業者**登録簿**等とともに、国土交通大臣及び知事が、**公衆の閲覧**に供さなければならない（31条）。
　① 過去1年間の事業実績の概要を記載した書面
　② 事務所ごとの不動産鑑定士の変動を記載した書面、その他

絶対注意　「3年に1回、過去3年間の…」というヒッカケが出るので注意！
　　　　　　　不動産鑑定士登録簿の閲覧制度はナイ！

(8) 廃業等の届出
　　次のいずれかに該当するときは、**登録権者にその旨を届け出**なければならない（29条）。

事　　　由	届け出るべき者	期　　限
① 不動産鑑定業を**廃止**したとき	個人又は法人を代表する役員	その日から**30日以内**
② 死亡したとき	**相　続　人**	知った日から**30日以内**
③ 法人が破産手続開始の決定により解散したとき	破産管財人	その日から**30日以内**
④ 法人が合併により解散したとき	法人を代表する**役員**であった者	
⑤ 法人が③又は④以外の理由により解散したとき	清　算　人	
⑥ (4)①(ア)〜(ウ)、(カ)又は(キ)に該当するに至ったとき	不動産鑑定業者	

(9) 登録権者は、次の場合には、**登録を消除**しなければならない（30条）。
　① **廃業等の届出**があったとき又はその事実が判明したとき。
　② 登録の有効期間満了の際、**更新の登録の申請がなかった**とき。
　③ **偽りその他不正手段等による登録**が判明したとき等。
　（注）土地鑑定委員会への報告義務はナイ。

(10) 不動産鑑定業者の登録を受けない者は、**不動産鑑定業を営んではならない**（33条）。違反者は**1年以下の懲役**若しくは**100万円以下の罰金**に処せられ、又はこれを併科される（57条）。

(11) 国土交通大臣及び知事は、**不動産鑑定業者登録簿**、(7)①の書面等法で定める書類を**公衆の閲覧**に供さなければならない（31条）。

163

AA **5**　　業務規制　Ⓗ H27・28・29・R1・2・3・4・6年

(1) 専任の不動産鑑定士の設置義務（35条）

　　不動産鑑定業者は、**事務所ごとに、専任の不動産鑑定士を1人以上置く必要**があるが、不動産鑑定業者が不動産鑑定士で、**自ら鑑定評価業務に従事する事務所については、設置義務はない**（逆に、自分が不動産鑑定士の資格を持っていなくても**開業できる**）。上記の要件を欠いた場合には、2週間以内に設置義務に適合させる措置をとらなければならない。

(2) 不動産鑑定士でない者による鑑定評価の禁止（36条）

　　不動産鑑定士でない者は、不動産鑑定業者の業務に関し、**不動産の鑑定評価を行ってはならない**。また、不動産鑑定業者は、その業務に関し、不動産鑑定士でない者や鑑定評価禁止処分を受けた不動産鑑定士に鑑定評価を行わせてはならない。

(3) 秘密保持義務（6・38条）

　　不動産鑑定業者及び不動産鑑定士は、正当な理由がある場合を除き、業務上知り得た**秘密を漏らしてはならない**（業務に従事しなくなった後も）。

(4) 知識技能維持努力義務（講習受講義務はナシ）

　　不動産鑑定士は、鑑定評価等業務に**必要な知識及び技能の維持向上に努め**なければならない（7条）。

(5) **鑑定評価書**に関する義務（39条）

　① **不動産鑑定業者**は、不動産の鑑定評価の依頼者に、**交付しなければならない**（依頼者が交付を望まない場合でも）。

　② 記載事項

　　(ア) 鑑定評価額　　　　　　　　(エ) 価格時点・鑑定評価を行った年月日
　　(イ) 対象不動産等の表示　　　　(オ) 鑑定評価額決定の理由と要旨
　　(ウ) 依頼目的、鑑定評価の条件等　(カ) 不動産鑑定士と対象不動産等の権利者との関係

　③ 鑑定評価書には、その不動産の鑑定評価に**関与した不動産鑑定士（関与したすべての者、専任か否かにかかわらず）が、その資格を表示して署名**しなければならない。

(6) 書類の保存義務（39条・施行規則38条）。

　　不動産鑑定業者は、次の書類を5年間保存（提出は不要！）しなければならない（鑑定評価額の大小にかかわらず保存義務アリ）。

　① 鑑定評価書の写し

　② **対象不動産等を明示する図面、写真等**

　┌─▷ 鑑定理論への道

　⑥ 不動産鑑定士は、いかなる場合においても、その職務上取り扱ったことについて知り得た秘密を他に漏らしてはならない（2009年）。→×正当な理由があれば漏らしてもよい。

AA **6**　処　分　㊤ H27・28・29・30・R1・2・3・4・5・6年

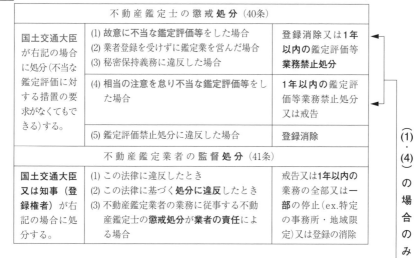

不動産鑑定士の懲戒処分（40条）		
国土交通大臣が右記の場合に処分（不当な鑑定評価に対する措置の要求がなくてもできる）する。	(1) 故意に不当な鑑定評価等をした場合 (2) 業者登録を受けずに鑑定業を営んだ場合 (3) 秘密保持義務に違反した場合	登録消除又は1年以内の鑑定評価等**業務禁止処分**
	(4) 相当の注意を怠り不当な鑑定評価等をした場合	**1年以内の鑑定評価等業務禁止処分又は戒告**
	(5) 鑑定評価禁止処分に違反した場合	登録消除
不動産鑑定業者の監督処分（41条）		
国土交通大臣又は知事（登録権者）が右記の場合に処分する。	(1) この法律に違反したとき (2) この法律に基づく**処分**に**違反**したとき (3) 不動産鑑定業者の業務に従事する不動産鑑定士の**懲戒処分**が**業者の責任**による場合	戒告又は**1年以内の**業務の全部又は**一部の停止**（ex.特定の事務所・地域限定）又は登録の消除

(1)・(4)の場合のみ

AA **7**　処分の手続（43・44条）　㊤ H27・30・R3・5・6年

聴 聞	→	参考人の意見聴取	→	土地鑑定委員会への意見聴取義務	→	処 分	→	公 告
原則として		必要ある場合		しなければならない				

絶対注意　業者の処分には**意見聴取は不要**！

比　較

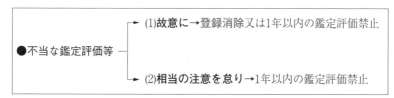

●不当な鑑定評価等
- (1)**故意に**→登録消除又は1年以内の鑑定評価禁止
- (2)**相当の注意を怠り**→1年以内の鑑定評価禁止

　鑑定理論への道
⑦　不動産鑑定士には、不動産の鑑定評価に当たっては、自己又は関係人の利害の有無その他いかなる理由にかかわらず、公平妥当な態度を保持することが求められるが、公平妥当な態度を保持した結果でも、鑑定評価の手順における各種の判断の相違等により、不動産鑑定士によって鑑定評価額が異なることがある（2011年）。→ ○

(1)　不動産鑑定士が（不動産鑑定業者の業務に関し）、不当な鑑定評価等を行ったことを疑うに足りる事実があるときは、**何人も、国土交通大臣**又はその**不動産鑑定士がその業務に従事する不動産鑑定業者**が登録を受けた知事に対し、適当な措置をとるべきことを求めることができる（42条）。

絶対注意　要求できるのは利害関係者だけではナイ！　土地鑑定委員会に要求できるのではナイ！

(2)　報告、助言等

　　国土交通大臣又は知事は、不動産鑑定業の適正な運営を確保等するため必要があると認めるときは、次のことができる。

	報告・立入検査 (45条)	助 言 ・ 勧 告 (46条)
国 土 交 通 大 臣	すべての**業者**に対して	登録した**業者**に対して
知　　　事	登録した**業者**に対して	登録した**業者**に対して

絶対注意　「知事は助言のみできる」というヒッカケが出るが、勧告等もできるのでマチガイ。

(3)　不動産鑑定士の品位の保持及び資質の向上を図り、あわせて不動産の鑑定評価に関する業務の進歩改善を図ることを目的とする一定の社団又は財団は、**国土交通大臣又は知事**に対して一定事項を届け出なければならない（48条）。

(4)　不動産鑑定士でない者は、不動産鑑定士の**名称を用いてはならない**（**罰金アリ**）（54条）。

(5)　不動産鑑定士は、不動産鑑定士の名称を用いて、不動産の客観的価値に作用する諸要因に関して**調査**若しくは**分析**を行い、又は不動産の利用、取引若しくは**投資**に関する**相談**に応じることを**業とすることができる**。ただし、他の法律においてその業務を行うことが制限されている事項については、この限りではない（3条）。

(6)　不動産鑑定士は、**鑑定評価等**業務に必要な知識及び技能の維持向上に努めなければならない（7条）。鑑定業者の研修義務はナイ！

(7)　不動産鑑定士試験に**合格**した者で、実務講習機関が行う**実務修習**のすべての課程を**修了**し、**国土交通大臣が実務修習を修了したことの確認を行った者**は、国土交通省に備える不動産鑑定士名簿に**登録を受ける**ことで**不動産鑑定士となる**（4・14条の2・15条）。

　不動産の鑑定評価に関する法律（以下この問において「法」という）に関する次の記述のうち、正しいものはどれか。

(1)　法は、不動産の鑑定評価に関し、不動産鑑定士及び不動産鑑定業について必要な事項を定めるとともに、不動産鑑定業の健全な発達を促進することを目的としている。

(2)　国土交通大臣が法第41条に基づく不動産鑑定業者に対する監督処分をしようとする場合は、土地鑑定委員会の意見を聴かなくてもよい。

(3)　不動産鑑定士が不当な不動産の鑑定評価を行ったことを疑うに足りる事実があるときは、何人も、土地鑑定委員会に対し、資料を添えてその事実を報告し、適当な措置をとるべきことを求めることができる。

(4)　宅地とするための農地の取引価格を評価する行為は、法にいう不動産の鑑定評価に含まれない。

(5)　不動産鑑定業者は、正当な理由なく、その業務上取り扱ったことについて知り得た秘密を他に漏らしてはならないが、不動産鑑定業を廃止して5年を経過した後においては、この限りではない。

鑑定理論への道

⑧　不動産の鑑定評価とは、不動産鑑定士が、正常価格を的確に把握する作業に代表される仕事である（2011年）。→ ○

⑨　不動産の鑑定評価は、その不動産の価格の形成過程を追究し、分析することを本質とするものである（2011年）。→ ○

⑩　不動産鑑定士には、高度な知識を体得するために、不断の勉強と研鑽が求められるが、体得すべき高度な知識には、国際的な金融・資本市場の状態や、国際的な会計制度などの分野も含まれる（2011年）。→ ○

⑪　不動産鑑定士は、土地基本法に規定されているとおり、良心に従い、誠実に不動産の鑑定評価を行い、専門職業家としての社会的信用を傷つけるような行為をしてはならない（2009年）。→ ×土地基本法ではなく、不動産の鑑定評価に関する法律である。

17 文化財保護法

c**1** 文化財の定義（2条）

(1) 有形文化財

　建造物、絵画、彫刻、工芸品、書跡、典籍、古文書その他の有形の文化的所産で我が国にとって歴史上又は芸術上価値の高いもの（これらのものと一体をなしてその価値を形成している土地その他の物件を含む）並びに考古資料及びその他の学術上価値の高い歴史資料

(2) 無形文化財

　演劇、音楽、工芸技術その他の無形の文化的所産で我が国にとって歴史上又は芸術上価値の高いもの

(3) 民俗文化財

　衣食住、生業、信仰、年中行事等に関する風俗慣習、民俗芸能、民俗技術（無形民俗文化財）及びこれらに用いられる衣服、器具、家屋その他の物件（有形民俗文化財）で我が国民の生活の推移の理解に欠くことのできないもの

(4) 記念物

　貝塚、古墳、都城跡、城跡、旧宅その他の遺跡で我が国にとって歴史上又は学術上価値の高いもの、庭園、橋梁、峡谷、海浜、山岳その他の名勝地で我が国にとって芸術上又は観賞上価値の高いもの並びに動物（生息地、繁殖地及び渡来地を含む）、植物（自生地を含む）及び地質鉱物（特異な自然の現象の生じている土地を含む）で我が国にとって学術上価値の高いもの

(5) 文化的景観

　地域における人々の生活又は生業及び当該地域の風土により形成された景観地で我が国民の生活又は生業の理解のため欠くことのできないもの

(6) 伝統的建造物群

　周囲の環境と一体をなして歴史的風致を形成している伝統的な建造物群で価値の高いもの

B**2** 文化財の指定等 ⊕ R2・6年

(1) **文部科学大臣**は、**有形文化財**のうち重要なものを**重要文化財に指定**し、また、**重要文化財**のうち世界文化の見地から価値の高いもので、**たぐいない国民の宝たるものを国宝に指定**できる（27条）。**重要文化財に指定された建造物を取得（所有権を移転）した場合は、新所有者は20日以内に文化庁長官に届け出**なければならない（32条）。

(2) **文部科学大臣**は、無形文化財のうち重要なものを**重要無形文化財に指定**できる。

(3) **文部科学大臣**は、有形の民俗文化財のうち特に重要なものを**重要有形民俗**

文化財に、無形の民俗文化財のうち特に重要なものを**重要無形民俗文化財**にそれぞれ**指定**できる（78条）。
(4) **文部科学大臣**は、記念物のうち重要なものを**史跡、名勝、天然記念物**に指定し、また、史跡、名勝、天然記念物のうち特に重要なものを、それぞれ**特別史跡、特別名勝、特別天然記念物に指定**できる（109条）。
(5) **文部科学大臣**は、伝統的建造物群及びこれと一体をなしてその価値を形成している環境を保存するため市町村が定める地区（**伝統的建造物群保存地区**）のうち、その価値が特に高いものを、市町村の申出に基づき、**重要伝統的建造物群保存地区に選定**できる（142・144条）。

AA **3**　文化財についての規制　⊕ H27・28・29・30・R1・2・3・4・6年

(1) **重要文化財**
　① 重要文化財がき損したときは、所有者（管理責任者又は管理団体がある場合は、その者）は、事実を知った日から**10日以内**に文化庁長官に届け出なければならない（33条）。
　② 重要文化財（含：国宝）の修理は、所有者が行うが、管理団体がある場合は**管理団体**が行う（34条の2）。
　③ **文化庁長官**は、国宝がき損している場合、その保存のため必要があると認めるときは、所有者又は管理団体に対し、その修理について必要な**命令**又は勧告（国宝以外の重要文化財なら**勧告**）ができる（37条）。
　④ **重要文化財に指定された建造物の現状変更又はその保存に影響を及ぼす行為**をしようとするときは、**原則として、文化庁長官の許可を受けなければ**ならない（43条）。
　⑤ 重要文化財に指定された建造物を**修理**するときは、一定の場合を除き、所有者又は管理団体は、修理に着手しようとする日の**30日前**までに、**文化庁長官**にその旨を届け出なければならない（43条の2）。
　⑥ **文化庁長官**は、重要文化財の保存のため必要があると認めるときは、地域を定めて一定の行為を制限し、禁止できる。この制限禁止による損害については、**補償を行う**（45条）。
　⑦ **重要文化財の有償譲渡**をしようとする者は、まず文化庁長官に**国に対する売渡の申出**をしなければならず、**申出後30日以内に文化庁長官**が買取通知をすれば、予定対価相当額で売買が成立したものとみなす（46条）。
　⑧ 重要文化財の**所有者が変更**したときは、当該重要文化財に関して本法に基づき行われた文化庁長官の命令、勧告、指示その他の処分による旧所有者の権利義務は、**新所有者が承継する**（56条）。
(2) **埋蔵文化財**
　① **地下や水底に埋蔵されている文化財を埋蔵文化財**として、保護している。埋蔵文化財を発掘調査しようとする者は、原則として、**着手日の30日前**までに、**文化庁長官**（都道府県等の教育委員会）**に届け出**なければならない。

また、埋蔵文化財の保護上特に必要があると認めるときは、**文化庁長官**（都道府県等の教育委員会）は、**届出に係る**発掘に関し必要な事項及び報告書の提出を指示し、又はその発掘の禁止、停止若しくは中止を**命ずることができる**（92条）。
②　周知の**埋蔵文化財包蔵地**において、土木工事その他埋蔵文化財の調査以外の目的で発掘しようとする者は、原則として、発掘に着手する**60日前**までに、**文化庁長官に届け出**なければならない。埋蔵文化財の保護上特に必要があると認めるときは、**文化庁長官**（都道府県等の教育委員会）は届出に係る発掘に関し、当該発掘前における埋蔵文化財の**記録作成のための発掘調査**の実施その他必要な事項を**指示できる**（93条）。
③　貝づか、住居跡・古墳等の発見者は、現状を変更しないで遅滞なく、届出をしなければならない。土地の所有者又は占有者が出土品の出土等により貝塚、住居跡、古墳その他遺跡と認められるものを発見したときは、調査に当たって発見した場合を除き、原則としてその**現状を変更することなく**、遅滞なく、その旨を**文化庁長官**（都道府県等の教育委員会）に届け出**なければならない**。
　文化庁長官（都道府県等の教育委員会）は、届出があった場合等において、届出に係る遺跡が重要で、かつ、その保護のため調査を行う必要があると認めるときは、その土地の所有者又は占有者に対し、**3カ月以内の期間及び区域を定めて**、その現状を変更することとなるような**行為の停止又は禁止を命ずる**ことができる。期間は、1回に限り延長できる（通算6カ月まで）（96条）。

(3)　**伝統的建造物群保存地区**
　伝統的建造物群保存地区は、**都市計画区域又は準都市計画区域内**においてはその**市町村**が地域地区に関する都市計画として定め、都市計画区域又は準都市計画区域以外においては**市町村が条例**で定める。伝統的建造物群保存地区の**現状変更**については、政令で定める基準に従い、**市町村の条例で規制**される（143条）。政令で定める基準（同法施行令第4条）とは、①建築物等の新築、増築、改築、移転又は除却、②建築物等の修繕、模様替え又は色彩の変更でその外観を変更することとなるもの、等について、**教育委員会の許可を受ける**というものである。
　文部科学大臣は、**市町村**の申出に基づき、伝統的建造物群保存地区の区域の全部又は一部でわが国にとってその価値が特に高いものを、**重要伝統的建造物群保存地区**として選定できる（144条）。

▷　**鑑定理論への道**
⑫　古代の住居跡は、平野部の微高地など人間の生活に適した場所に多く分布している。したがって、個別的要因のうち「埋蔵文化財の有無及びその状態」は、ある住宅地にこのような埋蔵文化財が存在する場合に、その土地の価格を引き上げる方向に作用する（2011年）。→ ✕引き下げである。

A **4**　**重要文化的景観**　㊹ H30・R5・6年

(1)　**文部科学大臣**は、都道府県又は市町村の申出に基づき、当該都道府県又は市町村が定める景観法上の**景観計画区域又は景観地区内**にある一定の文化的景観のうち特に重要なものを**重要文化的景観**として選定できる（134条）。

(2)　**重要文化的景観**の全部又は一部が**滅失**し、又は**き損**したときは、所有者等は、一定の書面をもって、その事実を知った日から**10日以内に文化庁長官**に届け出なければならない（136条）。

(3)　**重要文化的景観**に関しその**現状を変更**し、又はその保存に影響を及ぼす行為をしようとする者は、原則として、その行為をしようとする**30日前**までに、**文化庁長官**にその旨を届け出なければならない（139条）。

過去問チェック㉚　　　　　　　　　　　　　　　（2003年）

　　文化財保護法に関する次の記述のうち、正しいものはどれか。

(1)　重要文化財に指定された建造物及びその敷地を有償で譲渡するときは、その所有者は文化庁長官の許可を得る必要がある。

(2)　重要文化財に指定された建造物が災害等によってき損した場合に、所有者が行う維持の措置とは、その状態を保持することをいう。

(3)　重要文化財に指定された建造物の屋根形状を変える現状変更をしようとするときは、文化庁長官の許可を受けなければならない。

(4)　伝統的建造物群保存地区内にある伝統的建造物について、建物の修景工事を行う場合には文化庁長官に届出なければならない。

(5)　地方公共団体が指定した文化財建造物の現状を変更しようとする場合には、文化庁長官の許可が必要である。

★不動産図鑑⑰・伝統的建造物群保存地区（神戸異人館通り）

地価を考える

地価とは、土地の所有権の対価です。民法第206条によると、「所有者は、法令の制限内において、自由にその所有物の使用、収益及び処分をなす権利を有す」とあります。つまり、法律の許す範囲で、自分で使ってもいいし（使用）、誰かに貸して地代を得てもいいし（収益）、売却してもいい（処分）のです。

また、同法第207条によると、「土地の所有権は、法令の制限内において、その土地の上下に及ぶ」とあるので、地表だけではなく、上空を貸す（たとえば、首都高速等の高架道路）、地下を貸す（たとえば、地下鉄）ことも可能です。

日本とアメリカの地価総額

	日本		アメリカ（兆ドル）
	兆円	兆ドル	
1970年	163	0.5	0.8
1980年	745	3.7	3.0
1990年	2,477	18.3	5.0

1990年には、日本の国土をすべて売却するとアメリカの国土が3つも購入できるという異常な状況になってきたのです。21世紀になり、国際的な土地売買すなわち外国の土地を買う事例が増加し、それと平行して国際的に活躍する不動産鑑定士が増加してきています。わが国の地価は平成2年をピークに暴落し、その後20年にわたって低迷を続けてきましたが、平成28年地価公示で**8年ぶりに上昇に転じ、平成31年地価公示で住宅地が27年ぶりに上昇に転じました。**そして、令和3年地価公示でコロナ禍で下落に転じましたが、令和4年地価公示で2年ぶりに上昇しました。しかし、コロナの影響はまだ残っており、商業地で全国一下落したのが大阪市中央区です（インバウンドが十分に戻っていなかったので）。逆に、全国一上昇したのが北海道北広島市です。理由は、新庄ビッグボスと日本ハムファイターズのボールパーク開発ではと考えられます。

地価公示価格対前年変動率

（単位：％，▲はマイナス）

		4年	5年	6年	7年	8年	9年	10年	11年	12年	26年	27年	28年	29年	30年	31年	令2年	3年	4年	5年	6年
住宅地	東京圏	▲9.1	▲14.6	▲7.8	▲2.9	▲5.0	▲3.4	▲3.0	▲6.4	▲6.8	0.7	0.5	0.6	0.7	1.0	1.3	1.4	▲0.5	0.6	2.1	3.4
	大阪圏	▲22.9	▲17.1	▲6.8	▲1.9	▲4.3	▲2.2	▲1.5	▲5.2	▲6.1	▲0.1	0.0	0.1	0.0	0.1	0.3	0.4	▲0.5	0.1	0.7	1.5
	名古屋圏	▲5.2	▲8.6	▲6.1	▲4.0	▲3.6	▲2.4	▲3.3	▲1.8		1.1	0.8	0.6	0.8	1.2	1.1	1.0	▲1.0	1.0	2.3	2.8
	地方圏	2.3	▲1.7	▲1.2	▲0.3	▲0.6	▲0.4	▲0.6	▲1.9	▲2.3	▲1.5	▲1.1	▲0.7	▲0.4	▲0.1	0.2	0.5	▲0.3	0.5	1.2	1.2
	全国平均	▲5.6	▲8.7	▲4.7	▲1.6	▲2.6	▲1.4	▲3.8	▲4.1		▲0.6	▲0.4	▲0.2	0.0	0.3	0.6	0.8	▲0.4	0.5	1.4	2.0
商業地	東京圏	▲6.9	▲19.0	▲18.3	▲15.4	▲17.2	▲13.2	▲8.2	▲10.1	▲9.6	1.7	2.0	2.7	3.1	3.7	4.7	5.2	▲1.0	0.7	3.0	5.6
	大阪圏	▲19.5	▲24.2	▲19.1	▲15.3	▲15.8	▲9.9	▲6.8	▲9.6	▲11.3	1.4	1.5	4.1	4.7	6.4	6.9	▲1.8		0.0	2.3	5.1
	名古屋圏	▲7.6	▲13.7	▲11.5	▲12.7	▲12.6	▲8.5	▲6.2	▲12.2	▲7.3	1.8	1.4	2.7	2.5	3.3	4.7	4.1	▲1.7	1.7	3.4	4.3
	地方圏	0.4	▲5.6	▲5.9	▲5.5	▲5.8	▲5.4	▲5.1	▲6.8	▲7.0	▲2.1	▲1.4	▲0.5	▲0.1	0.5	0.1	1.5	▲0.5	0.2	1.0	1.5
	全国平均	▲4.0	▲11.4	▲11.3	▲10.0	▲9.8	▲7.8	▲6.1	▲8.1	▲8.0	▲0.5	0.0	0.9	1.4	1.9	2.8	3.1	▲0.8	0.4	1.8	3.1

18 河川法・海岸法・公有水面埋立法

■河川法■

B 1 用語の定義 ㊙ H28・R6年

(1) 河 川

公共の水流及び水面であり、**1級河川**、**2級河川**及び準用河川がある（4・5・100条）。なお、**湖や沼も含まれる。**

種 類	内 容
1級河川 （4条）	国土保全上又は国民経済上特に重要な水系で政令で指定したものに係る河川で**国土交通大臣が指定**したもの
2級河川 （5条）	1級河川の存する水系以外の水系で公共の利害に重要な関係がある水系に係る河川で、**知事が指定**したもの
準用河川 （100条）	1級河川及び2級河川の存する水系以外の水系に係る河川で**市町村長が指定**したもの

COLUMN

3級河川なんてナイ！ 準用河川だ！

下記の写真を見ると、字がうすくなっていますが、「準用河川貧乏川」と書かれています。貧乏とは、決して差別的な意味ではなく、「水量が少ない」という意味だそうです。しかし、ゲリラ豪雨の後は洪水が発生することがあるので、**神戸市長**の下で管理されています。ちなみに、この川の周辺は、桜の穴場スポットです。

★不動産図鑑⑱
・準用河川

(2) 河川管理者（9・10・100条）
① 1級 → **国土交通大臣**（又は知事・指定都市の長）
② 2級 → **知事**（又は指定都市の長）
③ 準用 → **市町村長**

なお、管理者には、その管理する河川の台帳（河川現況台帳・水利台帳）の調製・保管義務アリ（12条）。

(3) 河川区域（6条）

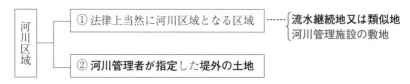

(注1) 河川区域に指定された土地については、河川管理者は**遅滞なくその旨の登記の嘱託**をする必要がある（不動産登記法第43条）。

(注2) 流水は私権の対象とはならない。

(4) 河川管理施設

ダム・堰・水門・堤防等のこと。ただし、**河川管理者以外の者が設置した施設**については、当該施設の管理者の**同意**を得たものに限る（3条）。

また、河川管理施設と河川管理施設以外の施設又は工作物とが相互に効用を兼ねる場合、相互に効用を兼ねる兼用工作物については、**河川管理者及び河川管理者以外の者が協議して別に管理の方法等を定める**ことができる（17条）。

(5) 河川保全区域（54条）

河川区域に隣接する（クロスはしない！）土地（河川区域内ではナイ！）で、河岸又は河川管理施設を保全するため、河川管理者が指定。この指定は**河岸又は河川管理施設の保全のため必要な最小限度の区域に限る**ものとし、かつ、原則として河川区域の境界から**50m以内**。

(6) 河川予定地（56・58条）

河川工事の施行により河川区域となるべき土地で、河川管理者が指定。

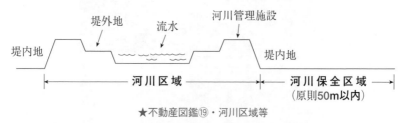

★不動産図鑑⑲・河川区域等

A **2**　規制内容～以下の行為をする場合は河川管理者の許可　⊕ H28・30・R3・6年

区　　域	規　　制　　内　　容	行為制限による損失補償
(1) 河 川 区 域	流水の占用（23条）、**土地の占用**（24条）、**土石等の採取**（25条）、**工作物の新・改築、除却**（26条）。**土地の掘削、盛土又は切土等土地の形状変更行為又は竹木の栽植、伐採**等（27条）	**ナ　シ**
(2) 河川保全区域	土地の掘削、盛土又は切土その他土地の形状を変更する行為、**工作物の新・改築**（55・57条）。工作物の除却は不要	**ア　リ**
(3) 河 川 予 定 地		

(注1)　知事は、その**都道府県の区域内**に存する河川につき、23～25条の許可を受けた者から**流水占用料等を**（指定区間外でも）**徴収**でき、**都道府県の収入**となる（32条）。

(注2)　相続人等は、被相続人等が有していた一定の許可（下記①～⑤）に基づく地位を承継する（33条）。また、一定の許可（下記①～③）に基づく権利は、**河川管理者の承認を受けなければ譲渡できない**（34条）。
　　　　①**流水の占用**　　　②**土地の占用**　　　③**土石等の採取**
　　　　④工作物の新築等　　⑤土地の掘削等

(注3)　**民有地**等河川管理者が権限を有しない土地で、①土地占用、②**土石等採取**（**土地掘削を伴う場合は許可必要**）は許可**不要**（24・25・27条）。

(注4)　**発電のための河川の流水の占用**は、**登録を必要とする**（23条、23条の2）。

B **3**　高規格堤防　⊕ R3年

(1)　河川管理者は、その管理する河川管理施設である堤防のうち、その敷地である土地の区域内の大部分の土地が通常の利用に供されても**計画高水流量**を超える流量の洪水の作用に対して耐えることができる規格構造を有する堤防（以下、**高規格堤防**という）については、その敷地である土地の区域のうち通常の利用に供することができる土地の区域を**高規格堤防特別区域**として指定するものとする（6条）。

(2)　**高規格堤防特別区域内**の土地での次の行為は**許可が不要**（26条・27条）。
　　① **高規格堤防の水の浸透に対する機能を減殺するおそれのない**一定の工作物の新・改築。
　　② 通水施設及び貯水施設で**漏水のおそれのない工作物**の地上又は地表から一定の深さ以内の地下における新・改築。
　　③ 工作物の地上における除却又は工作物の地表から**1m以内の地下**における除却で当該工作物が設けられていた土地を直ちに埋め戻すもの等。
　　④ **盛土**等

175

高規格堤防（スーパー堤防）

　わが国の河川は付近の民家の土地より高い所を流れる**天井川**が多いのです（図1）。もし堤防が決壊すると大被害が出ます。

　そこで、国土交通省では高規格堤防（**スーパー堤防**）の建設計画を進めています。

　スーパー堤防は、背後地に人口・資産が稠密に集積した大都市地域を抱える大河川において、堤防の決壊（破堤）による甚大な被害を回避するために整備する堤防です。

　通常の堤防なら、幅10m前後ですが、スーパー堤防は、300m前後なのです（図2）。これによって、洪水の不安は一気に解消されます。ただ、堤防を300mにしただけでは少し芸がないですよね。そこで、堤防上で土地区画整理事業等を施行して、オフィスビル・住宅・道路・公園等をつくります。陽当たり、見晴らしともに最高です。

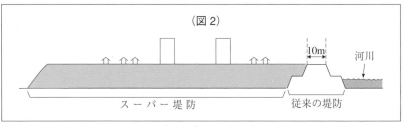

★不動産図鑑㉑・スーパー堤防

　そして、スーパー堤防は、
(1)　堤防上部については通常の土地利用に供することができる
(2)　河川管理者が用地を買収せずに築造する

　という特長を持つ新しいタイプの堤防で国土交通省では、**利根川、江戸川、荒川、多摩川、淀川、大和川を整備河川**とし、計画をすすめています。これらの河川が氾濫すると、日本の人口の6分の1に相当する2,000万人が被災します。**地球温暖化による海水面の上昇や地震による津波が河川を遡上**する可能性があるので、備え急いで建設されるべきです。すでに、淀川と利根川では一部が完成しています。

c 4 その他の規定 ㊥ H19年（最終）

(1) 河川管理者は、河川管理施設が、地下に設けられたもの、建物等の工作物内に設けられたもの等である場合において、当該河川管理施設の存する地域の状況を勘案し、適正かつ合理的な土地利用の確保を図るため必要があると認めるときは、**河川立体区域として指定できる**（58条の2）。

(2) **河川管理者以外の者**も河川管理者の承認を受けて河川工事等が行える（20条）。この場合の費用は、当該**工事を行う者が負担**することになる（69条）。

(3) ①河川工事のためやむを得ない場合、②公益上やむを得ない必要がある場合における許可の取消等の監督処分に対しては**損失補償**をしなければならない（75・76条）。

(4) 河川工事等のため他人の土地を材料置場又は作業場として一時使用することができるのは、その**他人の土地が特別の用途にない場合**である（89条）。したがって、他人の耕作地等については一時使用できない。

過去問チェック㉛　　　　　　　　　　　　　　　（2018年）

> 　河川法、海岸法及び公有水面埋立法に関する次のイからホまでの記述のうち、正しいものの組合せはどれか。
>
> イ　高規格堤防特別区域内の土地において、基礎ぐいの新築をしようとする者は、その新築について、河川管理者の許可を要しない。
>
> ロ　河川区域内の土地を占用しようとする者は、その土地が自らの権原に基づき管理する土地であっても、河川管理者の許可を受けることが必要である。
>
> ハ　河川保全区域内において、工作物の新築又は改築をしようとする者は、政令で定める行為を除き河川管理者の許可を受けなければならないが、工作物の除却をしようとする者については河川管理者の許可を要しない。
>
> ニ　海岸保全区域内の土地を占用する許可を受けた者は、海岸管理者に占用料を徴収されるが、一般公共海岸区域の土地を占用する許可を受けた者は、占用料を徴収されることはない。
>
> ホ　公有水面の埋立ての免許を受けた者は、埋立権を譲渡しようとするときは、都道府県知事又は指定都市の長にその旨届け出なければならない。
>
> (1)　イとハ
> (2)　イとホ
> (3)　ロとハ
> (4)　ロとニ
> (5)　ニとホ

■海岸法■

c**1** 海岸保全区域の指定（3条） ⊕ H5年（最終）

知事は、一定の区域を海岸保全区域として**指定**できる。河川区域は指定でき
ず、保安林等についても原則として指定できない。区域の指定範囲は
(1) 陸地……春分の日の満潮時の水際線から50m以内、
(2) 水面……春分の日の干潮時の水際線から50m以内である。

A**2** 海岸管理者等 ⊕ H28・R3・6年

(1) 原則……**知事**（5・8条）
(2) 例外……**市町村長**、港湾管理者の長又は漁港管理者たる地方公共団体の長
　　なお、海岸保全区域内における、**砂・土石の採取**、**盛土**、切土等につき、
原則として、**海岸管理者の許可**が必要。ただし、**国又は地方公共団体**が盛土
等を行おうとするときは、**海岸管理者に協議**することで足りる（10条）。

B**3** その他の規定 ⊕ H30年

(1) **占用料**・土石採取料→**海岸管理者**が**徴収**できる（11条）。
(2) 海岸保全区域管理費用→原則として海岸管理者所属の地方公共団体が負担。

■公有水面埋立法■

c**1** 公有水面とは（1条） ⊕ H9年（最終）

河・海・湖沼その他の公共の水流又は水面で**国有**のもの。

A**2** 埋立（2・12・13条の2・23・42条） ⊕ H28・30・R6年

公有水面の埋立（海面の埋立・干拓を含む）を行おうとする者は、**知事の免
許**が必要であるが、国が埋立をする場合は、知事の承認が必要。また、知事は
免許料を徴収でき、免許権者たる知事の統轄する都道府県に帰属する。免許を
受けた者は、工事の竣功認可告示日前でも、一定の場合を除き、埋立地を使用
できる。工事期間延長には、**知事の許可**が必要。

B**3** 公有水面埋立権（16〜21条） ⊕ R3年

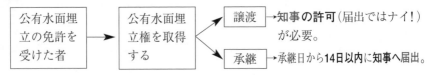

178

19 　道　路　法

A **1**　道路の種類（3条）　⊕ H27・R1・5年

(1)　高速自動車国道　(2)　一般国道　(3)　都道府県道　(4)　市町村道

（注）トンネル・橋等道路と一体となってその効用を全うする施設又は工作物及び道路の附属物を含む。

B **2**　道路の成立、廃止　⊕ H29年

(1)　路線の指定・認定

① 高速自動車国道・一般国道	政令で指定（5条）。
② 都道府県道	知事が議会の議決を経て認定（7条）。
③ 市町村道	市町村長が議会の議決を経て認定（8条）。

(2)　区域の決定→**道路管理者が決定し、公示し、縦覧に供する**（18条）。

(3)　供用の開始（18条）

　　道路管理者は、区域決定後、その区域内の土地等の権原を取得し、物的施設を築造し、供用の開始をする旨の公示を行う。公示により道路が成立する。

(4)　道路の廃止（10・18・92条）

　　路線の廃止・変更又は供用廃止の公示により**廃止**される。**不用**となった物件は、**従前当該道路を管理していた者**が**1年**を超えない範囲内において**一定期間、管理**しなければならない。

(5)　道路管理者が管理した後**処分**される。**管理期間満了まで道路と同様の私権の制限**がなされる。

〈図　示〉

（注）国道の路線と都道府県道又は市町村道の路線とが**重複**する場合は、重複部分につき、**国道の規定が適用**される（11条）。

A **3** 　道路の管理等 🏢 H27・29・R4・5年

(1)　道路管理者（12〜18条）

① 一般国道	指定区間内	原則…国土交通大臣、例外…都道府県（指定市）
	指定区間外	都道府県又は指定市（市）
② 都道府県道		都道府県又は指定市（市町村）
③ 市町村道		市町村

(注)　道路管理者は、**道路台帳を調製・保管**し、閲覧を求められた場合、**拒むことができ
ない**（28条）。

(2)　**道路**と堤防、護岸、ダム、鉄道又は軌道用の橋、踏切道、駅前広場その他
公共の用に供する工作物又は施設（以下、「**他の工作物**」という）とが**相互に
効用を兼ねる**場合には、道路管理者及び他の工作物の管理者は、当該道路及
び他の工作物の管理については、協議して**別にその管理方法を定める**ことが
できる。ただし、他の工作物の管理が私人の場合、道路については、**工事及
び維持以外の管理を行わせることはできない**（20条）。この条文を反対解釈す
ると、道路の工事、維持や他の工作物の管理は私人でもできることになる。

(3)　道路管理者は、道路に関する工事を施行するために必要が生じた他の工事
を、道路に関する工事とあわせて施行できる（23条）。

(4)　**道路管理者以外の者**（ex.私人）は、道路に関する工事の設計及び実施計画
について**道路管理者の承認**（一定の軽易なものは**承認不要**）を受けて道路に
関する工事又は道路の維持ができる（24条）。

AA **4**　私権の制限・占用等 🏢 H27・29・R1・2・4・5年

(1)　道路の敷地、支壁その他の物件に、原則として、**私権の行使はできない**
（**所有権の移転・抵当権の設定等は可**）（4条）。道路管理者が権原を取得して
から、不用物件としての管理期間が終了するまで制限される。

(2)　**道路管理者の許可**を受けて**占用**できる。次の特例アリ（32・35・36条）。
　①　国の行う事業のための道路占用……協議・同意でよい（**許可不要**）。
　②　公益事業（**電気・ガス・水道・鉄道**等）……**工事の実施1カ月前**までに
　　工事計画書を提出→政令の基準に適合→道路管理者は許可を与えなければ
　　ならない。

(3)　**道路管理者**は**占用料**を徴収できる（39条）。

(4)　警察署長がからむ場合
　　道路占用許可に係る行為が**道路交通法**上の適用を受ける場合、道路占用許可
申請書の提出は、当該地域を管轄する**警察署長**を経由して行うことができる。
道路管理者は、占用許可を与える場合で一定の場合、あらかじめ当該地域を管
轄する**警察署長に協議**しなければならない（32条）。道路管理者は、一定の場
合、警察署長と協議の上、占用を禁止又は制限する区域を指定できる（37条）。

(5)　**沿道区域**（道路の各一側について必ず幅**20m以内**）**内**にある土地・竹木・

工作物の管理者は、一定の場合、**損害又は危険の防止施設の設置等の措置を講ずる義務がある**（44条）。

絶対注意 「50m以内」という河川保全区域とは区別を！　また、道路の上下の空間又は地下について、上下の範囲を定めての指定はできない。

(6)　道路管理者は、道路の存する地域の状況を勘案し、適正かつ合理的な土地利用の促進を図るため必要があると認めるときは、**道路の区域を空間又は地下についての範囲を定めたものとすることができる**（47条の7）。すなわち、道路の区域を**空間又は地下について**上下の範囲を定めたもの（**立体的区域**）とできる。

(7)　道路管理者は、**道路一体建物に関する協定を締結**した場合は、当該協定の効力は協定の**公示後に所有者となった者**に及ぶ（47条の9）。道路管理者は、道路管理上必要と認めるときは、協定に従って、**建物の管理**ができる（47条の7・47条の8）。

COLUMN

大阪は不思議な街！

　本法では、原則として、道路上に私権行使はできません。人や物を輸送するという本来の公共的な目的を維持するためです。ところが右の写真では、ビルの中腹を道路が貫通しています。

　もともと、この敷地は大阪市の市有地でしたが、A社と阪神高速道路公団が取得を希望しました。そこで、大阪市は、土地の一部を無償で阪神高速に使用させることを条件に、A社に売却したのです。その結果、**土地及び建物はA社の所有、阪神高速は道路空間の利用権（使用貸借権）だけを持つ**という権利形態となったのです。花を捨て実を取るといわれる大阪人の合理的精神が感じられます。

★不動産図鑑㉒・道路一体建物（大阪市北区）

AA **5**　その他の規定 ㊗ H27・29・R1・2・5年

(1)　損失補償
　①　道路管理者は㋐や㋑の処分につき、損失を受けた者に対して**損失補償を**
　　しなければならない（69条）。
　　㋐　道路管理者又はその命・委任を受けた者は他人の**土地の立入、一時使**
　　　用ができる（66条）。
　　㋑　道路管理者は非常災害のためやむを得ない必要がある場合、その現場
　　　で土地の一時使用等や一定の処分ができる（68条）。
　②　道路の**新設**又は**改築**に伴い、当該道路に面する土地について、切土又は
　　盛土等をするやむを得ない必要がある場合には、道路管理者は**損失を受け**
　　た者の請求により、工事費用の全部又は一部を**補償しなければならない**
　　（70条）。
(2)　取得した道路構成敷地等は、
　　一般国道→**国**、都道府県道→**都道府県**、市町村道→**市町村**に帰属（90条）。
(3)　**道路の区域が決定**された後、道路の供用が開始されるまでの間は、何人も
　　道路管理者が当該区域の土地に関する**権原を取得する前**においても、**道路管**
　　理者の許可を受けなければ、土地の形質の変更をし、工作物を**新築**し、**改築**
　　し、増築し、若しくは大修繕し、又は物件を付加増置**してはならない**（91条）。

〈図　示〉

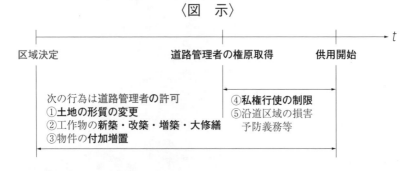

(4)　道路の区域の変更があった場合、当該道路を構成していた不用となった敷
　　地、支壁その他の物件は、従前当該道路を管理していた者が、一定期間管理
　　しなければならない（92条）。

道路法に関する次の記述のうち、正しいものはどれか。

(1)　道路を構成する敷地については私権の行使が制限されるので、抵当権を設定することはできない。

(2)　道路区域が決定された後であっても、供用がなされる前においては自由に工作物を新築することができる。

(3)　一般国道の管理は、すべての区間にわたり国土交通大臣が行う。

(4)　道路の供用の廃止があった場合においては、従前当該道路を管理していた者が、不用となった当該道路を構成していた敷地、支壁その他の物件を一定期間管理しなければならない。

(5)　道路管理者は、道路の管理上必要があると認めるときは、道路一体建物の所有者との間で締結した道路一体建物に関する協定に従うことなく、自ら道路一体建物の管理を行うことができる。

COLUMN

御堂筋の管理者は？

御堂筋の管理権限が2012年4月1日より国から大阪市へ移管されました。これはスゴイことです。**移管によって沿道の建物の高さ制限や景観の規制において、大阪市の自由度が増し、沿道を含めた一体的なまちづくりができる**のです。

御堂筋は、梅田からなんばを南北に貫く幅員44m、長さ4.2Kmの道路。戦前から**電柱を地中化**し、周辺ビルは高さ**100尺（約31m）**にほぼ統一され、

（現在は60mまで規制緩和）、イチョウ並木も植えられた美しい通り。1937年に、**沿道住民が建設費の一部を負担する「受益者負担」（p.34）という制度**でできました。高度経済成長期の1958年に国策で国道になって以降、**国が管理**していたのです。

メリット	百貨店等からの**土地占用料**が大阪市の収入となる。
デメリット	国が支出していた**維持管理費**が大阪市の負担となる。

2017年5月11日、御堂筋は完成80周年を迎えました。

20 国有財産法

AA 1 国有財産の範囲（2条） ⊕ H29・30・R2・3・4・6年

① **不動産**（含：従物）　② 船舶・浮標・航空機等（含：従物）
③ **地上権・地役権・鉱業権**等　④ **特許権・著作権・商標権**等・**実用新案権**
⑤ **有価証券・出資による権利**等　⑥ **不動産の信託の受益権**

（絶対注意） 国債・**賃借権・抵当権**は含まない。相続税法上**物納**された不動産とその従物・**寄附**で国有となった不動産は、国有財産に該当する。

COLUMN

皇室と国有財産と税金の話

終戦後、皇居等の皇室用財産の多くは国有財産になりました。皇室の数少なくなった私有財産の代表例が八咫鏡・八尺瓊勾玉・草薙剣（三種の神器）です。私の学兄である多賀敏行先生（元外交官・元侍従・現大阪学院大学教授）は、1994年伊勢神宮へ勾玉を運ばれました。三種の神器は、相続税法第12条にて相続税の課税対象外です。では、生前退位の今回は贈与税の対象となるのか議論されましたが、非課税となりました。私は多賀先生から皇室のお話を伺うにつれ、国有財産法に興味を持ちました。

AA 2 国有財産→財務大臣が総轄 ⊕ H27・28・29・30・R3・5年

(1) 種　類

種　類（3条）		管　理
①行政財産	(ア)公用財産　(ウ)皇室用財産 (イ)公共用財産　(エ)森林経営用 　　　　　　　　財産	各省各庁の長（衆議院議長、参議院議長、内閣総理大臣、各省大臣、最高裁判所長官及び会計検査院長） （4・5条）
②普通財産（①以外の一切の国有財産）		原則……**財務大臣**（6条） 例外……**各省各庁の長**（8条）

(ア) **公用財産**→国において国の事務、事業又はその職員の住居の用に供し、又は**供すると決定**したもの。ex. 一般官庁の施設等。
(イ) **公共用財産**→国において**直接**公共の用に供し、又は**供するものと決定**したもの。ex. 皇居外苑・一般国道・河川・海辺等。
(ウ) **皇室用財産**→国において皇室の用に供し、又は**供するものと決定**したもの。ex. 皇居・御用邸・陵墓等。
(エ) **森林経営用財産**→国において森林経営の用に供し、又は**供するものと決定**したもの。

(2) **管理→取得、維持、保存、運用**のこと（1条）。

(3) **各省各庁の長**は、普通財産を**取得**した場合又は**行政財産の用途を廃止**した場合には、**財務大臣に引き継がなければならない**が、一定の特別会計に属するもの等は**この限りではない**（8条）。

(4) 各省各庁の長はその所管の国有財産に関する事務の一部を、財務大臣は**国有財産の総轄に関する事務の一部**を部局等の長に分掌させることができ、国は国有財産に関する事務を地方公共団体に取り扱わせることができる（9条）。

(5) **公共用財産の用途を廃止、変更**等をしようとするときは、原則として（資産価額等により除外あり）**国会の議決**を経なければならない（13条）。

c**3** 所管換 しょかんがえ ㊥ H15年（最終）

(1) 各省各庁の長が**国有財産の所管換**を受けようとするときは、次の者に**協議**しなければならない（12条）。

① その財産を所管する各省各庁の長（→ 必ず）、② **財務大臣**（→ 原則として）

(2) 国有財産を**所属を異にする会計間**において**所管換**等をするときは、原則として、当該会計間において有償として**整理する**ものとする（15条）。

AA**4** 行政財産の制限 ㊥ H27・29・R1・2・4・5・6年

(1) **貸付・交換・売払い・譲与・信託・出資**の目的とすること又は**私権の設定はできない**。違反の場合は無効。

ただし、下記の場合には、行政財産たる土地の用途又は目的を妨げない限度で、**賃借権又は地上権の設定ができる**（18条）。

① **地方公共団体又は一定の法人と建物を区分所有するための土地の貸付**

② 地方公共団体又は一定の法人が経営する鉄道、**道路**等の施設の用に供するための**地上権の設定**

③ 国以外の者が一定の堅固な建物等を所有する場合の土地の貸付

④ 国有地と隣接地に一棟の建物を区分所有するための土地の貸付

⑤ 床面積又は敷地に**余裕がある庁舎等の貸付**

⑥ 地方公共団体等が土地を電線路等の施設の用に供する場合の地役権設定

また、一定の場合、用途又は目的を妨げない限度において**無償で使用収益をさせることができる**。この場合、**借地借家法の適用ナシ**（18条）。

(2) 各省各庁の長が、行政財産とする目的で土地又は建物を取得しようとするとき、及び普通財産を行政財産としようとするときは、原則として**財務大臣に協議**しなければならない（14条）。

(3) 国有地の貸付に際し、**定期借地権**の設定が可能となる貸付期間の特例がある（期間50年以上）。

AA**5** 普通財産の制限 ㊥ H27・28・29・30・R1・2・3・4・5・6年

貸付・管理委託・交換・売払い・譲与・信託・私権の設定ができる。また、**法律による特別の定めがある場合**に限り、**出資の目的**とできる（20条）。地上権

設定も可能である。
(1) 貸 付（21～25条）

① 期　　間	植樹目的の土地等60年、その他の土地等30年、**建物等10年以内（民法とは異なる！）**
② 無償貸付 （22条）	地方公共団体・水害予防組合・土地改良区（以下、公共団体という）が**緑地、公園、ため池、用排水路、火葬場、ごみ処理施設、し尿処理施設、と畜場又は信号機、道路標識**その他公共用公用に供する政令で定める小規模な施設等の用に供するときにできる（強制ではナイ！）。管理不良、営利目的の場合は契約を解除しなければならない。
③ 貸付料	**毎年定期納付、数年分の前納も可**（23条）

（注1）**普通財産を国以外の者に貸し付けている**場合、貸付期間中でも、国、公共団体が**公共用、公用**等に供するため必要が生じたときは、**所管各省各庁の長は契約を解除できる。借受人**は、これによって生じた損失につき、**補償を求めることができる**（24条）。

（注2）普通財産の管理を委託した場合においては、**受託者は当該普通財産の管**理のための費用を負担しなければならず、当該普通財産から生ずる収益は、原則として**受託者の収入**となる。また、当該普通財産から生ずる収益を得ることができるが、必ずしもすべて得られるわけではない（26条の2）。

(2) 交 換（27条）

①交 換 物	土地・堅固な建物・土地の定着物。同種のものどうし
②差　　額	**高価なものの $\frac{1}{4}$ 以内**のときにできる（差額は**金銭**で補足）。

（注）交換できるのは普通財産であり、行政財産は交換できない！

(3) 譲 与（28条）
　　民法上の**贈与**であり、公共団体が**火葬場、墓地、ごみ処理施設、屎尿処理施設又はと畜場**として公共の用に供する場合等に譲与できる。公園の用に供する場合には譲与できない。
　　〔cf：公園の無償貸付については行える（22条）〕

(4) 信 託（28条の2）

①目 的 物	**土地（定着物含む）のみ（建物単独で信託できナイ！）**
②期　　間	**20年以内**。更新できる。
③受 益 者	**国以外の者**を受益者とすることはできない。

(5) 売払い

①納　　付	売払代金又は交換差金は、延納の特約をした場合を除き、**引渡前納付させなければならない**（31条）。
②用途指定	財産を所管する各省各庁の長は買受人に、一般競争入札等以外はしなければならない。違反の場合は**契約解除できる**（29条、30条）。

絶対注意　普通財産の売払い・譲与→各省各庁の長は買受人に対して、**用途に係る期日及び期間の指定**をしなければならない（29条）。

(6) 延納の特約（31条）

①できる者	地方公共団体、土地改良区、水害予防組合、教育・社会事業を営む団体
②期　　間	**5年以内**
③解　　除	管理不良のときは、しなければならない。

(7) **特別会計**に属する普通財産である土地又は建物を貸付け若しくは貸付け以外の方法により使用収益させ、又は当該土地又は建物の売り払いをしようとするときは、**各省各庁の長は財務大臣に協議**を要する（14条）。

過去問チェック㉝　　　　　　　　　　　　　　　　（2001年）

国有財産法に関する次の記述のうち、正しいものはどれか。
(1) 公用財産とは、国において国の事務、事業又はその職員の住居の用に供するものをいい、これらの用に供するものと決定したものはこれに含まれない。
(2) 相続税法の規定により物納された不動産は、国有財産法に規定する国有財産である。
(3) 行政財産は、売り払い、又は譲与することができないが、交換することは認められている。
(4) 普通財産を貸し付けた場合において、当該財産を所管する各省各庁の長は、国において公共の用に供するため必要を生じたときには、借受人に対して損失の補償をすることなく契約を解除することができる。
(5) 普通財産である土地を信託するときは、国以外の者を信託の受益者とすることができる。

21 　法 人 税 法

AA **1**　交換により取得した資産の圧縮記帳（50条）㊙ H27・28・29・30・
　　　　　　　　　　　　　　　　　　　　R1・2・3・4・5・6年

譲 渡 資 産 の 要 件		取 得 資 産 の 要 件
1年以上所有の固定資産で次に掲げるものであること ①土地等（賃借権・地上権・借地権等を含む） ②建物（**附属設備**、構築物を含む） ③**機械及び装置** ④**船舶** ⑤**鉱業権**（租鉱権等を含む）	⇔ 交 換 ⇔	①1年以上所有の固定資産で譲渡資産と**同一種類**の資産であること ②譲渡資産の**用途と同一**の用途に供すること ③交換の相手方が交換のために取得したものでないこと

交 換 差 金 等 の 要 件
交換差金等の金額が、譲渡資産の価額と取得資産の価額の**いずれか多い方**の100分の20**以下**であること

（注1）交換により取得した資産の**帳簿価額**は、**確定決算で損金経理により減額の必要アリ**（24条）。損金経理による引当金繰入や積立金として**積み立てる方法は、認められない。**

（注2）一度この制度の適用を受けて取得した土地でも、**再び**この制度の交換対象資産とできる。ただ、1年以上所有が要件となることを忘れずに。

（注3）異なる**用途**（ex.事務所用建物と工場用建物）の資産の交換でも、**取得資産を従前の用途と同一の用途として使用**する場合は、この制度の適用がある。

（絶対注意）　**販売用の土地建物等**（棚卸資産）は含まれない。

（絶対注意）　★適用があるか否か～○：適用アリ、×：適用ナシ
　　　(1)　土地と建物の交換→×
　　　(2)　土地と借地権の交換→○
　　　(3)　事務所用建物と工場用建物との交換→×
　　　(4)　土地と土地付建物の交換→建物については×
　　　(5)　80万円の土地と100万円の土地との交換→○
　　　(6)　100万円の土地と130万円の土地との交換→×
　　　(7)　**清算中の法人**→×
　　　(8)　**外国法人**→○

AA ❷　特定の資産の買換えの場合の課税の特例 ㊁R1・2・3・4・5年

(1) 要　件（措置法65条の7）

① 法人（**清算中の法人は除かれるが、内国法人に限られない**）が、一定要件に該当する資産（**除：棚卸資産**）の譲渡（**収用はダメ！**）をした

② ①の**前後1年**（原則）以内に、一定要件に該当する買換資産（注1）を取得（注2）した（**先行取得もOK**）

③ 買換資産を取得から**1年以内**に**事業の用に供し又は供する見込み**である

④ 圧縮限度額の範囲内でその**帳簿価額を損金経理により減額**し、又はその帳簿価額を減額することに代えてその圧縮限度額以下の金額を**積立金として積み立てる方法**により経理した

（注1）**必ずしも、同一種類でなくてもよい**。土地は、買換資産として取得した土地等の面積が譲渡資産である土地等の面積に一定割合を乗じて計算した面積を超えるときは、買換資産の土地等のうちその**超える部分の面積に対応する部分は、買換資産に該当しない**（この制度の**適用ナシ**）という**要件アリ**。

（注2）自ら建設、**製作した資産は含まれ**、贈与、出資、**合併や分割による資産の移転**、所有権移転リース取引によるもの**は除かれる**。

(2) 効　果

原則として、圧縮基礎取得価額（買換資産の取得価額又は譲渡資産の譲渡対価の額のいずれか少ない金額）×差益割合×**80%**に相当する圧縮記帳が認められる。

COLUMN

圧縮記帳の一例

　税法では、売却する場合はもちろんのこと、タダであげたり、交換することも譲渡に該当し、時価で売ったものとして売却益を計算します。

　具体例で考えましょう。自社所有のA土地（帳簿価額1億円、時価10億円）と他社所有の10億円のB土地を交換した場合は、次のように仕訳します。

（借）　B　土　地　10億円	（貸）　A　土　地　　1億円
	売　却　益　　9億円

　しかし、お金が入ってこないのに税金がかかり、おかしな話ですよねぇ。そこで、新たに買った資産の帳簿価額を**帳簿上生ずる利益分だけマイナス**（**圧縮記帳**という）して、それを損金算入します（次のように仕訳）。

（借）　土地圧縮損　　9億円	（貸）　B　土　地　　9億円

　上の2つの仕訳を要約すると、次のようになります。

（借）　B　土　地　　1億円	（貸）　A　土　地　　1億円

　法人税法第50条では、交換により取得した資産についてその交換により譲渡した資産の交換差益金に相当する金額までの圧縮額の損金算入を認めているが、この制度に関する次の記述のうち、正しいものはどれか。

(1)　店舗用の土地と店舗用の建物を交換した場合であっても、この制度の適用を受けることができる。

(2)　この制度の対象となる資産は、土地、建物、機械及び装置、船舶、鉱業権だけではなく、建物や構築物の所有を目的とする地上権や賃借権も含まれる。

(3)　交換時における取得資産の価額が100万円、譲渡資産の価額が70万円の場合、他の条件を満たせば、この制度の適用を受けることができる。

(4)　交換のために取得した資産であっても、1年以上所有していたものであれば、この制度の対象資産となる。

(5)　清算中の法人であっても、この制度の適用を受けられる場合がある。

COLUMN

法人の種類　㊗ H13年（最終）

法人には、以下のようなたくさんの種類があります。

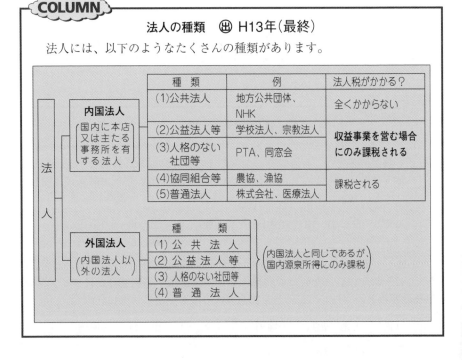

	種　類	例	法人税がかかる？
内国法人 （国内に本店又は主たる事務所を有する法人）	(1)公共法人	地方公共団体、NHK	全くかからない
	(2)公益法人等	学校法人、宗教法人	**収益事業を営む場合にのみ課税される**
	(3)人格のない社団等	PTA、同窓会	
	(4)協同組合等	農協、漁協	課税される
	(5)普通法人	株式会社、医療法人	

	種　類	
外国法人 （内国法人以外の法人）	(1)公　共　法　人	内国法人と同じであるが、国内源泉所得にのみ課税
	(2)公　益　法　人　等	
	(3)人格のない社団等	
	(4)普　通　法　人	

22 　景　観　法

c1　目　的（1条）

　この法律は、我が国の都市、農山漁村等における良好な景観の形成を促進するため、景観計画の策定その他の施策を総合的に講ずることにより、**美しく風格のある国土の形成、潤いのある豊かな生活環境の創造及び個性的で活力ある地域社会の実現**を図り、もって国民生活の向上並びに国民経済及び地域社会の健全な発展に寄与することを目的とする。

c2　基本理念（2条）

(1)　**良好な景観**は、美しく風格のある国土の形成と潤いのある豊かな生活環境の創造に不可欠なものであることにかんがみ、**国民共通の資産**として、現在及び将来の国民がその恵沢を享受できるよう、その**整備及び保全**が図られなければならない。

(2)　良好な景観は、**地域の自然、歴史、文化等と人々の生活、経済活動等との調和により形成**されるものであることにかんがみ、適正な制限の下にこれらが調和した土地利用がなされること等を通じて、その整備及び保全が図られなければならない。

(3)　良好な景観は、**地域の固有の特性と密接に関連**するものであることにかんがみ、地域住民の意向を踏まえ、それぞれの地域の個性及び特色の伸長に資するよう、その多様な形成が図られなければならない。

(4)　良好な景観は、**観光その他の地域間の交流の促進**に大きな役割を担うものであることにかんがみ、地域の活性化に資するよう、地方公共団体、事業者及び住民により、その形成に向けて一体的な取組がなされなければならない。

(5)　良好な景観の形成は、現にある良好な景観を保全することのみならず、**新たに良好な景観を創出**することを含むものであることを旨として、行われなければならない。

c3　責　務

(1)　国は、**基本理念**にのっとり、良好な景観の形成に関する施策を総合的に策定し、及び実施する責務を有する。また、国は、良好な景観の形成に関する**啓発及び知識の普及**等を通じて、基本理念に対する国民の理解を深めるよう努めなければならない（3条）。

(2)　**地方公共団体**は、**基本理念**にのっとり、良好な景観の形成の促進に関し、国との適切な役割分担を踏まえて、その区域の自然的社会的諸条件に応じた施策を策定し、及び実施する責務を有する（4条）。

(3)　**事業者**は、**基本理念**にのっとり、土地の利用等の事業活動に関し、良好な

景観の形成に自ら努めるとともに、国又は地方公共団体が実施する良好な景観の形成に関する施策に**協力**しなければならない（5条）。

(4) **住民**は、**基本理念**にのっとり、良好な景観の形成に関する理解を深め、良好な景観の形成に積極的な役割を果たすよう努めるとともに、国又は地方公共団体が実施する良好な景観の形成に関する施策に**協力**しなければならない（6条）。

B 4　景観計画（8条）　⊕ R6年

(1) **景観行政団体**は、都市、農山漁村その他市街地又は集落を形成している地域及びこれと一体となって景観を形成している地域における次のいずれかに該当する土地（水面を含む。以下この項、第11条及び第14条において同じ）の区域について、**良好な景観の形成に関する計画**（以下「**景観計画**」という）を定めることができる。

(注)「**景観行政団体**」とは、地方自治法上の指定都市の区域にあっては**指定都市**、中核市の区域にあっては**中核市**、その他の区域にあっては**都道府県**をいう。ただし、指定都市及び中核市以外の市町村であって、都道府県に代わって一定の事務を処理することにつきあらかじめその長が知事と協議した市町村の区域にあっては、当該**市町村**をいう。

① 現にある良好な景観を保全する必要があると認められる土地の区域

② 地域の自然、歴史、文化等からみて、地域の特性にふさわしい良好な景観を形成する必要があると認められる土地の区域

③ 地域間の交流の拠点となる土地の区域であって、当該交流の促進に資する良好な景観を形成する必要があると認められるもの

④ 住宅市街地の開発その他建築物もしくはその敷地の整備に関する事業が行われ、又は行われた土地の区域であって、新たに良好な景観を創出する必要があると認められるもの

⑤ 地域の**土地利用の動向等**からみて、**不良な景観が形成されるおそれが**あると認められる土地の区域

(2) 景観計画においては、次に掲げる事項を定めるものとする。

① **景観計画の区域**（以下「**景観計画区域**」という）

② **良好な景観の形成のための行為の制限に関する事項**

③ 景観重要建造物又は景観重要樹木の指定の方針（当該景観計画区域内にこれらの指定の対象となる建造物又は樹木がある場合に限る）

④ 一定の良好な景観の形成のために必要なもの

ex.**屋外広告物の表示**及び屋外広告物を掲出する物件の設置に関する行為の制限に関する事項

(3) 景観計画は、国土形成計画、首都圏整備計画、近畿圏整備計画、中部圏開発整備計画、北海道総合開発計画、沖縄振興計画その他の国土計画又は地方計画に関する法律に基づく計画及び道路、河川、鉄道、港湾、空港等の施設

に関する国の計画との調和が保たれるものでなければならない（8条）。

AA 5　行為の規制等（16・17条）　⊛ H28・29・R1・2・6年

(1) **景観計画区域内**において、次の行為をしようとする者は、**あらかじめ**、行為の種類、場所、設計又は施行方法、着手予定日その他国土交通省令で定める事項を**景観行政団体の長**に届け出（認定ではナイ！）なければならない。

　① **建築物の新築、増築、改築**若しくは移転、**外観を変更することとなる修繕もしくは模様替又は色彩の変更**（以下「建築等」という）

　② 工作物の新設、増築、改築若しくは移転、外観を変更することとなる修繕もしくは模様替又は色彩の変更（以下「建設等」という）

　③ 都市計画法上の**開発行為**その他政令で定める行為

　④ ①〜③のほか、良好な景観の形成に支障を及ぼすおそれのある行為として景観計画に従い景観行政団体の条例で定める行為

(2) 景観行政団体の長は、景観計画区域内において建築物の新築をしようとする者から当該行為について届出があった場合において、その届出に係る行為が景観計画に定められた当該行為についての制限に適合しないと認めるときは、その届出をした者に対し、その届出に係る行為に関し必要な措置をとることを勧告できる（16条）。

(3) **景観行政団体の長**は、良好な景観の形成のために必要があると認めるときは、特定届出対象行為（(1)①又は②の届出を要する行為のうち、当該景観行政団体の条例で定めるものをいう）について、景観計画に定められた建築物又は工作物の**形態意匠の制限**（高さ制限ではナイ！）に適合しないものをしようとする者又はした者に対し、当該制限に適合させるため必要な限度において、当該行為に関し**設計の変更**その他の必要な措置をとることを**命ずることができる。**

AA 6　景観重要建造物等　⊛ H28・29・R1・2・6年

(1) 景観重要建造物の指定

　① **景観行政団体の長**は、景観計画に定められた景観重要建造物の指定の方針に即し、**景観計画区域内の良好な景観の形成に重要な建造物**（これと一体となって良好な景観を形成している土地その他の物件を含む）で国土交通省令で定める基準に該当するものを、**景観重要建造物**として指定でき、その場合、その所有者全員の**意見を聴かなければならない**。文化財保護法の規定により**国宝、重要文化財等**に指定、又は仮指定された建造物は**指定できない**（19条）。

　② **景観行政団体**は、景観重要建造物の指定があったときは、これを表示する**標識**を設置しなければならない（21条）。

　③ 景観重要建造物の**増築**、改築、移転若しくは除却、外観を変更することとなる修繕若しくは模様替又は**色彩の変更**等を行おうとする者は、原則と

して**景観行政団体の長**の許可を受けなければならない（22条）。
④　景観行政団体の長は、**②に違反して許可を受けずに景観重要建造物の外観を変更**することとなる修繕若しくは模様替又は色彩の変更等を行った者に対して、相当の期限を定めて、当該景観重要建造物の良好な景観を保全するため必要な限度において、その**原状回復**を命じ、又は原状回復が著しく困難である場合に、これに代わるべき必要な措置をとるべき旨を命ずることができる（23条）。
(2)　景観重要樹木の指定（28条）
①　**景観行政団体の長**は、景観計画に定められた景観重要樹木の指定の方針に即し、景観計画区域内の良好な景観の形成に重要な樹木で国土交通省令（都市計画区域外の樹木にあっては、国土交通省令・農林水産省令。以下同じ）で定める基準に該当するものを、**景観重要樹木**として指定できる。
②　景観行政団体の長は、①の指定をしようとするときは、あらかじめ、その指定をしようとする**樹木の所有者（所有者が2人以上いるときは、その全員）の意見を聴かなければならない。**
③　①の規定は、文化財保護法の規定により特別史跡名勝天然記念物又は史跡名勝天然記念物として指定され、又は仮指定された樹木については、**適用しない。**

B **7**　管理協定（36条）　㊥ H28年
(1)　**景観行政団体又は景観整備機構**は、景観重要建造物又は景観重要樹木の適切な管理のため必要があると認めるときは、当該景観重要建造物又は景観重要樹木の所有者と次に掲げる事項を定めた協定（以下「**管理協定**」という）を締結して、当該景観重要建造物又は景観重要樹木の管理を行うことができる（36条）。
①　管理協定の目的となる**景観重要建造物**（以下「協定建造物」という）又は管理協定の目的となる景観重要樹木（以下「協定樹木」という）
②　協定建造物又は協定樹木の管理の方法に関する事項
③　管理協定の有効期間
④　管理協定に違反した場合の措置
(2)　景観行政団体が締結した景観重要建造物に係る管理協定は、当該協定の締結について**公告があった後において当該景観重要建造物の所有者**となった者**に対しても、その効力がある**（41条）。

A **8**　景観地区　㊥ H28・29・R1・2年
(1)　景観地区に関する都市計画（61条）
　市町村は、**都市計画区域又は準都市計画区域内**の土地の区域については、市街地の良好な景観の形成を図るため、**都市計画**に、景観地区を定めることができる。

(2) 景観地区に関する都市計画には、都市計画法第8条第3項第1号及び第3号に掲げる事項のほか、①に掲げる事項を定めるとともに、②から④までに掲げる事項のうち必要なものを定めるものとする。この場合において、これらに相当する事項が定められた景観計画に係る景観計画区域内においては、当該都市計画は、当該景観計画による良好な景観の形成に支障がないように定めるものとする。

① 建築物の形態意匠の制限
② 建築物の高さの最高限度又は最低限度
③ 壁面の位置の制限
④ 建築物の敷地面積の最低限度

(3) 建築物の形態意匠の制限（62条）

景観地区内の建築物の形態意匠は、都市計画に定められた**建築物の形態意匠の制限に適合**するものでなければならない。ただし、政令で定める他の法令の規定により義務付けられた建築物又はその部分の形態意匠にあっては、この限りでない。

(4) 計画の認定（63条）

① 景観地区内において建築物の建築等をしようとする者は、一定の場合を除き、あらかじめ、その計画が、前条の規定に適合するものであることについて、申請書を提出して**市町村長の認定**を受けなければならない。当該認定を受けた建築物の計画を変更して建築等をしようとする場合も、同様とする。

② 市町村長は、前項の申請書を受理した場合においては、その受理した日から**30日以内**に、申請に係る建築物の計画が(3)の規定に適合するかどうかを審査し、審査の結果に基づいて当該規定に適合するものと認めたときは、当該申請者に**認定証**を交付しなければならない。

COLUMN

景観地区と風致地区

京都・四条大橋周辺の鴨川の河川区域は、**風致地区と景観地区がクロス**している所です。人々が**川床料理**を食べ、「**鴨川べりのカップルは等間隔で座る**」という京都で**有名な法則**があるのですが、河川敷周辺が景観地区で、水が流れている部分が風致地区とされています。

★不動産図鑑㉓・風致地区と景観地区のクロス

景観計画区域と景観地区の比較

　前者は**穏やかな規制誘導**を行いたい区域で、後者は**より積極的に景観形成を誘導**していきたい地区です。

──→ 鑑定理論への道

⑬　眺望や景観は、住宅地域においては主要な地域要因の１つだが、工業地域においては住宅地域ほど重要ではない（2015年）。→ ○なぜなら、高い生産性等を重視するからである。

B9　準景観地区　⊕ R3年

(1)　準景観地区の指定（74条）

①　**市町村**は、**都市計画区域及び準都市計画区域外**の景観計画区域のうち、相当数の建築物の建築が行われ、現に良好な景観が形成されている一定の区域について、その景観の保全を図るため、**準景観地区**を指定できる。

②　市町村は、準景観地区を指定しようとするときは、あらかじめ、国土交通省令で定めるところにより、その旨を**公告**し、当該準景観地区の区域の案を、当該準景観地区を指定しようとする理由を記載した書面を添えて、当該公告から２週間公衆の縦覧に供しなければならない。

(2)　準景観地区内における行為の規制（75条）

　市町村は、準景観地区内における建築物又は工作物について、景観地区内におけるこれらに対する規制に準じて政令で定める基準に従い、条例で、良好な景観を保全するため必要な規制ができる。

A10　景観協定　⊕ H29・R1・2・3年

(1)　景観協定の締結等（81条）

①　景観計画区域内の一団の**土地の所有者及び借地権を有する者**（以下「土地所有者等」という）は、その**全員の合意**により、当該土地の区域における良好な景観の形成に関する協定（以下**「景観協定」**という）を**締結する**ことができる。ただし、当該土地の区域内に**借地権の目的となっている土地がある場合**においては、**当該借地権の目的となっている土地の所有者の合意を要しない。**

②　景観協定においては、次の事項を定めるものとする。

　(ア)　景観協定の目的となる土地の区域（以下**「景観協定区域」**という）

　(イ)　良好な景観の形成のための次に掲げる事項のうち、必要なもの

　　㋐　建築物の形態意匠に関する基準

　　㋑　建築物の敷地、位置、規模、構造、用途又は建築設備に関する基準

　　㋒　工作物の位置、規模、構造、用途又は形態意匠に関する基準

㋓　樹林地、草地等の保全又は緑化に関する事項
　　㋔　屋外広告物の表示又は屋外広告物を掲出する物件の設置に関する基準
　　㋕　農用地の保全又は利用に関する事項
　　㋖　その他良好な景観の形成に関する事項
　(ウ) 景観協定の有効期間
　(エ) 景観協定に違反した場合の措置
　③　景観協定は、**景観行政団体の長の認可**（届出ではナイ！）を受けなければならない。
(2)　景観協定の変更（84条）
　　景観協定区域内における土地所有者等（当該景観協定の効力が及ばない者を除く）は、景観協定において定めた事項を**変更**しようとする場合においては、その**全員の合意**をもってその旨を定め、**景観行政団体の長の認可**を受けなければならない。
(3)　景観協定の効力（86条）
　　認可の公告のあった景観協定は、その**公告のあった後**において当該景観協定区域内の土地所有者等となった者に対しても、その**効力がある**ものとする。
(4)　景観協定の廃止（88条）
　　景観協定区域内の土地所有者等が認可を受けた景観協定を**廃止**しようとする場合においては、その**過半数の合意**をもってその旨を定め、**景観行政団体の長の認可**を受けなければならない。
(5)　公告（83条）
　　景観行政団体の長は、景観協定の認可をしたときは、国土交通省令・農林水産省令で定めるところにより、その旨を**公告**し、かつ、当該景観協定の写しを当該景観行政団体の事務所に備えて公衆の縦覧に供するとともに、景観協定区域である旨を当該区域内に**明示**しなければならない。

　景観法に関する次のイからニまでの記述のうち、正しいものはいくつあるか。

イ　景観計画とは、景観行政団体が定める良好な景観の形成に関する計画であり、景観計画には、景観計画の区域、良好な景観の形成のための行為の制限に関する事項等を定めるものとされている。

ロ　景観重要建造物とは、景観計画の区域内の良好な景観の形成に重要な建造物として、当該建造物の所有者の意見を聴いて、景観行政団体の長が指定するものであり、景観重要建造物の増築、改築、外観を変更することとなる修繕若しくは模様替又は色彩の変更等を行おうとする者は、景観行政団体の長に届出を行わなければならない。

ハ　景観地区内で建築物の建築等をしようとする者は、一定の場合を除き、あらかじめ、その計画が、都市計画に定められた建築物の形態意匠の制限に適合するものであることについて、市町村長の認定を受けなければならない。

ニ　景観計画区域内の一団の土地の所有者及び借地権を有する者は、景観協定を締結したときは、遅滞なく、景観行政団体の長に届出を行わなければならない。

(1)　正しいものはない
(2)　1つ
(3)　2つ
(4)　3つ
(5)　すべて正しい

23 高齢者、障害者等の移動等の円滑化の促進に関する法律

c**1** 目 的（1条）

　この法律は、**高齢者、障害者等の自立した日常生活及び社会生活を確保**することの重要性にかんがみ、公共交通機関の旅客施設及び車両等、道路、路外駐車場、公園施設並びに建築物の構造及び設備を改善するための措置、一定の地区における旅客施設、建築物等及びこれらの間の経路を構成する道路、駅前広場、通路その他の施設の一体的な整備を推進するための措置、移動等円滑化に関する国民の理解の増進及び協力の確保を図るための措置その他の措置を講ずることにより、高齢者、障害者等の移動上及び施設の利用上の利便性及び安全性の向上の促進を図り、もって公共の福祉の増進に資することを目的とする。

AA**2** 定 義（2条）　⊕ H28・30・R1・5・6年

(1) 高齢者、障害者等

　高齢者又は障害者で日常生活又は社会生活に身体の機能上の制限を受ける者その他日常生活又は社会生活に身体の機能上の制限を受ける者をいう。

(2) 施設設置管理者

　公共交通事業者等、道路管理者、路外駐車場管理者等、公園管理者等及び建築主等をいう。

(3) **特定建築物**

　学校、病院、劇場、観覧場、集会場、展示場、百貨店、ホテル、事務所、共同住宅、老人ホームその他の**多数の者が利用**する政令で定める建築物又はその部分をいい、これらに附属する建築物特定施設を含むものとする。

(注) 工場は含まれ、倉庫は含まれない。

(4) **特別特定建築物**

　不特定かつ多数の者が利用し、又は主として**高齢者、障害者等が利用する特定建築物その他の特定建築物**であって、**移動等円滑化が特に必要**なものとして政令で定めるものをいう（ex.**老人ホーム**）。

(5) 建築物特定施設

　出入口、廊下、階段、エレベーター、便所、敷地内の通路、駐車場その他の建築物又はその敷地に設けられる施設で政令で定めるものをいう。

(6) 所管行政庁

　建築主事を置く市町村又は特別区の区域については当該市町村又は特別区の長をいい、その他の市町村又は特別区の区域については**都道府県知事**をいう。ただし、建築基準法第97条の2第1項又は第97条の3第1項の規定により建築主事を置く市町村又は特別区の区域内の政令で定める建築物については、**都道府県知事**とする。

特別特定建築物の建築主等の基準適合義務等（14条）
⊕ H27・28・29・30・R1・3・4・5・6年

(1) **建築主等**は、**特別特定建築物**の床面積の合計2,000㎡（公衆便所は50㎡）以上の建築（用途変更して特別特定建築物にすることを含む。以下同じ）をしようとするときは、当該特別特定建築物（**新築特別特定建築物**）を、移動等円滑化のために必要な建築物特定施設の構造及び配置に関する政令で定める基準（**建築物移動等円滑化基準**）に適合させなければならない。同基準では、階段は**踊場を除き、手すりを設けなければならない**。

⬭**絶対注意** 建築物移動等円滑化「誘導」基準と区別せよ！

(2) **建築主等**は、その所有し、管理し、又は占有する**新築特別特定建築物**を**建築物移動等円滑化基準**に適合するように維持しなければならない。

(3) **地方公共団体**は、その地方の自然的社会的条件の特殊性により、(1)(2)のみによっては、高齢者、障害者等が特定建築物を円滑に利用できるようにする目的を十分に達成できないと認める場合においては、**特別特定建築物**に条例で定める**特定建築物を追加**（**除外ではナイ！**）し、(1)の建築の規模を条例で一定の規模未満で別に定め、又は建築物移動等円滑化基準に**条例で必要な事項を付加できる**（緩和はできナイ！）。

(4) (1)〜(3)は、建築基準法第6条第1項に規定する建築基準関係規定とみなす。

(5) **建築主等**（(1)〜(3)適用者を除く）は、建築をしようとし、又は所有し、管理し、若しくは占有する特別特定建築物（条例で定める特定建築物を含む。以下同じ）を建築物移動等円滑化基準（条例で付加した事項を含む。以下同じ）に適合させるために必要な措置を講ずるよう**努めなければならない**。

A **4** 特別特定建築物に係る基準適合命令等（15条）
⊕ H30・R1・5年

(1) **所管行政庁**は、**3**(1)〜(3)に違反している事実があると認めるときは、建築主等に対し、**違反是正のために必要な措置をとるべきことを命ずる**ことができる。

(2) 国、都道府県又は建築主事を置く市町村の特別特定建築物については、(1)は、**適用しない**。この場合において、所管行政庁は、国、都道府県又は建築主事を置く市町村の特別特定建築物が、**3**(1)〜(3)に違反している事実があると認めるときは、直ちに、その旨を当該特別特定建築物を管理する機関の長に通知し、(1)の措置をとるべきことを**要請**（命令ではナイ！）しなければならない。

(3) 所管行政庁は、**3**(5)の措置の適確な実施を確保するため必要があると認めるときは、建築主等に対し、建築物移動等円滑化基準を勘案して、特別特定建築物の設計及び施工に係る事項その他の移動等円滑化に係る事項について必要な指導及び助言ができる。

AA **5** 特定建築物の建築主等の努力義務等（16条）
⊕ H27・28・29・R1・3・4・6年

(1) **建築主等**は、**特定建築物**（特別特定建築物を除く。以下同じ）の建築（用
途の変更をして特定建築物にすることを含む）をしようとするときは、当該
特定建築物を**建築物移動等円滑化基準**に**適合**させるために必要な措置を講ず
るよう**努めなければならない。**
(注) 特別特定建築物以外の特定建築物の代表例は、共同住宅。
(2) 建築主等は、特定建築物の建築物特定施設の修繕又は模様替をしようとす
るときは、当該建築物特定施設を建築物移動等円滑化基準に適合させるため
に必要な措置を講ずるよう**努めなければならない。**
(3) **所管行政庁**は、特定建築物について(1)・(2)の措置の適確な実施を確保する
ため必要があると認めるときは、建築主等に対し、建築物移動等円滑化基準
を勘案して、特定建築物又はその建築物特定施設の設計及び施工に係る事項
について必要な**指導**及び**助言**をすることができる（命令ではナイ！）。

B **6** 特定建築物の建築等及び維持保全の計画の認定（17条）
⊕ H28年

(1) **建築主等**は、**特定建築物**の建築、修繕又は模様替（修繕又は模様替にあっ
ては、建築物特定施設に係るものに限る。以下「建築等」という）をしよう
とするときは、主務省令で定めるところにより、特定建築物の建築等及び維
持保全の計画を作成し、**所管行政庁の認定を申請する**ことができる。その場
合には、**建築物移動等円滑化誘導基準**に適合させなければならない。
(2) (1)の計画には、次に掲げる事項を記載しなければならない。
① 特定建築物の位置
② 特定建築物の延べ面積、構造方法及び用途並びに敷地面積
③ 計画に係る建築物特定施設の構造及び配置並びに維持保全に関する事項
④ 特定建築物の建築等の事業に関する資金計画
⑤ その他主務省令で定める事項
　当該**認定**を受けた計画に係る特定建築物は**容積率の特例**を受けることがで
きる（19条）。

A **7** 認定特定建築物の表示等（20・21・22条） ⊕ H27・30・R6年
　認定建築主等は、認定特定建築物の建築等をしたときは、当該認定特定建築
物、その敷地又はその利用に関する広告その他の主務省令で定めるものに、主
務省令で定めるところにより、当該認定特定建築物が一定の**認定を受けている**
旨の表示を付することができる。
　所管行政庁は、認定を受けた建築主等が一定の建築業又は維持保全を行って
いないと認めるときは、当該建築主等に対し、その改善に必要な措置をとるべ
きことを命ずることができる。

　次の説明は、「高齢者、障害者等の移動等の円滑化の促進に関する法律」における建築主等に係る基準適合義務に関する記述である。空欄に入る語句の組み合わせとして正しいものはどれか。

　建築主等は、特別特定建築物の床面積の合計 ［　ア　］ 平方メートル（公衆便所にあっては、50平方メートル）以上の建築（用途の変更をして特別特定建築物にすることを含む）をしようとするときは、当該特別特定建築物を、最低限のレベルである ［　イ　］ 基準に適合させなければならない。

(1)　ア　　　500　　　イ　建築物移動等円滑化
(2)　ア　　　500　　　イ　建築物移動等円滑化誘導
(3)　ア　　2,000　　　イ　建築物移動等円滑化
(4)　ア　　2,000　　　イ　建築物移動等円滑化誘導
(5)　ア　10,000　　　イ　建築物移動等円滑化

鑑定理論への道

⑭　大規模なショッピングセンターの評価については、集客施設としての安全性を確保しつつ収益性の向上を図ることが重要になることから、防災設備の状況、バリアフリー化の状況、施設立地・規模等に関する法令等にも留意する必要がある（2018年）。→ ○

24 自然環境保全法

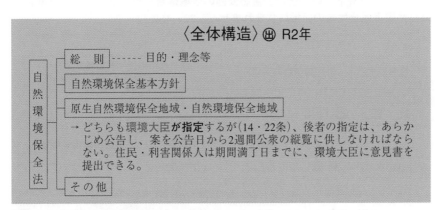

〈全体構造〉⊕ R2年

自然環境保全法
- 総　則 ------ 目的・理念等
- 自然環境保全基本方針
- 原生自然環境保全地域・自然環境保全地域
  → どちらも**環境大臣**が指定するが（14・22条）、後者の指定は、あらかじめ公告し、案を公告日から2週間公衆の縦覧に供しなければならない。住民・利害関係人は期間満了日までに、環境大臣に意見書を提出できる。
- その他

B ❶ 原生自然環境保全地域（14〜21条）⊕ R1・2年

(1)	指定対象区域 （14条）	自然環境が、原生の状態を維持していて、面積が**1,000ha以上**（周囲が海面に接している区域は300ha以上）で、**国・地方公共団体所有**の土地（除：保安林）
(2)	行為制限	一定の行為は原則として**禁止**。環境大臣の許可があればOK（17条）
(3)	立入制限地区	環境大臣が指定（19条）

A ❷ 自然環境保全地域（22〜44条）⊕ H30・R1・2・6年

(1)	特別地区	環境大臣が指定し、一定の行為をしようとする者は**大臣の許可**要。非常災害のための必要な応急処置としての行為は許可**不要**だが、**行為日から起算して14日以内に届出義務アリ**（25条）
(2)	野性動物 保護地区	**特別地区内**で野生動植物の種類ごとに環境大臣が指定し、野生動植物の捕獲・採取等が原則として**禁止**（26条）
(3)	海域特別地区	環境大臣が指定する。一定の行為をしようとする者は**大臣の許可**要。漁業のためのものは許可**不要**（27条）
(4)	普通地区	一定の行為につき、**大臣への届出**。届出後30日経過で着手可（28条）

B ❸ 都道府県自然環境保全地域（45〜46条）⊕ H28年

都道府県が**条例**で指定し、さらに、条例により**特別地区**（含：野生動植物保護地区）を指定できる。

- (1) 特別地区 ─┐
- (2) (1)以外の区域 ─┘ → 自然環境保全地域の特別地区又は普通地区における**規制**の範囲内で規制を定めることができる。

One Point 🔘 H28・29・R6年

　自然環境保全法と自然公園法はよく似た法律ですが、次のようなイメージで区別しておいて下さい。また、**自然公園の区域は自然環境保全地域及び都道府県自然環境保全地域の区域に含まれ**ません（22・45条）。

自然環境保全法	自然公園法
自然の生態系・野生動植物の保護目的	風景地の保護・利用増進目的 生物の多様性の確保に寄与

比　較 🔘 H28・30年

	原生自然環境保全地域	自然環境保全地域
(1) 木 竹 の **植 栽**	原則として、してはならない。	してもよい。
(2) 立 入 制 限 地 区	指定されることがある （立入に国の職員の同行不要）。	ナ　シ
(3) **国公有地以外の土地**	ナ　シ	ア　リ

　何人も、立入制限地区に立入りできませんが、次の場合はできます（19条）。
(1)　許可を受けた行為を行うために立ち入る場合
(2)　非常災害のために必要な応急措置を行うために立ち入る場合
(3)　原生自然環境保全地域に関する**保全事業**を執行するために立ち入る場合
(注) 保全事業は、原則として**国**が執行するが、**地方公共団体は環境大臣**に協議し、保全事業の**一部**（全部ではナイ！）を執行できる（16・24条）。
　さて、自然環境保全地域に関する保全計画において定めるべき事項には、自然環境の保全のための規制又は事業に関する事項は掲げられていますが、国民がすぐれた自然に親しむための事業に関する事項は含まれていません（23条）。

　特別地区内においては、道路、広場、田、畑、牧場及び宅地以外の地域のうち**環境大臣が指定する区域内**において車馬若しくは動力船を使用し、又は**航空機を着陸**させる行為は環境大臣の許可を受けなければしてはなりません。また、非常災害の応急措置としての行為等は許可不要です（25条）。

絶対注意　cf ┤・土地の区域→特別地区
　　　　　　　　　　・海　　　域→海域特別地区

　　　　　　　cf ┤・自然公園の区域 ────┐
　　　　　　　　　・自然環境保全地域 ────┘ 重複しない。

絶対注意　自然環境保全地域の規制に上乗せした規制はダメ。

25 自然公園法

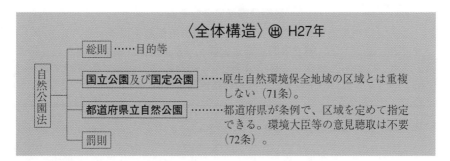

〈全体構造〉🌐 H27年

自然公園法
- 総則 ……目的等
- 国立公園及び国定公園 ……原生自然環境保全地域の区域とは重複しない（71条）。
- 都道府県立自然公園 ………都道府県が条例で、区域を定めて指定できる。環境大臣等の意見聴取は不要（72条）。
- 罰則

AA 1 規制内容 🌐 H27・29・R3・4・5年

(1) 国立公園・国定公園

種　類	内　　容	許可権者等
特別地域 （20条） （特別保護地区を除く）	①工作物(含住宅)の新築・改築・増築、木竹の伐採 ②鉱物の掘採又は土石の採取 ③河川・湖沼等の水位、水量の増減 ④広告物の掲出又は設置、水面の埋立又は干拓 ⑤土地の開墾、⑥屋根や壁面の色彩の変更	●国立公園 ↓ 環境大臣の許可 ●国定公園 ↓ 知事の許可
特別保護地区 （21条）	**特別地域で制限される一定の行為に加えて、** ①木竹の植栽、②家畜の放牧、③火入れ又はたき火等、④動物の捕獲	
海域公園地区 （22条）	①工作物の新築・改築・増築、鉱物の掘採又は土石の採取、広告物等の掲出又は設置 ②一定の熱帯魚・さんご・海そう等の採捕 等	
普通地域 （33条）	①**一定規模以上の工作物**の新築・改築・増築 ②広告物等の掲出又は設置、水面の埋立又は干拓等	届　出 （国立公園→大臣 国定公園→知事）

（注1）上述の行為制限により損失を受けた場合にはその**損失が補償**される（64条）。

（注2）特別地域内で、**非常災害のために必要な応急措置**として一定の行為をした者はその行為日から起算して**14日以内**に国立公園にあっては環境大臣に、国定公園にあっては**知事に届出**なければならない（20条）。

（注3）**土地の売買**については、許可・届出は不要。

（注4）環境大臣は国立公園について、知事は国定公園について必要があるときは、**普通地域内**で一定の届出を要する行為をした者等に対し、その**行為の禁止、制限等**ができる（33条）。

(2) 都道府県立自然公園（72・73条）→国立公園又は国定公園は含まれない。

　　都道府県は、条例で**特別地域**を指定し、かつ、**特別地域内及び特別地域外の区域**における行為につき、それぞれ、国立公園の特別地域又は普通地域内に

おける行為の**規制の範囲内**において、必要な規制を定めることができる。

比　較	㊤ R3・4・5年

- ● 国立公園 → 我国の風景を代表する傑出した自然の風景地 → **環境大臣**
  が指定（2条）。区域変更には関係都道府県及び審議会の意見聴取義務
  （6条）。
- ● 国定公園 → 国立公園に準ずるすぐれた自然の風景地 → **関係都道府県**
  の申出 → 環境大臣が指定（2条）。
- ● 都道府県立自然公園 → すぐれた自然の風景地 → **都道府県**（知事では
  ナイ！）が**条例で指定**（2・72条）。（注）環境大臣の同意は不要。
- 国立公園・国定公園内の土地 → **国有地・公有地とは限らない。**
- 原生自然環境保全地域内の土地（除：保安林）→ **国有地・公有地である。**

（注）**環境大臣**は国立公園について、**知事**は国定公園について、当該公園の風致又は景観の維持とその適正な利用を図るため、特に必要があるときは、公園計画に基づいて、**特別地域内又は海域公園地区内に、利用調整地区を指定**することができる（23条）。

★不動産図鑑㉔・自然公園

（注）①－（②＋③）＝普通地域
なお、図中の海中公園地区は、平成22年度の改正で、海域公園地区に変更された。

自然公園法に関する次の記述のうち、正しいものはどれか。
(1)　国定公園は環境大臣が都道府県の申出により指定し、都道府県立自然公園は都道府県が環境大臣の同意を得て指定する。
(2)　国立公園特別保護地区は国及び地方公共団体の所有する土地のみ指定することができる。
(3)　国立公園特別保護地区内において屋外に物を集積するには、あらかじめ環境大臣に届け出ることが必要である。
(4)　国定公園特別地域内における一定の基準以下の規模の工作物の新築については、都道府県知事の許可は必要でなく届出で足りる。
(5)　国定公園普通地域において一定の基準を超える規模の工作物の新築を都道府県知事に届け出た者は、その届出をした日から起算して30日を経過した後でなければ、当該届出に係る行為に着手してはならない。

自然環境保全法に関する次の記述のうち、正しいものはどれか。
(1)　環境大臣は、自然環境の保全のため特に必要があると認められるときは、自然環境保全地域内に立入制限地区を指定することができる。
(2)　原生自然環境保全地域内で鉱物の堀採をすることは、いかなる場合であっても許されない。
(3)　原生自然環境保全地域に関する保全事業は、国のみが執行する。
(4)　環境大臣は国又は地方公共団体が所有するものか否かにかかわらず、自然環境が人の活動によって影響を受けることなく原生の状態を維持している土地の区域については、原生自然環境保全地域として指定をすることができる。
(5)　自然環境保全地域の特別地区内において、非常災害のために必要な応急措置として木竹の伐採を行う場合、事前に許可を受ける必要はないが、その行為をした日から起算して14日以内に、環境大臣にその旨を届け出なければならない。

26 森 林 法

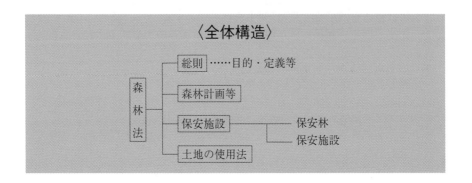

〈全体構造〉

森林法
- 総則 ……目的・定義等
- 森林計画等
- 保安施設
  - 保安林
  - 保安施設
- 土地の使用法

A **1** 開発行為（10条の2） ⊕ H28・R1・2・5年

(1) 開発行為とは、**土石・樹根の採掘、開墾その他の土地の形質を変更する一定の行為**で、**1ha**（専ら道路の新設・改築目的の行為は1haかつ道路の幅員が3m、太陽光発電設置目的の行為は0.5ha）**超**の規模のものをいう。

(2) **地域森林計画**の対象となっている民有林（保安林等を除く）内で**開発行為を**しようとする者は、**知事（大臣・市町村長ではナイ！）の許可**を受けなければならない。知事は許可しようとするときは、都道府県森林審議会及び関係市長村長の意見を聴かなければならない。知事は許可に**条件を附す**ことができる。次の場合は**許可不要**。
  - ① **国又は地方公共団体が行う場合**
  - ② **非常災害のための応急措置として行う場合**
  - ③ **森林保全への支障が少なく、かつ、公益性が高い事業の場合等**

（注）民有林の所在地が2以上の都道府県にわたる場合にも、知事の許可。

(3) 地域森林計画対象民有林（保安林等を除く）において**森林所有者等が立木を伐採**する場合には、あらかじめ、**市町村長**にその旨を届け出なければならないが、法令又はこれに基づく処分により伐採の義務のある者がその履行として伐採する場合等は、**届出不要**（10条の8）。

(4) 知事は、開発行為の許可申請があった場合、次のいずれのおそれもない場合には、**許可をしなければならない**（10条の2）。
  - ① 災害等の発生のおそれ　② 水害を発生させるおそれがある
  - ③ 水の確保に著しい支障を及ぼすおそれがある　④ 環境悪化のおそれがある。

（注）森林計画区は、**農林水産大臣**が**知事の意見**を聴き、地勢その他の条件を勘案し、主として流域別に都道府県の区域を分けて定める（7条）。

脱炭素の切り札！それが森林

　森林法の目的は、森林の**保続培養**と**森林生産力を増進**させ、**国土の保全と経済の発展**に資することです。①森林はCO_2を吸収し酸素を出す。②製造時に発生するCO_2が鉄やコンクリートに比べて少ない。③リラックス効果がある。④国産材使用で運搬時のCO_2を抑制できる。⑤木材利用の拡大は2050年カーボンニュートラル実現に貢献する。⑥地方経済活性化に貢献する。⑦水源のかん養をする。⑧土砂災害を防止する。⑨山の幸を供給する。保養の場となる、というメリットがあります。日本の国土面積約3,780万haのうち、800分の1の面積の森林を住友林業が所有しています。

A **2**　保安林の指定、解除　⊕ R1・2・5年

(1)　国有林は**農林水産大臣**がし、民有林は**知事**（重要流域でかつ**水源のかん養**、土砂の流出・崩壊の防備目的等なら**農林水産大臣**）がする（25条・25条の2）。なお、次の者は、農林水産大臣又は知事に**指定、解除を申請**できる（27条）。

　①　保安林の指定・解除に、利害関係を有する地方公共団体の長

　②　保安林の指定・解除に、**直接の利害関係を有する者**（含：所有者）

（注）国有林を保安林として指定してもよい。

(2)　保安林の指定の解除は次の**2つの場合**に行われる（26条）。

　①　**指定の理由が消滅したとき**

　　→遅滞なくその部分につき指定を解除しなければならない。

　②　**公益上の理由により必要が生じたとき**

　　→その部分につき指定を解除することができる。

(3)　**保安林予定森林**では、知事が**90日を超えない**期間内において、立木竹の伐採や土地の形質変更等の行為を禁止できる（31条）。

(4)　保安林の指定又は解除は、**農林水産大臣又は知事の告示で効力**を生ずる（33条）。

(5)　**国又は都道府県**は、**保安林として指定**された森林の森林所有者等に対し、保安林の指定によりその者が**通常受けるべき損失を補償**しなければならない（35条）。

(6)　**知事**は、民有林について**保安林の指定**があったときは、その保安林の区域内にこれを表示する**標識**を設置しなければならない。この場合、**保安林の森林所有者**は、その**設置を拒み又は妨げてはならない**（39条）。

(7)　**保安林台帳**は知事が**調製、保管**しなければならない。また、閲覧を求められたときは、正当な理由がないかぎり、**拒んではならない**（39条の2）。

B **3**　保安林等における制限（34・44条）　⊕ H28・R5年

(1)　保安林においては、**知事の許可**を受けなければ、**立木竹を伐採**し、立木を損傷し、家畜を放牧し、下草、落葉若しくは落枝を採取し、又は土石若しく

は樹根の採掘、開墾その他の土地の形質を変更する行為をしてはならない。
（注）開発行為にならない小規模な土地の形質変更も許可要。
(2) **保安林の立木の伐採等**は、知事の**許可が必要**（法令又はこれに基づく処分により**伐採の義務のある者**がその履行として伐採する場合等は**許可不要**）。伐採後、森林所有者等は伐採跡地の**植栽義務**が原則として課される（34条の4）が、伐採が森林所有者によって行われたのではなく、一定要件に該当する場合等には、森林所有者に**植栽義務はない**（34条の3・38条）。

c **4** **保安施設地区** ㊀ H10年（最終）
(1) **農林水産大臣の職権**又は**知事（森林所有者ではナイ！）からの申請**によって農林水産大臣（知事ではナイ！）が指定する（41条）。
(2) 指定の有効期間は、原則として、**7年以内**であるが、農林水産大臣は、必要があると認めるときは、**3年を限りその有効期間を延長できる**（42条）。
(3) 保安施設地区で、その指定の**有効期間満了時に森林**であるものは、既に保安林となっているものを除き、その時に、**保安林として指定**される（47条）。

B **5** **害虫・ウイルス等** ㊀ R2年
森林所有者等は、**森林施業**に関する測量又は実地調査のため必要があるときは、**市町村長の許可**を受けて、他人の土地への立入り・測量・実地調査の支障となる立木竹の伐採ができる。また、**害虫、獣類、菌類、ウイルスの駆除等**のために他人の土地に立ち入る場合にも、**市町村長の許可**が必要（立木竹の伐採は認められていない）（49条）。

過去問チェック㊴　　　　　　　　　　　　　　　　　　　　（2001年）

森林法に関する次の記述のうち、正しいものはどれか。
(1) 保安林の指定は、すべて都道府県知事が行う。
(2) 地域森林計画の対象となっている民有林において開発行為をしようとする者は、市町村の長の許可を受けなければならない。
(3) 森林所有者が保安林の立木を伐採した場合には、当該保安林に係る指定施業要件として定められている植栽の方法、期間及び樹種に関する定めに従い、当該伐採跡地について植栽をしなければならない。
(4) 森林管理局長は、国有林の保安林について保安林台帳を調製し、これを保管しなければならない。
(5) 火災、風水害その他の非常災害に際し緊急の用に供する必要がある場合に保安林において立木の伐採をしたときは、市町村の長に届出書を提出しなければならない。

明治神宮と国立競技場

　1964年の東京五輪のメーン会場となった**国立霞ヶ丘陸上競技場（以下、国立競技場という）**が2014年6月いっぱいで56年の歴史に幕を下ろし、解体工事がなされました。

　近くの明治神宮は、明治天皇と昭憲皇太后を東京でおまつりしたいという願いから、国民の寄進や労働奉仕によって創建されたもので、行政は神宮外苑の環境を守るため、1926年に高さ**15m以上の建物は建築できない旨を定めた風致地区**に指定し、57年には外苑全体を**都市計画施設としての公園**に決定しました。90年に完成した東京体育館も風致地区の規制に基づいて建設されました。

　東京都は、2013年の都市計画審議会で、**容積率**緩和や**用途地域**変更等を盛り込んだ**神宮外苑地区約64ヘクタールに関し、地区計画**を決定しました。地区計画とは、都市全体ではなく**比較的狭いエリアにおけるまちづくり**です。

神宮外苑と国立競技場の歴史

1920年	明治神宮創建
1924年	明治神宮外苑競技場(国立競技場の前身)竣工
1926年	明治神宮球場竣工
	初の風致地区に指定
1958年	国立競技場完成
1964年	東京五輪開催
2013年	東京都都市計画審議会で神宮外苑地区計画を決定(5月)
	東京五輪開催決定(9月)
	明治神宮球場耐震補強工事(11月～16年3月)
2014年	国立競技場解体工事開始(7月)
2016年	新国立競技場建設工事開始
2019年	ラグビーワールドカップ開催(9月)
	新国立競技場完成(11月)
2020年	東京五輪開催が1年延期
2021年	東京五輪開催(7～8月)

　1964年の東京五輪に間に合わせるために、**日本橋川の上に架けた高速道路・暗渠とした渋谷川**が存在します。

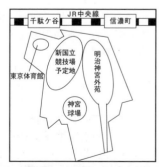

★不動産図鑑㉕・地区計画

27 都市緑地法

B**1** 緑地とは（3条） ㊙ R3年

　本法における**緑地**とは、樹林地、草地、水辺地、岩石地若しくはその状況が
これらに類する土地（農地であるものを含む）が、単独で若しくは一体となっ
て、又はこれらに隣接している土地が、これらと一体となって、良好な自然的
環境を形成しているものをいう。

A**2** 特別緑地保全地区等（12条） ㊙ H27・R3・5年

　都市計画区域内における緑地で、次のいずれかに該当する土地の区域につい
て、**都市計画**に特別緑地保全地区を定めることができる。都道府県は、この都
市計画が定められたときは、その区域内における標識の設置その他の適切な方
法により、その区域が緑地保全地域である旨を明示しなければならない（7条）。
(1) **無秩序な市街地化防止**、公害又は災害の防止等のため必要な遮断地帯、緩
　　衝地帯又は避難地帯若しくは雨水貯留浸透地帯として適切な位置、規模及び
　　形態を有するもの。
(2) **神社、遺跡**等と一体となっている場合等で、**伝統的・文化的意義**を有するもの。
(3) 地域住民の生活環境を確保するため必要なもので、**風致又は景観が優れ**、
　　又は**動植物の生息地・生育地**として適正に保全する必要があること。
　さらに、**都市計画区域又は準都市計画区域内**の一定の緑地の区域については、
都市計画に**緑地保全地域**を定めることができる（5条）。

A**3** 特別緑地保全地区等内の制限（8・14条） ㊙ H30・R2・3・4年

　次の行為につき**特別緑地保全地区内**では知事（市の区域では市長。以下、「知
事等」という）の許可を、**緑地保全地域内**では知事等への届出が必要（届出日
から**30日後に着手可**）。市民緑地にはこのような規制はない。
(1) 建築物等の新築、改築、増築
(2) **宅地の造成、土地の開墾、土石の採取**、鉱物の掘採等の土地の形質の変更
(3) **木竹の伐採、水面の埋立・干拓**
(4) 屋外における土石、廃棄物又は**再生資源の堆積**、その他
　ただし、次の場合は**許可や届出は不要**。
　① **公益性が特に高い事業**の実施のための行為で一定のもの。
　② 都市計画決定当時、**すでに着手済**の行為
　③ **非常災害の応急措置**として行う行為、その他
　知事等は、**特別緑地保全地区内**で、**知事の許可を受けないで宅地造成等**を行っ
た者等に対し、相当の期限を定めて、緑地の保全に対する障害を排除するため必
要な限度において**原状回復等**を命ずることができる（15条）。

_C **4** 損失補償 （10・16条） ⊕ H15年 （最終）

　都道府県 （市の区域では市。以下 「都道府県等」 という） は、**不許可のため**損失を受けた者がある場合には、損失を受けた者に対して、**通常生ずべき損失を補償**する。ただし、次の**場合**はなされない。

(1)　他の法律で許可処分が却下された場合
(2)　特別緑地保全地区に関する都市計画の趣旨に著しく反する場合

_B **5** 土地の買入れ （17条） ⊕ R2・4年

　都道府県等は、**特別緑地保全地区内**の土地で当該緑地の保全上必要があると認めるものについて、その所有者から、**不許可のためその土地の利用に著しい支障**をきたすこととなることにより**買入れの申出**があった場合には、当該土地の買入れを希望する市町村等を当該土地の買入れの相手方として定めることができ、その市町村等は当該土地を買い入れるものとする。そして、市町村等が買入れを行う場合を除き、これを**時価**で買い入れるものとする。

_A **6** 緑地協定等 （45〜54条） ⊕ H30・R3・4年

(1) 締結区域	**都市計画区域又は準都市計画区域内**
(2) 締結権者	**都市計画区域又は準都市計画区域内**の一定の**土地の所有者**及び建築物等の所有を目的とする地上権、賃借権等を有する者等
(3) 締結権者の合意	① 締結→全員の合意 ② 変更→全員の合意 ┠→市町村長の認可 （届出ではナイ！） ③ 廃止→過半数の合意
(4) 効　力	**認可公告後の区域内の土地所有者等** （含：協定の存在を不知な者） にも原則として効力が及ぶ （**公告後の年数制限ナシ**）。
(5) 1人協定	可能
(6) 定める事　項	① 区域、② 緑化に関する事項(樹林等の種類、植栽場所、さくの構造等)、③ 有効期間 （**5年以上30年未満**）、④ 協定違反の措置

（注） **管理協定**は、その締結又は認可の公告のあった後において当該管理協定区域内の土地所有者となった者に対しても、その**効力がある** （29条）。

28 土壌汚染対策法

A**1** 目 的（1条） ㊤ H28・30・R5年

　この法律は、土壌の**特定有害物質**による**汚染の状況の把握に関する措置**及びその汚染による人の健康に係る被害の防止に関する措置を定めること等により、土壌汚染対策の実施を図り、もって**国民の健康を保護する**ことを目的とする。

（注）動植物等の生態系保護・**生活環境**の保全は、目的としていない。

B**2** 特定有害物質（2条） ㊤ R4年

　特定有害物質とは、**鉛、砒素、トリクロロエチレン、カドミウム**その他の物質（放射性物質を除く）であって、それが土壌に含まれることに起因して**人の健康に係る被害**を生ずるおそれがあるものとして政令で定めるものをいう。

（注）自然由来のものも含まれる。

AA**3** 土壌汚染状況調査 ㊤ H27・29・R1・3・5年

(1) 工場跡地等の調査等（3条）
　① 所有者等による工場跡地等の調査・報告
　　　使用が廃止された**有害物質使用特定施設**に係る工場又は事業場の敷地であった**土地の所有者、管理者又は占有者**（以下「土地の所有者等」という）であって、当該有害物質使用特定施設を設置していたもの又は②により**知事**から通知を受けたものは、当該土地の土壌の特定有害物質による汚染の状況について、**指定調査機関に調査**させて、その結果を知事に**報告しなければならない**。ただし、予定された利用方法から見て土壌の特定有害物質による汚染により人の健康に係る**被害が生ずるおそれがない**旨の**知事**の確認を受けたときは、**この限りでない**。
　② 設置者以外の所有者等への通知
　　　知事は、水質汚濁防止法第10条の規定による特定施設（**有害物質使用特定施設であるものに限る**）の**使用の廃止の届出**を受けた場合等において、当該有害物質使用特定施設の使用が廃止されたことを知った場合において、当該有害物質使用特定施設を設置していた者以外に当該土地の所有者等があるときは、当該土地の所有者等に対し、当該有害物質使用特定施設の使用が廃止された旨等を**通知**するものとする。
　③ 報告命令等
　　　知事は、①の者が報告をせず又は虚偽の報告をしたときは、その者に対しその報告を行い又はその報告の内容を是正すべき命令ができる。
(2) 土壌汚染のおそれがある土地の形質の変更が行われる場合の調査（4条）
　土地の形質の変更（売買ではナイ！）で、土地の面積が3,000（一定の場合

は900）㎡以上のものをしようとする者は、**着手日の30日前までに**、一定事項を知事（大臣ではナイ！）に届け出**なければならない**。ただし、次の行為は**不要**。

① **軽易な行為等**
② **非常災害のための必要な応急措置として行う行為**

　知事は、届出に係る土地が**特定有害物質**によって**汚染されているおそれが**あると認めるときは、指定調査機関に調査させて、その結果を**報告すべきことを命ずることができる**。

(3) 土壌汚染による健康被害のおそれがある土地の調査等（5条）

① **知事は、(1)(2)のほか、土壌の特定有害物質による汚染により人の健康に係る被害が生ずるおそれがあると認めるとき**は、当該土地の土壌の特定有害物質による汚染の状況について、当該土地の所有者等に対し、**指定調査機関に調査させて、その結果を報告すべきことを命ずることができる**。

② 知事は、調査等を命じようとする場合において、過失がなくて当該調査等を命ずべき者を**確知することができず**、かつ、これを**放置する**ことが著しく公益に反すると認められるときは、その者の負担において、当該調査を**自ら行うことができる**。この場合、相当の期限を定めて、当該調査等をすべき旨及びその期限までに当該調査等をしないときは、当該調査を自ら行う旨を、あらかじめ、**公告**しなければならない。

AA **4**　　形質変更時要届出区域等 ⊕ H27・28・29・30・R1・2・3・4・5・6年

(1) 指定（6・11条）

　知事は、土壌汚染状況調査の結果、当該土地の**土壌の特定有害物質による汚染状態が一定の基準に適合しない**と認める場合等には、健康被害防止のため**要措置区域**（健康被害のおそれがない場合は、**形質変更時要届出区域**）として**指定する**ものとする。これらの指定は、知事によるその旨の**公示**によってその**効力を生ずる**。知事は、汚染の除去等により、要措置区域の**全部又は一部**について指定の事由がなくなったと認めるときは、当該区域の**指定を解除する**ものとする。

(2) 台帳（15条）

　知事は、**要措置区域の台帳及び形質変更時要届出区域の台帳**を調製し、これを保管しなければならない。知事は、台帳の閲覧を求められたときは、**正当な理由**がなければ、これを**拒むことができない**（**誰でも閲覧できる**）。

(3) 措置命令（7・8条）

　知事は、要措置区域を指定したときは、当該汚染による人の健康に係る被害を防止するため必要な限度において、要措置区域内の土地の所有者等に対し、**汚染除去等計画**を作成し、これを知事に提出すべきことを**指示するものとする**。ただし、当該土地の所有者等以外の者の行為によって当該土地の土壌の特定有害物質による汚染が生じたことが明らかな場合であって、その行

為をした者（**相続人等を含む**。以下同じ）に汚染の除去等の措置を講じさせることが相当であると認められ、かつ、これを講じさせることについて当該土地の所有者等に異議がないときは、その**行為をした者（汚染原因者）**に対し、指示するものとする。

なお、**汚染の除去等の等**とは、右図のようなことである。

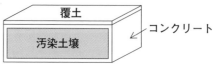

★不動産図鑑㉖・遮断工事

(4) 費用負担（8条）

指示を受けた土地の所有者等は、当該土地の土壌の特定有害物質による**汚染が当該土地の所有者等以外の者の行為**によるものであるときは、原則として、その行為をした者に対し、当該汚染除去等計画の作成及び変更並びに当該実施措置等に要した**費用を請求**できる。

(5) 要措置区域内の規制（9条）

何人も、土地の形質の変更をしてはならない（以下の場合はよい）。

① 知事から指示を受けた者が指示措置等として行う行為

② 通常の管理行為、軽易な行為等

③ **非常災害のために必要な応急措置**として行う行為（**届出不要**）

(6) 形質変更時要届出区域内の届出等（12条）

① **形質変更時要届出区域内**において、**土地の形質の変更**（建築物の建築は入ってナイ！）をしようとする者は、**14日前**までに、当該土地の形質の変更の種類、場所、施行方法及び着手予定日その他の事項を知事に届け出なければならない。ただし、次の行為については、**この限りでない**。

　(ア) 一定の施行管理方針に基づく次のいずれにも該当する土地の形質の変更

　　㋐ 土地の土壌の特定有害物質による汚染が専ら**自然又は専ら土地の造成に係る水面埋立てに用いられた土砂に由来**するものとして環境省令で定める要件に該当する土地における土地の形質の変更（事後届出が必要）

　　㋑ **人の健康に係る被害が生ずるおそれがないもの**として環境省令で定める要件に該当する土地の形質の変更

　(イ) 通常の管理行為、軽易な行為その他の行為

　(ウ) 形質変更時要届出区域が指定された際既に着手していた行為（指定日から**14日以内に届出**）

　(エ) **非常災害に必要な応急措置行為**（行為日から**14日以内に届出**）、その他

② 知事は、届出を受けた場合に、届出に係る土地の形質の変更の施行方法が一定の基準に**適合しない**と認めるときは、届出を受けた日から**14日以内**に限り、その届出をした者に対し、**計画の変更**を命ずることができる。

⑮ 土壌汚染の除去等の措置が行われたとしても、心理的嫌悪感等による価格形成への影響を考慮し、当該影響の程度に応じた減価修正を行わなければならない場合がある（2012年）。→ ○

比較しよう ⊕ H29・R1・2・4年

	要措置区域	形質変更時要届出区域
①健康被害	おそれアリ	おそれナシ
②土地の形質変更	原則として、何人もしてはならない。	原則として、**着手日14日前**までに、**知事に届出義務**あり
③指定解除	汚染の除去等の措置	汚染の除去
④搬　出	要措置区域又は形質変更時要届出区域内の土地の土壌を当該2つの区域外へ**搬出**しようとする者は、**原則として**、搬出着手日の**14日前**までに、**知事へ届け出**なければならない（16条）。	

c 5　指定調査機関

指定は、**環境大臣**が、土壌汚染状況調査を行おうとする者の申請により行う（29条）。指定は、5年ごとに更新を受けなければ、効力を失う（32条）。

〈土壌汚染対策法のしくみ〉 ⊕ H27・R1年

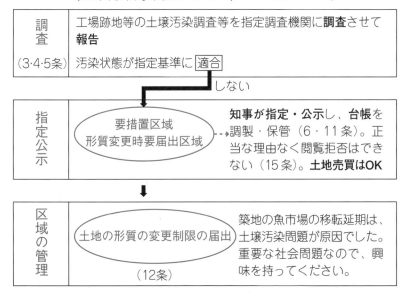

調査 (3・4・5条)	工場跡地等の土壌汚染調査等を指定調査機関に**調査**させて**報告** 汚染状態が指定基準に 適合

しない

指定公示	要措置区域 形質変更時要届出区域	**知事が指定・公示**し、台帳を調製・保管（6・11条）。正当な理由なく閲覧拒否はできない（15条）。**土地売買はOK**

区域の管理	土地の形質の変更制限の届出 （12条）	築地の魚市場の移転延期は、土壌汚染問題が原因でした。重要な社会問題なので、興味を持ってください。

29 マンションの建替え等の円滑化に関する法律

c**1** 目的等（1条）

(1) マンション建替事業、除却する必要のあるマンションに係る特別の措置、マンション敷地売却事業及び敷地分割事業について定めることにより、マンションにおける良好な居住環境の確保並びに地震によるマンションの倒壊、老朽化したマンションの損壊その他の被害からの国民の生命、身体及び財産の保護を図り、もって国民生活の安定向上と国民経済の健全な発展に寄与することを**目的**とする（1条）。

(2) **国土交通大臣**は、マンションの建替え等の円滑化に関する基本的な方針（以下「**基本方針**」という）を定めなければならない（4条）。

c**2** 主な定義（2条）

(1) **マンション**…二以上の区分所有者が存する建物で人の**居住の用**に供する専有部分のあるもの。

(2) **マンションの建替え**…現に存する一又は二以上のマンションを除却するとともに、当該マンションの敷地（これに**隣接する土地を含む**）にマンションを新たに建築すること。

(3) **再建マンション**…マンションの建替えにより新たに建築されたマンション。

(4) **施行者**…**マンション建替事業を施行する者**をいい、**個人施行者**及び**マンション建替組合**（以下、組合という）がある。

(5) **施行マンション**…マンション建替事業を施行する現に存するマンション。

(6) **施行再建マンション**…**マンション建替事業の施行により**建築された再建マンション。

(7) **マンション敷地売却**…現に存するマンション及びその敷地（マンションの敷地利用権が借地権であるときは、その借地権）を売却すること。

(8) **売却マンション**…マンション敷地売却事業を実施する現に存するマンション。

c**3** 個人施行者 ⊕ H18年（最終）

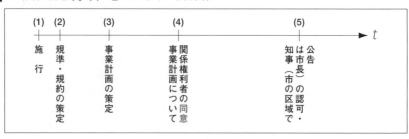

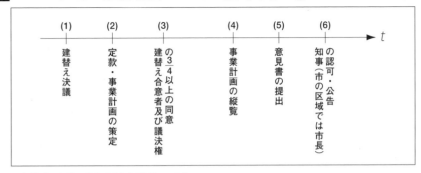

(1) 建替え決議（区分所有法第62条）。

(2) 建替え決議の内容により建替えを行う旨の合意をしたものとみなされた者（建替え合意者）は、**5人以上共同して**、**定款**及び**事業計画**を定め、知事（市の区域では市長）**の認可を受けて組合を設立できる。**

(3) 認可を申請しようとする者は、組合の設立について、**建替え合意者**（区分所有者ではナイ！）**の$\frac{3}{4}$以上の同意**（同意した者の議決権の合計が、建替え合意者の議決権の合計の$\frac{3}{4}$**以上**となる場合に限る）を得なければならない（9条）。

(4) **市の区域内**にあるときは、当該**市長**は当該事業計画を**2週間公衆の縦覧**に供し、当該マンションの敷地の所在地が**町村の区域内**にあるときは、**知事**は、町村長に、当該**事業計画を2週間公衆の縦覧**に供させなければならない（11条）。

(5) 施行マンションとなるべきマンション又はその敷地（隣接施行敷地を含む）について権利を有する者は、縦覧された**事業計画**について意見があるときは、**縦覧期間満了の日の翌日から起算して2週間**を経過する日までに**知事に意見書**を提出できる（11条）。

　　知事は、意見書の提出があったときは、その内容を審査し、次の処理をしなければならない。

> ① 意見書を採択すべきであると認めるとき…事業計画の修正を命じる。
> ② 意見書を採択すべきでないと認めるとき…意見書提出者に通知。

(6) 知事は、申請が認可基準に適合していると認めるときはその認可をしなければならない（12条）。**組合は、認可によって成立する**（13条）。知事は、認可をしたときは、遅滞なく、一定事項を公告しなければならない（14条）。

(7) 建替組合の理事及び監事の任期は、**3年以内**とし、補欠の理事及び監事の任期は、前任者の残存期間とする（22条）。

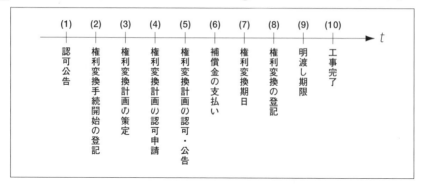

(1)　認可の公告の効果

　　次の者は、認可の公告のあった日から起算して**30日以内**（以下、「申出期間」という）に、**施行者に申出ができる**（56条）。

①　施行マンションの区分所有権又は敷地利用権を有する者は、**権利の変換を希望せず、金銭の給付を申し出ることができる**。ただし、これらの区分所有権又は敷地利用権について**仮登記、買戻しの特約等の登記**がなされている場合等は、これらの者の**同意を得なければできない**。

②　施行マンションについて**借家権**を有する者（転貸借がなされている場合は、転借人を含む）は、借家権の取得を**希望しない**旨を申し出ることができる。

(2)　施行者は、**認可の公告があったとき**は、遅滞なく、登記所に、施行マンションの区分所有権及び敷地利用権（既登記のものに限る）並びに隣接施行敷地の所有権及び借地権（既登記のものに限る）について、**権利変換手続開始の登記**を申請しなければならない。

　　この**登記後**は、当該登記に係る施行マンションの区分所有権もしくは敷地利用権を有する者（組合施行の場合は、組合員に限る）又は当該登記に係る隣接施行敷地の**所有権**もしくは**借地権**を有する者は、これらの**権利を処分**するときは、施行者の承認を必要とする。**未承認の処分は、施行者に対抗できない**（55条）。

(3)　施行者は、申出期間の経過後、遅滞なく、**権利変換計画**（権利変換期日、施行マンションの明渡しの予定時期等）を定め、認可を受けなければならない（57条）。また、組合は、**権利変換計画**を定めようとするときは、総会の議決を経るとともに施行マンション又はその敷地について権利を有する者（組合員を除く）及び隣接施行敷地がある場合における当該隣接施行敷地について権利を有する者の**同意**を得なければならない（57条）。

　　施行者は、**権利変換計画を定め、又は変更**しようとするとき（**軽微な変更を除く**）は、審査委員の過半数の同意を得なければならない（67条）。

(4)　権利変換計画の認可の申請手続（57条）

① 個人施行者の場合

施行マンション又はその敷地（隣接施行敷地を含む）について**権利を有する者の同意**を得なければならない。

② 組合の場合

総会の議決を経るとともに、**施行マンション又はその敷地について権利を有する者（組合員を除く）**及び隣接施行敷地がある場合にはその**権利を有する者の同意**を得なければならない。

施行マンションの区分所有権又は敷地利用権について存する担保権等の登記に係る権利は、**権利変換期日後**、施行再建マンションの区分所有権又は敷地利用権の上に存する（61条）。権利変換計画に定められる施行マンションの区分所有権又は敷地利用権の価額の**概算額**は、**認可の公告（申請ではナイ！）があった日から起算して30日の期間を経過した日**（権利変換日ではナイ！）における近傍類似の土地又は近傍同種の建築物に関する同種の権利の取引価格等を考慮して定める相当の価額を基準として定めなければならない（62条）。

権利変換計画では、施行マンションについて借家権を有する者に対し、施行再建マンションの**借家権**を与えるように定める。また、施行マンションの区分所有者が権利変換を希望しない旨の申出をした場合、当該区分所有者から施行マンションについて借家権の設定を受けている者は、施行者に帰属することとなる施行再建マンションの部分について借家権が与えられる（60条）。

なお、総会で議決に賛成しなかった組合員に対しては、議決から**2カ月以内**に、区分所有権及び敷地利用権を時価で**売渡し請求**できる。また、組合員から組合に対して区分所有権及び敷地利用権を時価で**買取り請求**できる（64条）。

(5) 権利変換計画の認可・公告（68条）

知事（市の区域では、市長）に、認可の申請を行う。施行者は、権利変換計画もしくはその変更の認可を受けたとき、又は軽微な変更をしたときは、遅滞なくその旨を公告し、及び関係権利者に関係事項を書面で通知しなければならない。

(6) 補償金の支払い

施行者は、権利変換を希望しない旨の申出をした者等に対し、**権利変換期日までに補償金の支払い**をしなければならず（75条）、抵当権等の目的物について補償金を支払うときは、**抵当権者等のすべてから供託しなくてもよい旨の申し出があったときを除き**その**補償金を供託**しなければならない（76条）。

(7) 権利変換期日における権利の変換等

① 権利変換期日に、権利変換計画の定めるところに従い、施行マンションの**敷地利用権は失われ**、施行再建マンションの敷地利用権は**新たに当該敷地利用権を与えられるべき者が取得**する（70条）。

② 権利変換期日に、**施行マンションは、施行者に帰属**し、施行マンションを目的とする区分所有権以外の権利は、原則として**消滅**する。施行マンションについて借家権を有していた者は、**建築工事完了公告日**に、権利変換計画の定めるところに従い、施行再建マンションの部分について**借家権を取得**する（71条）。

③ 権利変換期日に、権利変換計画の定めるところに従い、**隣接施行敷地**の所有権又は借地権は、失われ、又はその上に施行再建マンションの敷地利用権が設定される（70条）。

(8) **施行者**は、**権利変換期日後遅滞なく**、施行再建マンションの敷地（保留敷地を含む）につき、権利変換後の土地に関する権利について必要な**登記**を申請しなければならない（74条）。施行マンションの区分所有権又は敷地利用権について存する抵当権等の**担保権等の登記に係る権利**は、権利変換期日以後は、権利変換計画の定めるところに従い、**施行再建マンションの区分所有権又は敷地利用権の上に存する**ものとする（73条）。

(9) 従前の権利者等は、施行者が通知した**明渡し期限**までは、従前の用法に従い、その**占有を継続**できる（79条）。施行者は、権利変換期日後マンション建替事業に係る工事のため必要があるときは、施行マンション又はその敷地（隣接施行敷地を含む）を**占有している者に対し**、期限を定めて、その**明渡しを求めることができる**。この明渡しの期限は、請求をした日の翌日から起算して**30日を経過した後の日**でなければならない（80条）。

(10) 施行者は、施行再建マンションの**建築工事が完了**したときは、速やかに、その旨を、**公告**するとともに、施行再建マンションに関し権利を取得する者に通知しなければならない（81条）。**施行者は、施行再建マンションの建築工事が完了したとき**は、遅滞なく、施行再建マンション及び施行再建マンションに関する権利について必要な**登記**を申請しなければならない（82条）。

施行者は、マンション建替事業の工事が完了したときは、速やかに、当該事業に要した費用額を確定するとともに、それぞれの権利の額を確定し、各権利者にその確定した額を通知しなければならない。

施行再建マンションの区分所有権又は敷地利用権の価額とこれを与えられた者がこれに対応する権利として有していた施行マンションの区分所有権又は敷地利用権の価額とに**差額**があるときは、施行者は、その差額に相当する金額を徴収し、又は交付しなければならない。権利変換計画で定めるところにより、清算金には**利子**を付することができる（84・85条）。

A 6 マンション建替組合 ㊙ H27・R2・3・4年

(1) 組合員と参加組合員

① 組合員

施行マンションの**建替え合意者**（その承継人［組合を除く］を含む）は、すべて**組合の組合員**とする。マンションの一専有部分が数人の共有に属す

るときは、その数人を一人の組合員とみなす（16条）。

　　組合は、その事業に要する経費に充てるため、**賦課金**として**参加組合員以外の組合員**に対して金銭を賦課徴収できる（35条）。

② 参加組合員

　　組合が施行するマンション建替事業に参加することを**希望**し、かつ、それに必要な**資力及び信用を有する者**であって、**定款で定められたもの**は、**参加組合員**として、**組合の組合員となる**（17条）。

　　参加組合員は、権利変換計画の定めるところに従い取得することとなる施行再建マンションの区分所有権及び敷地利用権の価額に相当する額の**負担金**並びに組合のマンション建替事業に要する経費に充てるための**分担金**を組合に納付しなければならない。組合は、参加組合員が負担金の納付を怠ったときは、定款で定めるところにより、その参加組合員に対して、過怠金を課することができる（35・36条）。

(2) 総会（26・28・31条）

　　組合の総会は、総組合員で組織する。理事長は、毎事業年度1回通常総会を招集しなければならない。また、組合員の数が**50人を超える**場合は、総会に代わってその権限を行わせるために**総代会**を設けることができる。

(3) 組合は、組合員の議決権及び持分割合の各**4分の3以上の賛成**を得て、管理規約を定めることができる（30・27条）

(4) 組合の解散事由（38条）

① 設立についての認可の取消し（**権利変換期日前に限る**）

② **総会の議決**（**権利変換期日前に限る**。借入金があれば**債権者の同意**）

③ 事業の完成又はその完成の不能（借入金があれば**債権者の同意**）

（絶対注意） マンション敷地売却組合についても、一定の場合、借入金があるときは、債権者の同意が必要という規定がある。

c7 審査委員 🕒 H26年（最終）

(1) 個人施行者は、知事の承認を受けて、土地及び建物の権利関係又は評価について特別の知識経験を有し、かつ、公正な判断をすることができる者のうちから、この法律及び規準又は規約で定める権限を行う**審査委員3人以上を総会で選任**しなければならない（53条）。

(2) 組合は、土地及び建物の権利関係又は評価について特別の知識経験を有し、かつ、公正な判断をすることができる者**3人以上**を**総会で選任**し、この法律及び定款で定める権限を行わせる。

(3) 審査委員の権限

① 権利変換計画の決定・変更→**過半数の同意**（軽微な変更を除く）（67条）

② 借家条件の裁定→**過半数の同意**（83条）

C **8**　要除却認定マンション　㊙ H23年（最終）

(1) **耐震診断**が行われたマンションの**管理者等**は、特定行政庁に対し、当該マンションを**除却する必要がある旨の認定を申請**できる（102条）。

(2) **知事等**は、**要除却認定マンションの区分所有者**に対し、要除却認定マンションの除却について必要な**指導及び助言**ができ、**要除却認定マンションの除却**が行われていないと認めるときは、要除却認定マンションの区分所有者に対し、必要な**指示**をすることができる（104条）。

B **9**　マンション敷地売却組合　㊙ R6年

(1) 組合の設立について、マンション敷地売却合意者の**4分の3以上の同意**を得なければならない（120条）。

(2) 役員として**理事3人以上**及び**監事2人以上**を置くこととし、任期は**1年以内**とされている（22・126条）。

(3) **分配金取得計画を定め**、又は変更しようとするとき（軽微な変更は除く）は、**審査委員の過半数の同意**を得なければならない（146条）。

　マンションの建替え等の円滑化に関する法律のマンション建替組合（以下この問において「組合」という）に関する次の記述のうち、正しいものはどれか。

(1)　組合設立の認可を申請しようとする者は、組合の設立について建替え合意者の3分の2以上の同意が必要である。

(2)　同一敷地に存する2以上のマンションについて建替え決議が行われたとき、当該2以上のマンションに係る建替え合意者が組合を設立するには、それぞれのマンションにつき5人以上共同してこれを行わなければならない。

(3)　マンションの区分所有権又は敷地利用権を有する者以外の者が組合員になるためには、当該区分所有権又は敷地利用権を有する者全員の同意を得る必要がある。

(4)　都道府県知事（指定都市においては指定都市の長、中核市においては中核市の長、特例市においては特例市の長）による組合設立の認可の基準の一つとして、施行再建マンションの床面積の合計は施行マンションの床面積の合計以上でなければならない。

(5)　総会の議決により組合を解散する場合、権利変換期日前に限りこれを行うことができる。

30　住宅の品質確保の促進等に関する法律

B **1**　目的等（1・2条）　㊙ R3年

　住宅の性能に関する表示基準及びこれに基づく評価の制度を設け、住宅に係る紛争の処理体制を整備するとともに、**新築住宅**の**請負契約**又は**売買契約**における瑕疵担保責任について特別の定めをすることにより、住宅の品質確保の促進、**住宅購入者等の利益の保護**及び住宅に係る紛争の迅速かつ適正な解決を図り、もって国民生活の安定向上と国民経済の健全な発展に寄与すること。なお、瑕疵とは種類又は品質に関して契約の内容に適合しない状態をいう。

AA **2**　規制対象（87〜97条）　㊙ H27・28・30・R1・2・3・4・5・6年

　新築住宅の売買・請負において、**買主・注文者に引き渡した時**（新築請負契約に基づき請負人から売主に引き渡された新築住宅の場合は、請負人から売主に引き渡された時）から**10年間**（特約で**20年**まで伸長できる）は、住宅の構造**耐力上主要な部分**又は**雨水の浸入を防止する部分**で政令で定める物の瑕疵について、担保責任を負わなければならない。

　新築住宅とは、**新たに建設された住宅**で、まだ**人の居住の用に供されたことのないもの**をいう（**建築工事完了日**から起算して**1年を経過**したものを**除く**）。

○木造（在来軸組工法）の戸建住宅の例

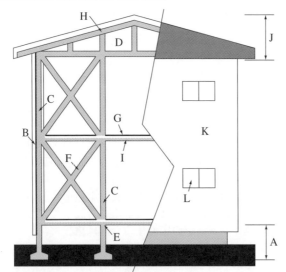

〈構造耐力上主要な部分〉

基礎ぐい	A
壁	B
柱	C
小屋組	D
土　台	E
斜　材	F
床　版	G
屋根版	H
横架材	I

〈雨水の浸入を防止する部分（主なもの）〉

屋　根	J
外　壁	K
開口部	L

★不動産図鑑㉗・品確法の対象部分の例

B **3** 買主等に認められる権利等(87〜97条) ㊙ H28・29年

	(1) 民法		(2) 品確法 （新築住宅の売買 契約・請負契約）	(3) 宅建業法 （宅建業者が自ら 売主となる売買 契約）
	① 売買契約	② 請負契約		
1．責任に 係る期間	買主が契約不適合 を知った時から1 年以内に通知しな いと責任追及でき ない。	注文者が契約不適 合を知った時から 1年以内に通知し ないと責任追及で きない。	引渡しから10年 （20年まで伸長 できる）	売主に通知する 期間を引渡しから 2年以上とする特 約以外は、(1)① と同じ
2．追及可能 な権利	追完請求	追完請求	追完請求	(1)①より買主に 不利な特約はで きない。
	代金減額請求	報酬減額請求	売買 / 請負 代金 減額請求 / 報酬 減額請求	
	損害賠償請求	損害賠償請求	損害賠償請求	
	契約の解除	契約の解除	契約の解除	
3．瑕疵の 範囲	種類又は品質に関して契約の内容に 適合しない状態をいい、**2**に限定さ れない。		**2**の規制対象	(1)と同じ
4．隠れたる 瑕疵に限定 されるか	限定されない。			
5．新築に 限定されるか	限定されない。		限定される。	(1)と同じ
6．買主・ 注文者に不 利な特約	有効	有効	無効	無効

（絶対注意） 一戸建住宅に限定されず、**マンションも対象**となる。

（絶対注意） 品確法上の瑕疵担保責任は、**一時使用**のために建設されたことが
明らかな住宅には不適用（96条）。

A **4** 　日本住宅性能表示基準 ㊙ H28・29・R3年

(1) **国土交通大臣**及び**内閣総理大臣**は、住宅の性能に関する表示の適正化を図
るため、**日本住宅性能表示基準**を定めなければならない。国土交通大臣は、
日本住宅性能表示基準を定める場合には、併せて、**評価方法基準**を定めるも
のとする（3条）。

(2) 何人も、日本住宅性能表示基準ではない住宅の性能の表示に関する基準に
ついて、**日本住宅性能表示基準という名称又はこれと紛らわしい名称を用い
てはならない**（4条）。

AA 5　住宅性能評価　⊕ H27・29・30・R1・2・3・4・5・6年

(1)　住宅性能評価（5条）

　　① 登録住宅性能評価機関は、申請により、住宅性能評価を行い、一定の標章を付した評価書（以下「住宅性能評価書」という）を交付できる。

　　② 何人も、①の場合を除き、住宅の性能に関する評価書、契約書等に、①の標章又はこれと紛らわしい標章を付してはならない。

　（絶対注意）　住宅性能評価を受けるか否かは、住宅供給者等の権利であり、義務ではない。

(2)　住宅性能評価書等と契約内容（6条）

　　① 住宅の建設工事の請負人が、設計住宅性能評価書若しくはその写しを契約書に添付し又は交付した場合、当該設計住宅性能評価書又はその写しに表示された性能を有する住宅の建設工事を行うことを契約したものとみなす。

　　② 新築住宅の売主が、設計住宅性能評価書若しくはその写し（工事完了前）又は建設住宅性能評価書若しくはその写し（工事完了後）を契約書に添付し又は交付した場合は、当該住宅性能評価書又はその写しに表示された性能を有する新築住宅を引き渡すことを契約したものとみなす。

　　③ ①・②は、請負人又は売主が、請負契約書又は売買契約書において反対の意思を表示しているときは、適用しない。

(3)　登録住宅性能評価機関は、一級建築士・不動産鑑定士等であって、登録講習機関が行う講習の課程を修了した者のうちから評価員を選任しなければならない（13条）。

AA 6　住宅に係る紛争の処理体制　⊕ H27・28・29・R1・2・3・4・5・6年

(1)　指定住宅紛争処理機関は、建設住宅性能評価書が交付された住宅の建設工事の請負契約又は売買契約に関する紛争の当事者の双方又は一方からの申請により、紛争のあっせん、調停及び仲裁の業務を行う（住宅性能評価をするのではナイ！）ものとする（67条）。

(2)　指定住宅紛争処理機関の行う紛争処理業務の支援や、住宅購入者等の利益の保護等を目的として国土交通大臣が指定できる住宅紛争処理支援センターは、全国に1つしか指定されない。国土交通大臣は、指定したときは、センターの名称及び住所並びに支援等の業務を行う事務所の所在地を公示しなければならない（82条）。

　（絶対注意）　設計住宅性能評価書のみが交付された住宅の売買契約に関する紛争は、指定住宅紛争処理機関による紛争のあっせん、調停又は仲裁の業務の対象とはならない。業務の対象になるのは、建設住宅性能評価書が交付された場合である（←コレはよく出る！）。

(3) 住宅紛争処理支援センターは、**評価住宅以外の住宅**の建設工事の請負契約
又は売買契約に関する相談、助言及び苦情の処理を行う（83条）。

過去問チェック㊶　　　　　　　　　　　　　（2003年・一部改題）

　住宅の品質確保の促進等に関する法律（以下この問において「法」とい
う）に関する次の記述のうち、正しいものはどれか。
(1)　設計住宅性能評価書のみが交付された住宅の売買契約に関する紛争は、
　指定住宅紛争処理機関による紛争のあっせん、調停又は仲裁の業務の対
　象とはならない。
(2)　新築住宅の売買契約において、法に基づく10年間の瑕疵担保責任の対
　象となる瑕疵は、住宅のうち構造耐力上主要な部分の瑕疵に限られる。
(3)　登録住宅性能評価機関は、評価の業務の開始前に、住宅の性能の表示
　及び評価のための基準を定め、国土交通大臣の認可を受けなければなら
　ない。
(4)　新たに建設された住宅は、建設工事の完了の日から起算して2年を経過
　したものであっても、まだ人の居住の用に供したことがなければ、法に
　基づく新築住宅として取り扱われる。
(5)　新築住宅の建設工事の完了前に当該新築住宅の売買契約を締結した売
　主が、買主に対し設計住宅性能評価書を交付した場合においては、売買
　契約書において反対の意思を表示したとしても、当該設計住宅性能評価
　書に表示された性能を有する新築住宅を引き渡すことを契約したものと
　みなされる。

★不動産図鑑㉘・住宅性能評価の標識（神戸市中央区）

31　不動産特定共同事業法

C **1**　目　的（1条）⊕ H26年（最終）

　この法律は、**不動産特定共同事業**を営む者について**許可**（届出ではナイ！）制度を実施して、その業務の遂行に当たっての責務等を明らかにし、及び事業参加者が受けることのある損害を防止するため必要な措置を講ずることにより、その業務の適正な運営を確保し、もって事業参加者の利益の保護を図るとともに、不動産特定共同事業の健全な発達に寄与することを目的とする。

AA **2**　定　義（2条）⊕ H27・29・R2・3・4・5・6年

(1)　「**不動産**」とは、宅地建物取引業法第2条第1号に掲げる**宅地**又は**建物**をいう。

　（注）信託の受益権は含まない。

(2)　「**不動産取引**」とは、不動産の**売買、交換**又は**賃貸借**をいう。

　（注）不動産の管理の委託や不動産に係る信託の受益権の売買は含まない。

(3)　「**不動産特定共同事業**」とは、次に掲げる行為で業として行うものをいう。

　①　不動産特定共同事業契約を締結して当該不動産特定共同事業契約に基づき営まれる**不動産取引から生ずる収益又は利益の分配**を行う一定の行為

　②　**不動産特定共同事業契約**の締結の代理又は媒介をする行為（除：④）

　③　**特例事業者の委託**を受けて当該特例事業者が当事者である不動産特定共同事業契約に基づき営まれる**不動産取引**に係る業務を行う行為

　④　特例事業者が当事者である不動産特定共同事業契約の締結の代理又は媒介をする行為

(4)　「**不動産特定共同事業者**」とは、法の規定に基づく**許可**を受けて不動産特定共同事業を営む者をいう。

(5)　「**小規模不動産特定共同事業者**」とは、法の規定に基づく**登録**を受けて小規模不動産特定共同事業を営む者をいう。

(6)　「**特例事業**」とは、不動産特定共同事業契約に基づき営まれる不動産取引に係る業務を、一の不動産特定共同事業者又は**小規模不動産特定共同事業者**（いずれも一定の者に限る）に**委託**するもので一定要件を満たすものをいう。

(7)　「**事業参加者**」とは、不動産特定共同事業契約の当事者で、当該不動産特定共同事業契約に基づき不動産特定共同事業を営む者**以外**のものをいう。

　（注）自らは不動産特定共同事業を行わない投資家のことである。

(8)　「**適格特例投資家限定事業者**」とは、法の規定による届出をした者をいう。

不動産特定共同事業法（以下この問において「法」という）に関する次のイからホまでの記述のうち、正しいものの組合せはどれか。

イ　法において「不動産」とは、宅地建物取引業法第二条第一号に掲げる宅地又は建物をいう。

ロ　法において、不動産特定共同事業契約に基づき営まれる不動産の賃貸借による収益又は利益の分配を行う行為は「不動産特定共同事業」に含まれるが、不動産の売買による収益又は利益の分配を行う行為は含まれない。

ハ　「特例事業」の場合、不動産取引に係る業務は、一の不動産特定共同事業者又は小規模不動産特定共同事業者（いずれも一定の者に限る。）に委託して行う必要がある。

ニ　「特例事業」の相手方又は事業参加者は、不動産に対する投資に係る専門的知識及び経験を有すると認められる者として法で定められた「特例投資家」のみであり、一般投資家が「特例事業」の相手方又は事業参加者となることは認められない。

ホ　「小規模不動産特定共同事業」とは、不動産特定共同事業契約に基づき収益又は利益の分配を行う行為であって、宅地の造成又は建物の建築に関する工事その他主務省令で定める工事の費用の額が一定の額を超えないものを業として行うものであり、「小規模不動産特定共同事業者」とは、法に基づく許可を受けた者をいう。

(1)　イとハ
(2)　ロとニ
(3)　ロとホ
(4)　ハとニ
(5)　ハとホ

エネルギー補給も重要課題

　仕事や勉強に熱中すると、お腹がすきますね。そういう時に炭水化物をドカッと取ると、眠たくなります。少ない量で空腹感がなくなり、しかも栄養があるものがいいです。私は**少量のチョコレートかバナナ**を食べます。**和歌山県立箕島高校野球部元監督の故尾藤公さん**は、医師の指導のもと、試合中にも選手に積極的にチョコレート・バナナ・ミネラルウォーターを取らせました。それがあの星陵との延長18回の激闘を制するパワーとなったそうです。皆さんもぜひ試してください。

32 資産の流動化に関する法律

c1 目 的（1条）

この法律は、特定目的会社又は特定目的信託を用いて資産の流動化を行う制度を確立し、これらを用いた資産の流動化が適正に行われることを確保するとともに、資産の流動化の一環として発行される各種の証券の購入者等の保護を図ることにより、一般投資者による投資を容易にし、もって国民経済の健全な発展に資することを目的とする。

A2 定義（主なもの）（2条）🏛 H29・R2・6年

(1) **「特定資産」**とは、資産の流動化に係る業務として、**特定目的会社が取得した資産又は受託信託会社等が取得した資産**をいう。

(2) **「資産の流動化」**とは、一連の行為として、特定目的会社が資産対応証券の発行若しくは特定借入れにより得られる金銭をもって資産を取得し、又は信託会社若しくは信託業務を営む銀行その他の金融機関が資産の信託を受けて受益証券を発行し、これらの資産の管理及び処分により得られる金銭をもって、一定の資産対応証券、特定借入れ及び受益証券に係る債務又は出資について一定の行為を行うことをいう。

(3) **「特定目的会社」**とは、一定の規定に基づき設立された社団をいう。

(4) **「資産流動化計画」**とは、**特定目的会社による資産の流動化に関する基本的な事項を定めた計画**をいう。

(5) **「優先出資」**とは、均等の割合的単位に細分化された特定目的会社の社員の地位であって、当該社員が、特定目的会社の利益の配当又は残余財産の分配を特定出資を有する者（以下「特定社員」という）に先立って受ける権利を有しているものをいう。

(6) **「特定出資」**とは、均等の割合的単位に細分化された特定目的会社の社員の地位であって、特定目的会社の設立に際して発行されたものをいう。

A3 特定目的会社制度 🏛 H30・R5・6年

(1) 事業開始届出（4条）
    特定目的会社は、**資産の流動化に係る業務**を行うときは、**あらかじめ内閣総理大臣に届け出**なければならない（一定事項を記載した届出書）。届出書には、定款・**資産流動化計画**等の書類を**添付**しなければならない。

(2) 資産流動化計画には、特定資産の内容や取得時期のほか、特定資産の管理及び処分の方法を記載又は記録する必要がある（5条）。

(3) 資産流動化計画に係る特定社員の承認（6条）
    特定目的会社が**業務開始届出**を行うときは、資産流動化計画について、あ

らかじめすべて**の特定社員の承認**を受けなければならない。

(4) 特定目的会社名簿（8条）

　内閣総理大臣は、**特定目的会社名簿**を備え、内閣府令で定めるところにより、これを公衆の縦覧に供しなければならない。

(5) 届出事項の変更（9条）

　特定目的会社は、届出書の記載事項又は**資産流動化計画に変更**があったときは、内閣府令で定める期間内に、**内閣総理大臣に届け出**なければならない。

(6) 債務履行完了の届出（10条）

　特定目的会社は、資産流動化計画に従って、優先出資の消却、残余財産の分配並びに特定社債、特定約束手形及び特定借入れに係る債務の履行を完了したときは、その日から**30日以内**に、その旨を**内閣総理大臣に届け出**なければならない（一定の軽微な変更は**届出不要**）。

(7) 廃業の届出（12条）

　特定目的会社が次のいずれかに該当することとなったときは、(ア)(イ)に定める者は、その日から**30日以内**に、その旨を**内閣総理大臣に届け出**なければならない。

　(ア) 破産手続開始の決定により**解散**したとき。その**破産管財人**

　(イ) 破産手続開始の決定以外の事由により**解散**したとき。その清算人

過去問チェック㊸　　　　　　　　　　　　（2008年・一部改題）

　資産の流動化に関する法律に関する次のイからホまでの記述のうち、正しいものはいくつあるか。

イ　「資産流動化計画」とは、特定目的会社による資産の流動化に関する基本的な事項を定めた計画をいう。

ロ　特定目的会社は、資産の流動化に係る業務を行うときは、あらかじめ内閣総理大臣に届け出なければならない。

ハ　特定目的会社が業務開始届出を行うときは、資産流動化計画について、あらかじめ特定社員の過半数の承認を受けなければならない。

ニ　特定目的会社は、資産流動化計画に変更があったときは、当該変更の内容及びその理由を記載した届出書を内閣総理大臣に提出しなければならない。

ホ　特定目的会社は、資産流動化計画に従って、優先出資の消却、残余財産の分配並びに特定社債、特定約束手形及び特定借入れに係る債務の履行を完了したときは、その日から30日以内に、その旨を内閣総理大臣に届け出なければならない。

(1)　1つ

(2)　2つ

(3)　3つ

(4)　4つ

(5)　すべて正しい

33 投資信託及び投資法人に関する法律

c**1** 目 的 (1条)

　この法律は、投資信託又は投資法人を用いて投資者以外の者が投資者の資金を主として有価証券等に対する投資として集合して運用し、その成果を投資者に分配する制度を確立し、これらを用いた資金の運用が適正に行われることを確保するとともに、この制度に基づいて発行される各種の証券の購入者等の保護を図ることにより、投資者による有価証券等に対する投資を容易にし、もつて国民経済の健全な発展に資することを目的とする。

AA**2** 定義等 (2条) ⊕ H27・28・R1・2・4・5・6年

(1) 「**委託者指図型投資信託**」とは、信託財産を委託者の指図（政令で定める者に指図に係る権限の全部又は一部を委託する場合における当該政令で定める者の指図を含む）に基づいて主として有価証券、不動産その他の資産で投資を容易にすることが必要であるものとして政令で定めるもの（以下「特定資産」という）に対する投資として運用することを目的とする信託であって、この法律に基づき設定され、かつ、その受益権を分割して複数の者に取得させることを目的とするものをいう。

(注1) 投資の対象とする資産に不動産が含まれる委託者指図型投資信託契約は、**宅地建物取引業の免許を受けている一の金融商品取引業者を委託者**とし、**一の信託会社等を受託者とするのでなければ、締結してはならない**（3条）。

(注2) 金融商品取引業者は、委託者指図型投資信託契約を締結しようとするときは、あらかじめ、当該投資信託契約に係る委託者指図型投資信託約款の内容を**内閣総理大臣に届け出**なければならない（4条）。

(注3) 委託者指図型投資信託の受益権は、均等に分割し、その分割された受益権は、受益証券をもって表示しなければならない。委託者指図型投資信託の受益者は、信託の元本の償還及び収益の分配に関して、受益権の口数に応じて**均等の権利**を有するものとする（6条）。

(注4) 委託者指図型投資信託の信託財産として有する有価証券に係る議決権の行使については、**投資信託委託会社**がその指図を行うものとする（10条）。

(注5) 委託者指図型投資信託の受益者は、**投資信託委託会社**に対し、その営業時間内に、当該受益者に係る投資信託財産に関する帳簿書類の閲覧又は謄写を請求できる（15条）。

(注6) 投資信託委託会社は、投資信託約款を**変更**しようとする場合には、あらかじめ、その旨及び内容を**内閣総理大臣に届け出**なければならない（16条）。

(注7) 投資信託委託会社がその任務を怠ったことにより運用の指図を行う投資信託財産の**受益者に損害**を生じさせたときは、その投資信託委託会社は、

当該受益者に対して**連帯して損害を賠償する責任**を負う（21条）。

(2) **委託者非指図型投資信託**とは、一個の信託約款に基づいて、受託者が複数の委託者との間に締結する信託契約により受け入れた金銭を、合同して、委託者の指図に基づかず主として特定資産に対する投資として運用することを目的とする信託であって、この法律に基づき設定されるものをいう。

(3) **投資信託**とは、委託者指図型投資信託及び委託者非指図型投資信託をいう。

(4) **有価証券**とは、金融商品取引法第2条第1項に規定する有価証券又は同条第2項の規定により有価証券とみなされる権利をいう。

(5) **受益証券**とは、投資信託に係る信託契約に基づく受益権を表示する証券であって、委託者指図型投資信託にあっては委託者が、委託者非指図型投資信託にあっては受託者が、この法律の規定により発行するもの又はこれに類する外国投資信託に係る証券をいう。

(6) **投資法人**とは、資産を主として特定資産に対する投資として運用することを目的として、この法律に基づき設立された社団をいう。

(注1) 投資法人の執行役員は、当該投資法人の発行する**投資証券等の募集等に係る事務を行ってはならない**（196条）

(注2) 資産運用会社は、投資法人の委託を受けてその資産の運用を行う場合において、当該投資法人から委託された資産の運用に係る権限の**全部**を他の**者に対し、再委託してはならない**（202条）。

(7) **登録投資法人**とは、第187条の登録を受けた投資法人をいう。

(注1) **資産運用会社**は、登録投資法人の**同意を得なければ**、当該登録投資法人と締結した資産の運用に係る委託契約を**解約できない**（205条）。

(注2) 登録投資法人は、原則として、投資主総会の決議を経なければ、資産運用会社と締結した資産の運用に係る委託契約を解約できない。ただし、**資産運用会社が職務上の義務に違反し、又は職務を怠ったときは**、投資主総会の**決議を経る必要はなく**、登録投資法人は、**役員会の決議により**資産運用会社と締結した資産の運用に係る**委託契約を解約できる**（206条）。

(注3) 登録投資法人は、**資産保管会社**にその資産の保管に係る業務を委託しなければならない（208条）。資産保管会社がその任務を怠ったことにより投資法人に損害を生じさせたときは、資産保管会社は投資法人に対し連帯して損害賠償責任を負う（210条）。

(8) **投資口**とは、均等の割合的単位に細分化された投資法人の社員の地位をいい、**投資主**とは、投資法人の社員をいう。

(9) **資産保管会社**とは、登録投資法人の委託を受けてその資産の保管に係る業務を行う法人をいう。

COLUMN

本法は多くの受験生が不得意であり、深入りは禁物です（ただし、令和元年の問題は以上の記述で簡単に正解できます）。

34 金融商品取引法

c① 目 的 (1条)

この法律は、企業内容等の開示の制度を整備するとともに、金融商品取引業を行う者に関し必要な事項を定め、金融商品取引所の適切な運営を確保すること等により、有価証券の発行及び金融商品等の取引等を公正にし、有価証券の流通を円滑にするほか、資本市場の機能の十全な発揮による金融商品等の公正な価格形成等を図り、もって国民経済の健全な発展及び投資者の保護に資することを目的とする。

B② 有価証券の定義 (2条) ㊙ R5年

「**有価証券**」とは、次に掲げるものをいう (主なもの)。

① 国債証券
② 地方債証券
③ 社債券 (相互会社の社債券を含む。以下同じ)
④ 株券又は新株予約権証券
⑤ 信託法に規定する受益証券発行信託の受益証券
⑥ 抵当証券法に規定する抵当証券
⑦ **投資信託及び投資法人に関する法律に規定する投資信託又は外国投資信託の受益証券**

> ▷ 鑑定理論への道

⑯ 投資法人、投資信託又は特定目的会社に係る投資対象資産としての不動産を譲渡するときに依頼される鑑定評価で求める価格は、特定価格である (2015年)。→ ✕特定価格ではなく、正常価格である。

COLUMN

不動産特定共同事業法で地方創生を図る

　不動産特定共同事業とは、簡単に言うと、**投資家から出資**を受けて**不動産取引**を行い、その**収益を投資家に分配する事業**です。

　ところで、わが国には**耐震性の劣る建築物**が多数存在しており、これらの**建築物の耐震化又は建替え等は都市経済上喫緊の課題**となっています。また、地方を中心として**老朽化した不動産や低未利用の不動産（含：空家）**が多数存在しており、地域活性化のために、これらを介護施設等の社会的ニーズの高い施設に再生させることが求められています。これらを達成するのが本事業の一例なのです。

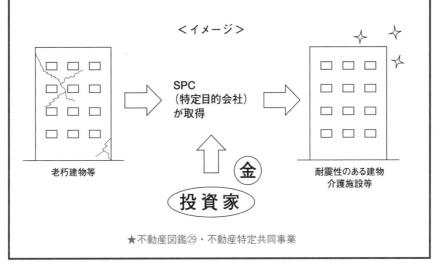

<イメージ>

★不動産図鑑㉙・不動産特定共同事業

ユキの四都物語

●私が生まれた街、大阪が再生する

　私、ユキは1976年8月5日、大阪はキタで生まれました。小さい頃から母に連れられて梅田（現在の阪急電鉄大阪梅田駅の周辺で、JR大阪駅からも近い）に買い物に行きました。梅田の一角に、**茶屋町**という地区がありました。ここは、江戸時代に料亭等があって、非常に栄えていた所だと言います。でも、その頃は、空地や廃屋が多数存在し、夜になると真っ暗になるさびしい街でした。ある日、茶屋町周辺を歩いていると、低層住宅やモータープール（駐車場）が取り壊されていました。「一体どうなるんだろう」と私は思いました。

　その後、茶屋町に、**放送局や超高層ビル**が建ち始めました。日に日にきれいな街になり、私は子供心にも嬉しくなりました。そして、この時初めて「まちづくり」の大切さ、そして喜びを知ったのでした。

●**女性**だからこそ専門職に就きたい

　1989年4月、D女子中学に進学した私は、その頃から結婚・出産してもやりがいのある仕事をしたいと思っていました。そして、考えに考えた末、**女性が仕事と家庭を両立するためには**、「国家資格」を取るしかないと考えたのです。

　茶屋町周辺（地下鉄中津駅近く）をブラブラしていると、「**資格の学校・TAC**」の赤いたれ幕が目に付きました。私は、さっそく宅建のパンフレットを持ち帰りました。

●京都の大学へ進学、20歳で宅建、21歳で鑑定士に合格

　D大学経済学部に進学後、2年生の春から京都TACに入学し、宅建試験に合格しました。そして、その勢いで大学3年時に不動産鑑定士試験に合格しました。

　しばらく鋭気を養った後、就職のための業界研究を開始しました。**大学の就職課**で資料を集めたり、相川先生の就職セミナーで配布された冊子を読みました。春休みには、会社訪問も開始しました。いろいろな方々との出会いは非常に楽しかったのですが、つらいこともありました。某不動産会社では、女性という理由で面接さえしてもらえませんでした。帰りの電車の中で、悔しくて涙がポロポロあふれました。

　1998年4月24日、東京から新幹線で帰る途中、携帯電話が鳴りました。母からの電話で、「東○不動産から内定の電話があったよ」とのことでした。

●そして、**神戸**…

　1998年12月のある日、アルバイトを早めに切り上げて相川先生に会いに

神戸へ行きました。JR元町駅を降りると**ルミナリエ**の観光客ですごい人混みでした。ルミナリエは阪神大震災で被災した人々の心を癒すこと（**鎮魂**）から始まった行事です。復興事業により素晴らしい街に生まれ変わりつつあるのがわかりました。

「まちづくりは、**神戸市・建築士・不動産鑑定士が市民と連携**しながらやっている。鑑定士は単なる鑑定屋ではない、**まちづくりの専門家でもあるのだ**」

相川先生の言葉を聞きながら、「私も人に喜ばれるようなまちづくりをしてみたい」と強く感じました。そして、2025年1月には、**阪神大震災30周年**を迎えます。

●**東京の渋谷で社会人生活スタート…**

1999年4月、私は社会人としての第一歩を渋谷で歩み出しました。会社では、**不動産鑑定士**としてのキャリアを積んだ後、故郷である関西に戻って商業施設を長きに渡り担当してきました。商業施設はその街の中心としてたくさんの人々が集まるところ。まちづくりをしたいという**夢は志に変わり**（「夢と志は違う。夢は漠然とした願望にすぎないが、志は夢を実現した後に社会をどう変えていきたいか、世の中をどう幸せにしていくかという社会的なつながりを考えることである」という大学時代の恩師の言葉に、今も気持ちを奮い立たせています）、**その街に住む人が喜んでくれて、担当する商業施設がある街に住みたいと思えるような仕事**（まちづくり）を、心を尽くしてやってきました。たとえば、育休明けには、乳幼児ママを笑顔にできるプロジェクトを立ち上げ、ベビーカーでも使いやすい授乳室への改装や、地域の子育て支援団体と連携して、地域のママが集える子育てイベントを連日開催する企画を実施するなどしてきました。

会社に入って25年。渋谷は大きなスケールの再開発が進み、**モノだけではなく新たなカルチャーがクロスする場所にどんどん変化**していっています。

2022年7月、大阪学院大学へ相川先生の講演会『**岸部のアルバム～2025年大阪・関西万博への都市計画**』を聴きに行きました。また、2024年9月、「8haのみどりとイノベーションの融合拠点」をまちづくりの目標とする**グラングリーン大阪**がJR大阪駅の横にオープンしました。大阪は2025年の万博を通過点として、環境やSDGsに配慮したまちづくりで世界をリードしていく街になると信じています。

〈過去問チェック・解答〉

問1	5
問2	5
問3	2
問4	1
問5	4
問6	5
問7	4
問8	2
問9	5
問10	5
問11	4
問12	1
問13	2
問14	5
問15	3

問16	2
問17	1
問18	3
問19	2
問20	1
問21	2
問22	5
問23	1
問24	1
問25	5
問26	1
問27	5
問28	1
問29	2
問30	3

問31	1
問32	4
問33	2
問34	2
問35	3（イとハ）
問36	3
問37	5
問38	5
問39	3
問40	5
問41	1
問42	1
問43	4（イとロとニとホ）

相川眞一（あいかわ　しんいち）

大学1年時より専門学校で講師を務める。1985年3月に関西大学大学院商学研究科博士前期課程修了後にTAC（株）に入社。日商簿記、宅建士、マンション管理士、不動産鑑定士等を教え、合格者数は総計約8,000名に及ぶ。現在、大学教員を中心に、「資格の学校 TAC」での講師業、講演活動、研究活動、執筆活動等を行っている。2016年4月に大阪学院大学経済学部准教授（専門分野：都市経済論・不動産学）に就任した。2017年7月には日本地方自治研究学会で、『人口減少社会と空家問題』を発表、2019年1月には『大阪北部地震の被害の検証』、同年9月の同学会全国大会では、『不動産税制の現状と改正後の課題』を発表した。2020年8月に奈良県庁より、「土地評価額適正審査会」の委員に任命された。2022年7月の総合学術研究所で、『岸部のアルバム〜2025年大阪・関西万博への都市計画』を、2023年12月の日本比較生活文化学会で、『まちづくりの成功要因〜ボールパークを中心として』を発表した。

〈主な著書〉

『さくさくわかる！　やさしい宅建士のテキスト』（TAC出版）
『不動産学入門序説』（雅書房）

もうだいじょうぶ!!シリーズ

2025年度版
不動産鑑定士　不動産に関する行政法規　最短合格テキスト

（1996年度版　1996年6月15日　初版 第1刷発行）
2024年10月25日　初　版　第1刷発行

編 著 者	Ｔ Ａ Ｃ 株 式 会 社	
	（不動産鑑定士講座）	
発 行 者	多 田 敏 男	
発 行 所	Ｔ Ａ Ｃ株式会社 出版事業部	
	（TAC出版）	

〒101-8383
東京都千代田区神田三崎町3-2-18
電話 03（5276）9492（営業）
FAX 03（5276）9674
https://shuppan.tac-school.co.jp

印　刷	株式会社 ワ コ ー	
製　本	株式会社 常 川 製 本	

© TAC 2024　　　Printed in Japan

ISBN 978-4-300-11223-6
N.D.C. 673

不動産鑑定士

不動産鑑定士への道は
私たちTACで

地道な努力

大森 崇史さん
- 1.5年L本科生plus
- 教室講座

校舎が多いことや、教室講座を予定していたため自宅から通いやすい場所にあったことなどいくつかありますが、一番の理由は合格者数の多さでした。毎年の合格者が多いということは、それだけ合格の可能性が高まると思いTACを選びました。

講師の先生方に言われたことを素直に受け入れてください！

押野 将太さん
- 1.5年L本科生plus
- Web通信講座

TACの先生方は、効率的に合格できる道筋を示してくれていると思います。勉強中は常に不安が付きまとい、疑心暗鬼になることも多々あります。しかし、先生方の言葉を信じ、素直に受け入れることが重要だと感じました。

急がば回れ！地道な日々の努力の暗記こそ合格の近道

本杉 祐也さん
- 1.5年本科生
- Web通信講座

TACの講師陣は大変層が厚く、それぞれの科目ごとに個性的で優秀な先生が何人もいらっしゃいます。なので、自分が合う先生を見つけやすく、授業の選択肢の幅が広いことが魅力だと思っています。疑問点についての質問も、複数の講師に質問することで色々なことを学べて勉強になりました。

忍耐

黒田 悠佑さん
- 1.5年L本科生plus
- Web通信講座

合格者のほとんどがTAC生ということから、TACの中で上位を目指すことが試験合格に最も近づき、また自分の立ち位置を把握することができると考えたためです。また、講義やテキスト等の評判も高かったため、TAC以外の選択肢はありませんでした。

さぁ、次はあなたの番です！

資格の学校 TAC

TACから始まります！
合格しました！

丁寧にバランスの良い勉強

山口 涼也さん
- 1年本科生
- Web通信講座

講義の内容はもちろんですが、講義や答練の後に質問に行くことが多かったですが、遅い時間であっても、その質問の対応をしていただき、回答の内容も自分のほしいものを的確に答えていただけることが多く、ありがたかったです。

自分なりに出来ることを全てやる、ベストを尽くす

岩瀬 基彦さん
- 10ヵ月本科生
- DVD通信講座

自習室は平日休日とも空いていて、使用する方も皆さん勉強に集中されており、自分も頑張ろうというモチベーションの中で勉強に励むことが出来ました。適度な間隔で勉強方法の紹介などのオンラインイベントがあったり、講師にオンラインで質問できるコーナーがあったため、通信生である中で疑問点の解消やモチベーション維持に当たって大変助かりました。

人に頼り、期待に応える！

小倉 康一郎さん
- 10ヵ月本科生
- 教室講座

答練を教室受講できたことは良かったと思います。教室の場合だと、答練を受講する日時が決まっているので後回しにできなくなります。結果的に、その答練に向けて、復習をしなければならないという気持ちになり、復習のペースを維持することができました。

自分なりの勉強スタイルを確立し、やり抜く

小西 克典さん
- 上級本科生
- Web通信講座

講師の先生方の講義はとても熱意をもって説明いただき、受講者が疑問に持ちやすい論点などを先回りして、説明してくれるため、手戻りなく勉強することができました。また、勉強の姿勢や効率的な勉強法など、参考になる情報も教えていただき、良かったと思います。

圧倒的な合格実績！

11年から13年間（2011年～2023年度）累計の合格者1,509名中、
TAC不動産鑑定士講座講座生※1合計は1,074名、
年間累計の合格者占有率※2は71.1％でした（2023年12月1日現在）。

＋82名(2011年)＋82名(2012年)＋73名(2013年)＋67名(2014年)＋76名(2015年)＋76名(2016年)＋
＋82名(2017年)＋85名(2018年)＋95名(2019年)＋91名(2020年)＋93名(2021年)＋87名(2023年)

講座生とは各目標年度の試験に合格するために必要と考えられる講義・答案練習・公開模試・法改正等をパッケージ化したカリキュラムの受講者です。講座生はそのボリュームから他校の講座生と掛け持ちすることは困難です。
合格者占有率は「TAC講座生※1合格者数」を「不動産鑑定士論文式試験合格者数」で除して算出し、小数点第2位を切り捨てています。

13年間（2011年～2023年）累計の
論文式試験合格者占有率※2

TAC講座生※1
71.1%

書籍の正誤に関するご確認とお問合せについて

書籍の記載内容に誤りではないかと思われる箇所がございましたら、以下の手順にてご確認とお問合せをしてくださいますよう、お願い申し上げます。

なお、正誤のお問合せ以外の**書籍内容に関する解説および受験指導などは、一切行っておりません。**
そのようなお問合せにつきましては、お答えいたしかねますので、あらかじめご了承ください。

1 「Cyber Book Store」にて正誤表を確認する

TAC出版書籍販売サイト「Cyber Book Store」の
トップページ内「正誤表」コーナーにて、正誤表をご確認ください。

CYBER TAC出版書籍販売サイト
BOOK STORE

URL：https://bookstore.tac-school.co.jp/

2 1の正誤表がない、あるいは正誤表に該当箇所の記載がない ⇒ 下記①、②のどちらかの方法で文書にて問合せをする

★ご注意ください★

お電話でのお問合せは、お受けいたしません。

①、②のどちらの方法でも、お問合せの際には、「お名前」とともに、

「対象の書籍名(○級・第○回対策も含む)およびその版数(第○版・○○年度版など)」

「お問合せ該当箇所の頁数と行数」

「誤りと思われる記載」

「正しいとお考えになる記載とその根拠」

を明記してください。

なお、回答までに1週間前後を要する場合もございます。あらかじめご了承ください。

---

① ウェブページ「Cyber Book Store」内の「お問合せフォーム」より問合せをする

【お問合せフォームアドレス】

https://bookstore.tac-school.co.jp/inquiry/

---

② メールにより問合せをする

【メール宛先 TAC出版】

syuppan-h@tac-school.co.jp

※土日祝日はお問合せ対応をおこなっておりません。
※正誤のお問合せ対応は、該当書籍の改訂版刊行月末日までといたします。

乱丁・落丁による交換は、該当書籍の改訂版刊行月末日までといたします。なお、書籍の在庫状況等により、お受けできない場合もございます。
また、各種本試験の実施の延期、中止を理由とした本書の返品はお受けいたしません。返金もいたしかねますので、あらかじめご了承くださいますようお願い申し上げます。

(2022年7月現在)